manuel et cédérom

L' ACTIVITÉ-PROJET

le développement global en action

Danièle Pelletier

Préface de Charles E. Caouette

Ouvrage réalisé sous la responsabilité du Cégep de Saint-Jérôme

MODULO

Le Centre collégial de développement de matériel didactique a apporté un soutien pédagogique et financier à la réalisation de cet ouvrage.

Nous reconnaissons l'aide financière du gouvernement du Canada par l'entremise du Programme d'Aide au Développement de l'Industrie de l'Édition (PADIÉ) pour nos activités d'édition.

Données de catalogage avant impression

Pelletier, Danièle, 1950-

    L'activité-projet : le développement global en action

    Acc. d'un disque d'ordinateur.
    Comprend des réf. bibliogr. et un index.
    Pour les étudiants de niveau collégial.

    ISBN 2-89113-938-0

    1. Éducation de la première enfance - Méthodes actives. 2. Éducation préscolaire - Méthodes actives. 3. Enseignement primaire - Méthodes actives. 4. Enseignement - Méthodes des projets. 5. Enfants - Développement. I. Titre.

LB1139.35.A37P44 2001 372.13   C2001-940292-9

Responsabilité du projet pour le CCDMD : Johanne Mongeon, Sylvie Charbonneau
Responsabilité du projet pour le Collège : Denis Ménard

Révision linguistique : Hélène Paré, Monique Tanguay
Révision scientifique : Élisabeth Pelletier, Chantal Poulin
Correction d'épreuves : Viviane Deraspe
Maquette intérieure, couverture et montage : Olena Lytvyn
Photographie : Michel Brodeur, Danièle Pelletier

L'activité-projet
le développement global en action
© Modulo Éditeur, 1998. Nouveau tirage 2001.
233, av. Dunbar, bureau 300
Mont-Royal (Québec)
Canada   H3P 2H4
Téléphone : (514) 738-9818 / 1-888-738-9818
Télécopieur : (514) 738-5838 / 1-888-273-5247
Site Internet : www.modulo.ca

Dépôt légal – Bibliothèque nationale du Québec, 2001
Bibliothèque nationale du Canada, 2001
ISBN 2-89113-**938**-0

Imprimé au Canada
    6 7   05 04

À tous les enfants, particulièrement aux miens, Émilie et Nicolas, sources d'émerveillement et d'inspiration.

Préface

Voilà un livre qu'on attendait depuis longtemps ! On parle de plus en plus d'éducation des tout-petits, de prévention et de stimulation précoce, et pourtant beaucoup d'éducateurs et de parents sont pris au dépourvu, faute d'outils appropriés.

On parle beaucoup, aussi, de développement global ou intégral de l'enfant, mais qu'est-ce qu'on entend par là ? Pour plusieurs, il s'agit d'un concept flou, un peu fourre-tout. L'enfant doit se développer dans tout ce qu'il est, *bien sûr, mais sait-on ce que* l'enfant est *réellement ? Je constate très souvent que ceux qui privilégient le développement global de l'enfant veulent avant tout qu'il devienne performant et qu'il* excelle *dans le plus de domaines possible. C'est ainsi qu'en prônant, en paroles, le développement global de l'enfant, on finit par exercer sur lui de fortes et incessantes pressions pour qu'il soit toujours actif, toujours stimulé, toujours en train d'apprendre et de s'améliorer, et jamais en train de s'amuser, de « perdre du temps », de ne rien faire. Nous l'occupons sans arrêt, nous l'inscrivons à toutes sortes d'activités, de loisirs, de cours complémentaires, tout en ayant la frousse qu'il devienne hyperactif, qu'il ait de la difficulté à se concentrer, et qu'on doive un jour lui prescrire le fameux Ritalin !*

Devant ces incohérences qui découlent souvent, il faut aussi le reconnaître, de notre « bonne volonté » d'éducateurs ou de parents, Danièle Pelletier propose un moment d'arrêt et de réflexion. Tout en nous suggérant divers moyens d'intervention et d'éducation, l'auteure nous parle de l'enfant avec respect et amour. Elle nous dit avec une « douce fermeté » qu'il a d'abord le droit (et le besoin, bien sûr) d'être enfant, *d'être respecté et aimé en tant que tel, et que notre responsabilité première est de l'aider à* bien vivre son enfance. *Le défi n'est pas mince : nous subissons tellement de pressions de toutes parts, nous vivons tellement d'insécurité par rapport à demain que nous en venons facilement à ne penser qu'à l'avenir de l'enfant, à oublier qu'il a d'abord besoin qu'on l'aide à vivre son* présent, *le plus pleinement et joyeusement possible. L'enfant a profondément besoin de se sentir respecté et aimé, il a le goût d'apprendre, de découvrir* dans le plaisir *toutes les richesses de l'environnement, de même que ses propres aptitudes et richesses intérieures. Par le biais de tous ses apprentissages, l'enfant veut surtout découvrir et apprendre ce qu'il est, ce qu'il veut devenir. Il veut, à travers notre regard, nos paroles et nos gestes, découvrir qu'il est unique, qu'il est merveilleux (osons le dire !) et que c'est ainsi que nous l'aimons.*

Il existe de nombreux manuels et programmes d'éducation préscolaires et scolaires, mais nous manquons souvent d'outils et de moyens pour en tirer profit. Nous ne savons pas vraiment comment intervenir lors d'une activité spontanée (et souvent déconcertante) de l'enfant et du groupe d'enfants (ce qui est encore plus compliqué !). Nous connaissons beaucoup de choses sur la psychologie de l'enfant, grâce notamment à Piaget et à Erikson, mais nous éprouvons encore des difficultés à faire le lien entre ces notions de psychologie et l'intervention éducative, celle que nous devons faire tous les jours, très souvent sans préparation, comme éducateurs et comme parents. C'est pourquoi l'ouvrage de Danièle Pelletier m'apparaît si riche et opportun. Il fait, de façon subtile et lumineuse, le lien entre les fameuses théories psychologiques et le comportement quotidien, à la fois normal, surprenant et déconcertant des enfants, surtout quand ils sont en groupe, dans ces groupes artificiels que l'on organise (pour fins de gestion, de classement ou de contrôle) au niveau des classes primaires, et parfois même des garderies. Quand aurons-nous le courage de recréer dans nos écoles et garderies les groupes multiâges tellement plus naturels et éducatifs ? En ce sens, Danièle Pelletier nous amène à regretter qu'il en soit devenu autrement en raison des besoins d'organisation et d'enseignement (transmission de contenus « programmes »), et elle nous invite à oser créer des environnements éducatifs moins artificiels, plus « collés » à la famille et aux ressources humaines et éducatives de la communauté.

À tous les éducateurs au préscolaire, à tous les enseignants du primaire, à tous les parents qui ont de jeunes enfants, des enfants tout court, je recommande vivement ce livre. Qu'ils le considèrent comme un cadeau, qu'ils méritent bien d'ailleurs, puisqu'ils ont accepté le rôle le plus beau et le plus important du monde, celui de parents et d'éducateurs.

Ce livre, je l'ai apprécié parce qu'il m'a permis de mieux aimer et de mieux aider mes enfants et petits-enfants. Grâce à l'aide concrète que nous offre Danièle Pelletier, de nombreux enfants pourront se sentir davantage respectés, aidés et aimés.

Charles E. Caouette

Remerciements

Je tiens à remercier toutes les personnes qui, en m'accordant leur appui, ont permis la réalisation de cet ouvrage. En premier lieu, je veux témoigner ma reconnaissance aux éducatrices des services de garde ainsi qu'aux étudiantes qui, par leur intérêt pour mes travaux sur l'activité-projet, m'ont amenée à rédiger ce livre. Un merci particulier au personnel de la Garderie éducative Sainte-Rose, à Josée Nadon, qui m'a si chaleureusement accueillie dans son service de garde en milieu familial, aux étudiantes qui ont conçu certaines activités-projets – Marie-Christine Leroux *(Les feuilles d'automne)*, Monica Fortin *(L'hôpital)* et Élisabeth Hamel *(Le bal médiéval)* – , et à toutes celles qui ont participé, de près ou de loin, à l'élaboration d'autres activités-projets.

Merci également au Centre collégial de développement de matériel didactique pour son soutien financier et, plus particulièrement, à Sylvie Charbonneau et à Johanne Mongeon pour leurs encouragements et leurs bons conseils; à Denis Ménard (Cégep de Saint-Jérôme) pour sa gestion efficace du projet; à mes trois réviseurs scientifiques – Élisabeth Pelletier (Cégep de Rivière-du-Loup), Chantal Poulin (Cégep Édouard-Montpetit) et Gilles Cantin (Cégep de Saint-Jérôme) – pour leur engagement et leurs judicieux conseils; à ma correctrice Hélène Paré pour l'acuité de son regard et son humour; ainsi qu'à Jacques Laforest et à Natalie Lamarche pour leur travail de relecture. Je veux aussi exprimer ma gratitude à tous mes collègues de département pour leurs encouragements et leurs conseils, notamment à Lise Audet, Suzanne Delisle, Natalie Lamarche, Monique Laprise et Julie-Lyne Leroux, qui ont lu certaines parties du livre et les ont commentées avec rigueur, ainsi qu'à Yolande Lavigueur, qui a gracieusement enrichi le recueil d'activités-projets de références documentaires, et à Laurent Besner pour ses conseils sur l'utilisation de la nouvelle terminologie. Merci également à ma grande amie Francine Lauzon (Cégep Marie-Victorin) pour ses commentaires sur le développement psychomoteur de l'enfant; à Charles Caouette qui a si gentiment accepté de me lire et de rédiger la préface; à Modulo Éditeur et à son équipe qui ont su mettre en valeur le contenu du présent ouvrage. Enfin, je ne peux passer sous silence la tolérance et le soutien affectueux des membres de mon entourage. Un merci spécial à mon conjoint, Gérald Sigouin, qui a patiemment joué le rôle de premier lecteur et qui a su, dans les moments les plus difficiles, m'encourager à mener ce projet à terme.

Danièle Pelletier

Avant-propos

Œuvrant dans le monde de l'éducation préscolaire depuis vingt-cinq ans, j'ai toujours cru que l'enfant développait tous les aspects de sa personnalité à travers les expériences et les projets concrets que son environnement lui permettait de vivre. C'est d'ailleurs cette conviction qui m'a amenée à inscrire mes enfants à l'école alternative et à m'engager activement dans un projet d'autoformation assistée au collégial.

À l'époque, les services de garde avaient tendance à offrir aux enfants des périodes de jeux libres ou des activités dirigées visant le développement d'habiletés spécifiques. De leur côté, les écoles alternatives, influencées par les travaux de Claude Paquette et d'André Paré, proposaient des projets qui m'apparaissaient plus stimulants, mais qui étaient conçus pour des enfants relativement autonomes et sachant lire. J'ai alors essayé d'imaginer un type de projet adapté à des enfants plus jeunes et moins autonomes, mais qui puisse respecter les valeurs et les fondements d'une pédagogie centrée sur l'enfant et sur son développement global. Cette forme d'activité, en plus d'être adaptée aux capacités des tout-petits, se devait de convenir au contexte propre aux services de garde. C'est ainsi qu'est née l'activité-projet et que, ces dernières années, les étudiantes du département de Techniques d'éducation en services de garde du Cégep de Saint-Jérôme planifient, animent et évaluent de telles activités, dans le cadre de leur formation. L'expérimentation et les commentaires que j'ai reçus m'ont permis, avec la collaboration de l'équipe départementale, de perfectionner cette forme d'activité. Enfin, stimulée par l'intérêt croissant des milieux de garde qui réclamaient mes textes ou mes manuels-guides, j'ai décidé d'investir le temps nécessaire à la rédaction du présent ouvrage.

Actuellement, le système d'éducation québécois vit de grands changements. Le ministère de l'Éducation procède à une révision des programmes de tous les ordres d'enseignement. À la suite de la création du ministère de la Famille et de l'Enfance ainsi que des nouvelles dispositions de la politique familiale, l'importance du volet éducatif des services de garde s'est confirmée avec la création des centres de la petite enfance, la mise en place progressive de services de garde éducatifs à contribution réduite et l'élaboration du *Programme éducatif des centres de la petite enfance* (1997). Le principal objectif visé par ce programme est de « favoriser le développement global et harmonieux de l'enfant, c'est-à-dire son plein épanouissement, dans toutes les dimensions de sa personne ». On y affirme que chaque enfant est un être unique; que son développement est un processus global et intégré; que l'enfant est le premier agent de son développement; qu'il apprend par le jeu et que la collaboration entre le personnel éducateur et les parents contribue à son développement. C'est exactement là ce que *L'activité-projet : le développement global en action* souhaite mettre en œuvre.

Je sais d'expérience qu'en éducation on s'entend assez aisément sur de grands principes tel que l'importance de favoriser le développement global des enfants, mais il arrive assez souvent que c'est dans l'action à entreprendre ou dans les moyens à privilégier que les intervenants divergent. C'est donc en toute connaissance de cause, sachant les risques que cela comporte, que j'ai décidé de proposer des stratégies d'intervention concrètes favorisant le développement global des enfants.

Je termine en espérant que les éducatrices et les éducateurs tireront profit de cet ouvrage et qu'ils n'hésiteront pas à améliorer et à adapter les outils que je leur propose. Je leur souhaite, enfin, d'éprouver autant de plaisir que j'en ai eu moi-même à accompagner les enfants dans le merveilleux monde de l'exploration et de la découverte.

Table des matières

LISTE DES TABLEAUX

Partie 1

QUELQUES CONCEPTS THÉORIQUES POUR MIEUX INTERVENIR

La première partie de ce livre présente les principes pédagogiques et les notions de base essentielles à une intervention favorisant le développement global et le plein épanouissement des enfants. Elle met de l'avant les éléments nécessaires à une intervention éducative de qualité.

Dans un premier temps, elle situe le courant éducatif actuel centré sur le développement global de l'enfant, pour ensuite présenter l'activité-projet comme un moyen privilégié pour stimuler l'exploration et la découverte. Puis le troisième chapitre dresse un portrait des enfants de chaque groupe d'âge et propose divers conseils pour aider les éducatrices à créer un environnement éducatif favorable au développement global et à l'interaction des différents aspects de la personnalité des enfants.

Le quatrième chapitre traite des groupes multiâges, qui sont une réalité pour la majorité des services de garde en milieu scolaire et une orientation de plus en plus présente dans les centres à la petite enfance. Enfin, le cinquième chapitre examine les caractéristiques de l'intervention éducative permettant de donner à chaque enfant l'occasion de développer son potentiel et d'évoluer à son rythme.

Une approche globale du développement de l'enfant

Ce premier chapitre vise à définir le plus clairement possible les orientations pédagogiques de ce livre. Dans le but de mieux situer les principales tendances pédagogiques actuelles, il présente tout d'abord les caractéristiques de deux approches qui témoignent de conceptions de l'éducation fondamentalement opposées, soit l'approche centrée sur l'apprentissage et l'approche centrée sur l'enfant. Par la suite, il met en évidence les écarts qui existent dans le système éducatif entre les théories pédagogiques préconisées et leur mise en application. Il s'attarde particulièrement aux méthodes pédagogiques utilisées dans le réseau des services de garde. Finalement, il fait le lien entre l'approche centrée sur l'enfant et une approche globale du développement en précisant les conceptions éducatives qui s'y rattachent.

1.1 Approches en éducation

À l'origine, l'école avait comme première mission d'enseigner aux enfants des notions de base leur permettant d'avoir accès à la connaissance. Elle enseignait principalement la lecture, le calcul et la religion. L'école était centrée sur ce qu'il fallait apprendre et le maître transmettait son savoir. Au XVIIIᵉ siècle, Jean-Jacques Rousseau fut le premier à remettre ce rôle en question : « Qu'il ne sache rien parce que vous lui avez dit, mais parce qu'il a compris lui-même. » (Rousseau [1762], 1966, p. 215) Cette idée, à l'origine d'une éducation centrée sur l'enfant, est encore un sujet de débats.

L'intervention éducative varie considérablement selon que l'on privilégie une approche centrée sur l'apprentissage ou une approche centrée sur l'enfant. Ces deux tendances ont d'ailleurs grandement influencé les différentes pratiques éducatives. De là l'intérêt de les regarder d'un peu plus près.

Approche centrée sur l'apprentissage

L'approche centrée sur l'apprentissage a principalement pour objet de transmettre des connaissances aux enfants. Elle se caractérise par un souci d'efficacité. Sous l'influence des théories behavioristes, l'enseignement y est structuré de manière logique et systématique afin d'assurer la réalisation d'apprentissages prédéterminés. L'élève est ici un récepteur de la connaissance et tous les enfants d'un même niveau reçoivent le même savoir. Cette approche est souvent associée à ce que l'on appelle l'école traditionnelle.

Les programmes élaborés selon cette approche définissent les objectifs à atteindre et ceux-ci sont minutieusement analysés, puis découpés en plusieurs objectifs spécifiques bien articulés les uns par rapport aux autres. Dans certains cas, les programmes sont si précis qu'ils proposent même des exercices pour faciliter l'acquisition du savoir et la maîtrise du savoir-faire.

C'est le « maître » qui, à partir du programme, détermine les stratégies pédagogiques à utiliser et contrôle le rythme de l'acquisition de connaissances ou du développement d'habiletés.

Après avoir informé son groupe des objectifs visés par son enseignement, il en expose le contenu, fait des démonstrations et propose des exercices soigneusement planifiés selon un ordre croissant de difficultés. Souvent, les différents objectifs spécifiques sont abordés isolément et de façon morcelée, tout en étant organisés pour faciliter l'apprentissage. Le résultat du travail de l'enfant a une grande importance, car il indique si la performance souhaitée est atteinte.

Applications

Les programmes scolaires sont généralement conçus selon cette approche, mais aujourd'hui, on les a enrichis avec des objectifs liés au savoir-être, car l'école vise aussi à développer des attitudes chez les enfants.

Plusieurs méthodes pédagogiques ont été élaborées à partir de cette approche. L'enseignement programmé est probablement l'application la plus rigoureuse de cette approche. Dans ce type d'enseignement, on présente la matière à apprendre en suivant les étapes d'une progression lente et minutieuse, pour atteindre des objectifs clairement identifiés. Selon cette méthode, l'élève peut travailler à son rythme parce que l'apprentissage se fait de façon individuelle. L'enseignement modulaire et l'enseignement par ordinateur sont des méthodes qui découlent de l'approche centrée sur l'apprentissage.

Approche centrée sur l'enfant

L'approche centrée sur l'enfant situe ce dernier au centre du processus d'apprentissage et s'oppose clairement à l'école traditionnelle et à ses programmes scolaires rigides. Même si J.-J. Rousseau est souvent cité comme le grand inspirateur de cette pédagogie nouvelle, elle a pris tout son essor avec le courant humaniste du XXᵉ siècle. Cette conception de l'éducation se fonde sur la conviction profonde qu'un enfant placé dans un milieu stimulant possède en lui-même les ressources nécessaires à son développement et que la connaissance ne doit pas lui être imposée. Dans cette optique, le but de l'éducation est avant tout de créer les conditions favorables à l'actualisation du potentiel de chacun, c'est-à-dire de donner à chaque individu l'occasion de développer toutes ses capacités. L'enfant est responsable de son apprentissage et maître de son développement. Cette philosophie de l'éducation a donné naissance à ce qu'on appelle l'École nouvelle.

Les programmes conçus selon cette approche poursuivent généralement des objectifs de développement, comme celui d'apprendre à entrer en relation avec les autres, et tiennent compte de toutes les dimensions de la personne. L'organisation pédagogique privilégiée est pensée de façon à laisser l'enfant évoluer à son rythme et à choisir les moyens qui lui conviennent pour se développer.

L'adulte n'est plus le transmetteur de la connaissance, mais une personne-ressource qui guide et conseille. Il a pour fonction de créer l'environnement éducatif qui répondra aux besoins des enfants et de soutenir leur développement en proposant un programme d'activités issu de leurs intérêts. S'inspirant de la théorie constructiviste de Piaget, les situations d'apprentissage proposées à l'intérieur de l'approche centrée sur l'enfant visent à faire vivre des expériences nouvelles. Elles sont mises en place pour créer des occasions favorables à la construction de la connaissance. Le résultat du travail de l'enfant a peu d'importance; ce qui est prioritaire, c'est le processus qui l'amène à développer des compétences et des habiletés.

Les fondements d'une éducation centrée sur l'enfant sont défendus par plusieurs pédagogues renommés et associés à l'École nouvelle. Le tableau 1.1 (*voir p. 6*) réunit quelques citations afin de présenter une vision plus complète de cette conception de l'éducation.

Tableau 1.1 Le point de vue des pédagogues de l'École nouvelle

CAOUETTE, Charles E.	« L'éducation est un processus complexe, multidimensionnel et à long terme par lequel on aide un individu ou une collectivité à accéder au maximum d'autonomie, c'est-à-dire de liberté responsable, et au développement optimal de toutes ses ressources. » « La garderie doit être un milieu où on respecte chez l'enfant son droit à la vie, à sa vie, son droit à la joie de vivre. La garderie doit être un milieu où on aide l'enfant à être bien dans sa peau, à être bien avec les autres, à se prendre en main; elle doit être un milieu où on reconnaît à l'enfant son droit d'être différent. » (1992)
DEWEY, John (1859-1952)	« C'est en faisant les choses qu'on apprend (*learning by doing*). L'expérience est la meilleure forme d'apprentissage. » (cité par Lescop, 1993)
FREINET, Célestin (1896-1966)	« Pour permettre à chaque enfant d'épanouir son propre potentiel, il faudra, d'une part, harmoniser le programme d'enseignement, le contenu et les activités de façon à favoriser l'expression sous ses diverses formes, et faire participer l'enfant à l'organisation du plan de travail scolaire. Il faudra, d'autre part, développer la dimension communicative et sociale de l'enfant. » (Gauthier et Tardif, 1996)
MEIRIEU, Philippe	« Tout apprentissage requiert une liberté qui s'engage. Nous n'apprenons rien sans une prise de risque, un saut dans l'inconnu, une décision personnelle irréductible à tous les accompagnements et à toutes les préparations. » (Meirieu, 1992)
PAQUETTE, Claude	« Dans une pédagogie ouverte et informelle, l'étudiant est considéré comme possédant un appareillage interne lui permettant d'entreprendre une démarche de croissance autonome et personnelle. » (Paquette, 1979)
PARÉ, André	« Une activité éducative authentique ne peut partir que de l'individu lui-même, de ses besoins. Il faut identifier et reconnaître ces besoins, se centrer sur l'enfant, et non sur la structure extérieure. » (Paré, 1977)
PERRENOUD, Philippe	« Pour apprendre, le sujet doit être stimulé dans sa " zone optimale " de développement et confronté à des obstacles : en l'absence de défi nouveau, il fait face à la situation sans rien construire d'inédit. » (Perrenoud, 1996)
PIAGET, Jean (1896-1980)	« Dans le domaine de l'enseignement, le principal aboutissement de la théorie du développement intellectuel est de permettre à l'enfant de faire son propre apprentissage. On ne peut développer l'intelligence d'un enfant par le seul fait de lui parler. On ne peut faire de bonne pédagogie sans mettre l'enfant en situation. » « L'apprentissage doit être un processus actif, car la connaissance doit être une charpente et non une façade. » (Piaget, 1969)
ROGERS, Carl (1902-1987)	« On ne peut pas directement enseigner à une personne; on ne peut que lui faciliter l'apprentissage. » (Gauthier et Tardif, 1996)
ROUSSEAU, Jean-Jacques (1712-1778)	« De sa naissance jusqu'à l'âge de douze ans, l'enfant doit apprendre au contact de la nature à se servir de ses sens et à se cultiver physiquement. » (Rousseau [1762], 1966.)

Applications

L'idée de centrer l'éducation sur l'enfant, plutôt que sur les connaissances à transmettre, a donné naissance à plusieurs applications pédagogiques assez différentes les unes des autres. Le degré de liberté qu'on choisit d'accorder à l'enfant crée des variantes assez importantes dans les différents mouvements associés à l'École nouvelle. Par exemple, les tenants de la pédagogie libre poussent à son extrême limite cette conception de l'éducation en intervenant le moins possible pour influencer le développement des enfants. Par contre, dans sa mise en œuvre de l'idée d'une école centrée sur l'enfant, la pédagogie de Freinet propose l'utilisation de l'écriture et de l'imprimerie comme moyens privilégiés pour stimuler l'activité et l'expression libre de l'élève et, ainsi, favoriser l'apprentissage. Dans ce cas, le moyen d'expression (l'imprimerie) est imposé, mais les enfants ont une grande liberté en ce qui a trait au contenu, à la forme et au rythme d'apprentissage. Le tableau 1.2 présente les principaux éléments qui opposent l'école traditionnelle à l'École nouvelle.

Tableau 1.2   L'opposition entre la pédagogie traditionnelle et la pédagogie nouvelle (Gauthier et Tardif, 1996)

Caractéristiques	Pédagogie traditionnelle	Pédagogie nouvelle
Terminologie	– Pédagogie traditionnelle* – Pédagogie fermée et formelle – Approche mécanique – Pédagogie encyclopédique – Enseignement dogmatique – Pédagogie centrée sur l'école	– Pédagogie nouvelle – École active – Éducation fonctionnelle – École rénovée – Approche organique – Pédagogie ouverte et informelle – École nouvelle (*New School*)** – Éducation puérocentrique (pédagogie centrée sur l'enfant)
Finalité de l'éducation	– Transmettre la culture « objective » aux générations montantes – Former, mouler l'enfant – Valeurs objectives (le Vrai, le Beau, le Bien)	– « Transmettre » la culture à partir des forces vives de l'enfant – Permettre le développement des forces immanentes à l'enfant – Valeurs subjectives, personnelles
Méthode	– Éduquer du « dehors » vers le « dedans » – Point de départ : le système objectif de la culture que l'on découpe en parties à être assimilées – Pédagogie de l'effort – École passive (suivre le modèle) – Encyclopédisme	– Éduquer du « dedans » vers le « dehors » – Point de départ : le côté subjectif personnel de l'enfant – Pédagogie de l'intérêt – École active (*learning by doing*) – Éducation fonctionnelle
Conception de l'enfant	– L'enfant est comme de la cire molle. – L'enfance a peu de valeur par rapport à l'état adulte. – Il faut agir sur l'enfant. – L'intelligence est surtout visée. – L'enfant tourne autour d'un programme défini en dehors de lui.	– L'enfant a des besoins, des intérêts, une énergie créatrice. – L'enfance a une valeur en elle-même. – L'enfant agit. – Il y a développement intégral de l'enfant. – Le programme gravite autour de l'enfant.
Conception du programme	– Le contenu à enseigner aux enfants ne tient pas compte de leurs intérêts (culture objective). – Le programme est idéaliste (contenu désincarné).	– Les intérêts des enfants déterminent le programme (structure et contenu). – Le programme est réaliste (contenu lié au milieu dans lequel vit l'enfant).
Auteurs représentatifs	Traditions dont les origines se perdent.	Dewey, Kerschensteiner, Claparède, Decroly, Cousinet, Freinet, Montessori, Ferrière

(*Voir la suite à la page suivante.*)

---

*   Plusieurs des expressions qui suivent apparaissent entre 1917 et 1920.

** L'expression « École nouvelle » (*New School*) apparaît en 1889 en Angleterre et en 1899, en France.

Tableau 1.2 (*suite*)   L'opposition entre la pédagogie traditionnelle et la pédagogie nouvelle (Gauthier et Tardif, 1996)

Caractéristiques	Pédagogie traditionnelle	Pédagogie nouvelle
Conception de l'école	Milieu artificiellement créé. – Retenue des émotions (distance) – Là-bas, jadis – Résolution des problèmes artificiels – L'école prépare à l'avenir	Milieu naturel et social dans lequel s'écoule la vie de l'enfant (l'école comme milieu de vie). – Spontanéité enfantine – Ici et maintenant – Résolution des problèmes réels pour l'enfant – L'école fait vivre à l'enfant ses propres problèmes.
Rôle du maître	– Le maître dirige. – Le maître est au centre de l'action : il donne son savoir. – Le maître est actif : il fait l'exercice devant l'enfant; il est le modèle à imiter.	– Le maître guide, conseille, éveille l'enfant au savoir. Il est une personne-ressource. – L'enfant est au centre de l'action. – L'enfant s'exerce.
Discipline	– Disciplinine autoritaire (extrinsèque à l'individu : récompenses / punitions) – Discipline extérieure qui vise à contraindre.	– Discipline personnelle (basée sur les intérêts intrinsèques) – Discipline qui vient de l'intérieur.
Type de pédagogie	– Pédagogie de l'objet : la culture à transmettre – Pédagogie de l'ordre mécanique	– Pédagogie du sujet : la personne à développer – Pédagogie de l'ordre spontané (naturel)

Tendances actuelles

Généralement, dans les divers colloques sur l'éducation, la documentation et le contenu des conférences convergent vers une approche pédagogique centrée sur l'enfant. Les théories éducatives actuelles accordent une importance très grande à celui qui apprend et à son rôle dans le processus d'apprentissage. D'ailleurs, selon Carl Rogers, l'apprentissage le plus utile, sur le plan social, est l'apprentissage des processus d'apprentissage. De nos jours, on entend souvent que l'élève doit « apprendre à apprendre » et que l'école doit lui en offrir les moyens.

En parcourant la documentation récente se rapportant à la petite enfance, on constate que plusieurs auteurs sont d'avis que de placer l'enfant dans un environnement stimulant est le meilleur gage d'un développement global harmonieux. Par ailleurs, plusieurs pédagogues de renommée (Dewey, Montessori, Freinet et Decroly, entre autres) conçoivent que l'activité spontanée et la curiosité naturelle de l'enfant sont les sources les plus sûres de l'apprentissage. Dewey (1960) soutient que les éducateurs doivent se centrer sur les besoins de développement de l'enfant plutôt que sur des prérequis scolaires. Le *Programme d'éducation préscolaire* (Québec, ministère de l'Éducation, 1997), élaboré pour la maternelle, préconise de son côté une approche éducative centrée sur l'enfant et sur son développement global, et précise que la maternelle n'est pas le lieu des apprentissages formels, mais plutôt celui de ses préliminaires.

Par contre, il faut souligner qu'il existe aussi un mouvement parallèle qui demande au système éducatif de se réorienter vers les apprentissages académiques. Selon le Conseil supérieur de l'éducation (1987), certains parents choisissent une amorce précoce des apprentissages scolaires formels. Dans son exposé de la situation, la Commission des états généraux sur l'éducation

(1995-1996) signale, elle aussi, que certains milieux désirent des programmes préscolaires structurés définissant la progression des apprentissages à réaliser. Mais cette position est plutôt minoritaire et n'est pas retenue pas les organismes publics.

1.2 ENTRE LA THÉORIE ET LA PRATIQUE

Les pratiques pédagogiques sont généralement plus nuancées que les conceptions théoriques qui les sous-tendent et elles sont souvent influencées à la fois par l'approche centrée sur l'apprentissage et par l'approche centrée sur l'enfant. Il est d'ailleurs très difficile de parler d'apprentissage de contenus sans tenir compte de la personne à qui ils sont destinés. Il est tout aussi impensable de viser le développement global des enfants sans offrir de nouveaux contenus à apprendre. Le véritable problème se situe au niveau du choix des objectifs à privilégier et des moyens à prendre pour les atteindre.

C'est probablement pour toutes ces raisons qu'il existe souvent une certaine discordance entre la philosophie éducative et les pratiques pédagogiques quotidiennes. On peut d'ailleurs le constater en comparant les grandes orientations pédagogiques des projets éducatifs aux moyens qui sont choisis pour leur mise en œuvre. Souvent les méthodes pédagogiques associées à l'école traditionnelle sont utilisées dans des milieux qui prônent une approche centrée sur l'enfant. Dans le réseau scolaire tout comme dans celui des services de garde éducatifs, les pratiques pédagogiques utilisées ne sont pas toujours conformes aux objectifs visés.

Dans le réseau scolaire

Même si plusieurs programmes scolaires sont conçus de façon très analytique et en fonction d'apprentissages précis à réaliser, la pratique des enseignants dans le réseau scolaire n'est ni systématisée ni aussi directive que ces programmes pourraient le laisser croire. L'approche centrée sur l'enfant a grandement influencé les méthodes pédagogiques des enseignants. Par exemple, suivant leur personnalité et leurs convictions, ils laisseront plus ou moins de place aux choix des situations d'apprentissage et respecteront, dans une certaine mesure, le rythme de chacun. Quelquefois, ils prennent le contrôle de la classe, tandis qu'en d'autres occasions, ils laissent les enfants décider des activités à organiser ou des moyens à prendre pour réaliser des apprentissages. Par exemple, différents projets peuvent être proposés aux enfants dans une école orientée sur l'acquisition de savoirs théoriques. Cette façon de faire va dans le même sens que les pratiques pédagogiques de l'École nouvelle qui accordent beaucoup d'importance au rôle actif de l'enfant dans le processus d'apprentissage.

Dans les services de garde éducatifs

Les deux approches décrites plus haut ont aussi beaucoup influencé le monde des services de garde. Une approche centrée sur l'enfant y est généralement préconisée, comme le souligne Suzanne Delisle (1990) : « La plupart des programmes éducatifs des services de garde du Québec retiennent le développement global comme option éducative plutôt que l'acquisition de connaissances ou le développement d'habiletés précises chez les enfants. » Par contre, les situations d'apprentissage offertes aux enfants sont souvent organisées en fonction d'habiletés précises à développer. L'influence de l'approche centrée sur l'apprentissage, appelée aussi approche analytique, en est probablement la cause.

En outre, dans certains programmes d'activités, on peut favoriser le développement global en proposant une variété d'activités rattachées à des disciplines. Pour élaborer ces programmes, plusieurs décomposent le développement global en diverses composantes et établissent les habiletés à développer chez les enfants d'un groupe d'âge donné. Dans ces programmes, les situations d'apprentissage proposées par les éducatrices se résument souvent à des activités dirigées. Par exemple, une activité bien précise sera organisée pour « développer le sens du rythme ». On constate que peu de situations d'apprentissage sont planifiées en fonction d'une approche globale du développement et sans que l'on se réfère à des disciplines. Donc, même les tenants d'une éducation centrée sur l'enfant recourent à des méthodes généralement en usage dans l'école traditionnelle. En revanche, on accorde souvent une attention particulière à l'organisation de l'environnement physique et plusieurs périodes d'activités libres sont prévues à l'horaire, afin de permettre à l'enfant de se développer à son rythme et de choisir ses activités.

L'observation du déroulement d'une journée confirme cette analyse : en effet, une bonne partie de la journée y est vécue dans une optique de pédagogie libre, tandis que les activités initiées par les éducatrices s'orientent davantage vers une pédagogie plus traditionnelle (activités dirigées).

De nouveaux moyens sont donc à élaborer, si l'on souhaite mettre en œuvre les orientations des projets éducatifs. Il est nécessaire que les programmes d'activités soient enrichis de situations d'apprentissage riches et stimulantes qui favorisent le développement de tous les aspects de la personnalité de l'enfant. Ce type d'activité ne devrait pas viser l'acquisition de connaissances précises ni la maîtrise d'habiletés spécifiques, mais être planifié en fonction d'objectifs de développement. Il devrait laisser davantage de place aux enfants que l'activité dirigée, susciter des apprentissages en lien avec leurs besoins et respecter leur façon de découvrir le monde. Une activité conçue en fonction d'une approche globale du développement répondrait davantage aux visées des projets éducatifs des milieux de garde.

1.3 FONDEMENTS THÉORIQUES D'UNE APPROCHE GLOBALE DU DÉVELOPPEMENT

Étant donné qu'un projet éducatif centré sur l'enfant convient davantage à la réalité des services de garde, le présent ouvrage s'appuie sur des fondements théoriques qui doivent beaucoup à plusieurs penseurs de l'École nouvelle. Une approche globale du développement y est privilégiée, car elle semble être le meilleur moyen de répondre aux besoins des enfants. Cette approche et les différents concepts qui s'y rattachent seront clairement définis et expliqués dans les pages qui suivent.

Le développement global

Pour bien comprendre l'approche globale du développement, il est essentiel, dans un premier temps, de préciser ce que l'on entend généralement par développement global. Bien que souvent utilisée, cette notion est rarement définie dans la documentation.

> Le **développement global** est le processus progressif et continu de croissance simultanée de toutes les dimensions de la personne. Il sous-entend l'acquisition de connaissances, la maîtrise d'habiletés et le développement d'attitudes sur les plans cognitif, psychomoteur, social, affectif et moral.

Le développement est un processus progressif et continu, c'est-à-dire que chaque moment, chaque expérience et chaque geste sont des occasions de faire un nouvel apprentissage. C'est par son action sur l'environnement que chaque individu découvre le monde qui l'entoure. Il élargit son champ de connaissances en incorporant de nouvelles données à celles qu'il a déjà acquises. Aussitôt qu'un enfant entre en contact avec un nouvel objet, il l'explore par ses sens et le compare avec les autres objets qu'il a déjà explorés. Par exemple, le biberon a les mêmes fonctions que le sein, mais il est plus dur et plus froid. C'est ainsi que chaque expérience contribue graduellement et continuellement au développement de l'enfant.

L'acquisition des savoirs (connaissances) ainsi que le développement des savoir-être (attitudes) et des savoir-faire (habiletés) se font simultanément. Par exemple, durant un jeu de construction, il est probable que plusieurs enfants exercent leurs habiletés de motricité fine. Mais ils y trouvent aussi une occasion de communiquer, d'évaluer la dimension de la pièce nécessaire à combler un vide, de se faire des amis, de se sentir compétents, de développer leur créativité ou de vérifier les lois de la gravité. Durant une telle activité, tous les aspects de la personnalité de l'enfant sont sollicités simultanément. Comme la réalité de chacun est différente, il est impossible de prévoir quel apprentissage l'enfant fera à un moment précis. Ainsi, une même activité peut favoriser :

- le développement cognitif, par l'acquisition de nouvelles connaissances ou par la recherche de solutions aux problèmes rencontrés;
- le développement psychomoteur, par les nouvelles habiletés acquises, telle la coordination œil-main;
- le développement affectif, par la fierté issue des réussites;
- le développement social, par les contacts et les occasions de partage avec les autres personnes;
- le développement moral, si l'enfant est confronté à des situations problématiques qui l'obligent à choisir ce qui est bien selon lui.

L'enfant se développe globalement. Tous les aspects de sa personne sont continuellement en relation les uns avec les autres et leur développement se fait en même temps. Toutefois, pour mieux étudier comment s'effectue le développement, il est utile d'isoler ses différentes composantes, soit les développements cognitif, affectif, social, psychomoteur et moral. Cette façon de procéder ne doit jamais faire oublier que le développement de l'enfant s'effectue sur tous les plans à la fois. Les divers domaines de développement sont interreliés et indissociables.

L'approche globale

L'**approche globale** est une manière d'aborder, d'envisager chacune des activités ou situations d'apprentissage offertes aux enfants comme une occasion de développement de toutes les facettes de sa personne. C'est une façon de comprendre, d'être et de faire qui accorde autant d'importance à chacun des aspects de la personnalité de l'enfant. C'est une vision particulière du développement par laquelle l'éducatrice reconnaît le fait que le développement de l'individu s'opère dans des directions diverses et multiples qui vont souvent au-delà des objectifs qu'elle aurait pu fixer.

Par exemple, lors d'une causerie, l'éducatrice peut penser que des habiletés de communication sont principalement développées. Même s'il est probable que certains enfants développent des habiletés sur ce plan, tous les autres aspects de leur personnalité sont aussi en action. Ainsi, ce peut être une occasion de se faire de nouveaux amis, de développer son sens du rythme, d'apprendre à attendre son tour, d'affirmer sa latéralité. Il est très difficile de prévoir les défis que chaque enfant aura à surmonter, mais l'activité est pour lui une occasion de développement.

Conception de l'enfant et de son développement

Pour ajuster les situations d'apprentissage aux modes d'apprentissage des enfants, il faut bien comprendre comment ceux-ci se développent. L'approche globale préconisée dans ce livre repose sur les constats suivants :

- le développement de l'enfant se fait en fonction de sa maturation physique;

■ l'enfant se développe par ses interactions avec l'environnement humain et physique;

■ l'enfant possède une tendance innée à se développer;

■ chaque enfant est différent des autres;

■ les enfants expérimentent de façon globale;

■ l'activité principale de l'enfant est le jeu;

■ tout apprentissage comporte des risques;

■ l'enfant apprend par essais et erreurs.

Le développement de l'enfant se fait en fonction de la maturation physique

La capacité qu'a l'enfant de faire des apprentissages est directement liée à son développement physique. Nul ne penserait apprendre à marcher à un nouveau-né, car ses os et sa musculature sont encore trop faibles et, surtout, son système nerveux n'a pas encore atteint le degré de raffinement qu'exige la marche.

C'est le développement du système nerveux qui rend l'enfant capable d'apprendre à maîtriser de nouveaux gestes, de nouveaux mouvements ou tout autre genre d'habileté, comme, par exemple, la lecture. Cependant, il est important que l'enfant soit en position de mettre en œuvre cette habileté dès que son corps est physiologiquement prêt à le faire. On appelle cette étape « période critique ».

> « La période critique représente la période de temps au cours de laquelle un apprentissage peut se réaliser avec un minimum d'effort et un maximum d'efficacité. » (Rigal, 1985)

> « ...L'apprentissage doit se faire au moment de la maturation. Avant cette période critique, l'entraînement se révèle inutile et prive l'enfant des autres activités qu'il pourrait exercer, tandis que le manque d'expériences, à la période critique, appauvrit le potentiel de l'enfant et entraîne des retards et des difficultés d'apprentissage. » (Lauzon, 1990)

Puisque le développement des enfants est très étroitement lié à la maturation physique de leur organisme, il est essentiel de respecter le rythme propre à chacun; ne pas tenir compte de leur rythme personnel peut même leur être dommageable.

L'enfant se développe par ses interactions avec l'environnement social et physique

Toutefois, ce n'est pas parce que la maturation physique d'un enfant lui permet de développer une nouvelle habileté qu'il la développera. Il est aussi essentiel qu'il se trouve dans un milieu stimulant. Il faut donc lui offrir la possibilité d'apprendre et c'est en interaction avec son environnement social et physique qu'il se développera.

L'environnement social de l'enfant est constitué des différentes personnes qui entrent en contact avec lui. Plusieurs apprentissages se font par observation : l'enfant imite tout naturellement les gestes et les comportements qu'il observe. Les personnes qui font partie de son environnement social lui servent de modèles. Ceci s'applique particulièrement à tout ce qui concerne le développement d'attitudes; en effet, rien ne sert d'enseigner le respect des autres, si on n'est pas soi-même une personne respectueuse. En outre, c'est en observant les autres faire usage de leurs compétences que l'enfant développera le goût d'être capable lui aussi. Par exemple, l'enfant qui est en contact avec des personnes qui lisent percevra, au moment opportun, l'utilité d'un tel apprentissage et sera motivé à le faire.

L'enfant doit par ailleurs explorer son environnement physique pour le connaître et le comprendre. C'est en manipulant des matériaux qu'il en distinguera les caractéristiques et en explorant différents phénomènes qu'il en comprendra les principes. Par son action sur l'environnement, il intègre de nouvelles données à celles qu'il possède déjà.

L'enfant possède une tendance innée à se développer

Dans un environnement stimulant, l'enfant trouve en lui-même les ressources qui lui permettront de se développer et de faire des apprentissages significatifs. Sa curiosité naturelle le pousse à découvrir son environnement. Il veut expérimenter, connaître, apprendre et comprendre. Placé devant des objets nouveaux, il les explore avec tous ses sens. L'apprentissage est donc issu du dynamisme interne de l'individu. Sans action volontaire de la part de l'enfant, il n'y a pas d'apprentissage.

Chaque enfant est différent des autres

Chaque enfant est différent des autres parce qu'il a son rythme propre et sa façon personnelle d'appréhender le monde qui l'entoure. Il se distingue par ses intérêts, ses préoccupations, sa culture, son style d'apprentissage, ses talents et ses expériences antérieures. Dès la naissance, il est facile d'observer que, malgré les ressemblances entre les poupons, les différences sont évidentes. Par exemple, la réaction aux bruits de l'environnement n'est pas la même chez un enfant et chez un autre. Certains paniquent en entendant des sons très forts, tandis que d'autres se retournent à peine.

Les enfants expérimentent de façon globale

Les enfants expérimentent de façon globale, c'est-à-dire qu'ils s'engagent tout entiers dans une activité. Tous les aspects de leur personnalité sont en éveil durant leurs jeux. En agissant, ils réfléchissent, vivent des émotions et entrent en relation. Par exemple, en jouant dans le sable, ils sont attentifs aux interactions sociales tout en découvrant les caractéristiques de ce matériau. Ils peuvent même être amenés à toucher la limite de leur patience ou de la minutie nécessaire à l'atteinte de leur but. Les enfants agissent avec leur corps, leur cœur, leur tête, c'est-à-dire avec tout ce qu'ils sont.

L'activité principale de l'enfant est le jeu

« Le jeu est un moyen privilégié d'interaction et d'évolution. Il constitue pour l'enfant l'instrument par excellence pour explorer l'univers, le comprendre, le maîtriser. L'apport du jeu dans le développement et l'apprentissage des enfants ne fait aucun doute. » (*Programme éducatif des centres de la petite enfance*, ministère de la Famille et de l'Enfance, 1997, p. 20)

L'activité principale de l'enfant est le jeu et c'est par ce dernier qu'il se développe. C'est une activité qu'il entreprend spontanément et qui lui procure du plaisir. Les activités proposées dans les services de garde éducatifs devraient toujours se vivre dans un esprit ludique. Souvent, en regardant un enfant jouer, on peut constater qu'il travaille très fort, c'est-à-dire qu'il fournit beaucoup d'efforts pour réussir. Il ne faut surtout pas confondre facilité et plaisir; la réussite d'une action très difficile peut procurer un immense plaisir.

« Apprendre, c'est prendre un risque » (Meirieu, 1992)

Tout apprentissage comporte des risques et seul l'enfant peut décider du moment où il prendra le risque de compromettre provisoirement son équilibre dans le but d'assimiler une nouvelle réalité et, par la suite, de s'y accommoder, c'est-à-dire de s'y adapter progressivement. C'est l'enfant lui-même qui décide de faire un apprentissage. Il n'y a qu'à regarder un enfant faire ses premiers pas pour comprendre que lui seul décidera du moment où il sera prêt à risquer l'aventure. L'enfant qui, pour la première fois, se lance en avant en laissant tout appui a choisi de prendre le risque de tomber. Il a probablement la vague intuition que c'est la seule façon d'apprendre à marcher. Certains sont plus prudents, ils attendent plus longtemps avant de se lancer pendant que d'autres, plus intrépides, s'y risquent plus tôt. Cependant, tous devront risquer.

L'enfant apprend par essais et erreurs

L'enfant apprend par essais et erreurs. C'est par des répétions et des erreurs qu'il découvre les caractéristiques de son environnement. La connaissance ne se construit pas de façon linéaire et prévisible, mais plutôt au moyen d'acquisitions partielles, comparables à des pièces de casse-tête, qui finiront par s'articuler les unes aux autres pour former un ensemble. La répétition de gestes simples va amener progressivement l'enfant à connaître les effets de son action sur les objets et à découvrir les propriétés de ces derniers. Piaget a démontré que les premiers jeux de l'enfant sont des jeux d'exercice. Dès les premiers mois de sa vie, l'enfant répète toutes sortes de mouvements, de gestes pour le plaisir de produire des effets. C'est en jouant qu'il exerce alors ses habiletés sensorimotrices. Il s'abandonne à des activités simples, répétitives et exploratoires comme, par exemple, empiler quelques blocs pour faire une tour et la démolir pour la reconstruire.

Conception de l'environnement éducatif

Dans les pages qui précèdent, il a été démontré que c'est au contact de l'environnement physique et humain que l'enfant évolue. La mise en place de l'environnement éducatif revêt donc une importance particulière, car celui-ci influence grandement le développement des enfants. Les services de garde ont donc la responsabilité de créer un milieu de vie qui favorise l'apprentissage et offre à chacun la possibilité d'actualiser tout son potentiel. Par différentes interventions, comme l'établissement des règles de vie, le choix du matériel et des situations d'apprentissage, et l'organisation des activités de routine, l'éducatrice crée cet environnement éducatif.

Il est utile de se référer aux besoins des enfants pour mieux identifier la façon de créer un environnement éducatif favorable à l'actualisation du potentiel de chacun. Le psychologue humaniste Maslow a regroupé les besoins humains selon des catégories hiérarchiques formant une pyramide. Il démontre que la personne doit satisfaire raisonnablement ses besoins les plus élémentaires, comme boire ou manger, avant de passer à ceux qui sont qualifiés de supérieurs, comme, par exemple, l'actualisation de soi. La figure 1.1 présente l'ordre de priorité des besoins, tel que défini par Maslow. Partant de là, on peut déduire que l'environnement éducatif, qui soutient l'actualisation du potentiel de l'enfant, doit :

1. Assurer une réponse aux besoins de base des enfants.
2. Mettre en place un climat humain favorable à l'apprentissage.
3. Offrir des situations d'apprentissage qui placent l'enfant devant de nouveaux défis.

Source : Tirée de A.H. MASLOW (1972), *Vers une psychologie de l'être*, Paris, Fayard.

Figure 1.1 Pyramide des besoins de Maslow

Ces trois niveaux de préoccupation illustrent assez bien l'évolution des milieux de garde. Les premières garderies et les premiers services de garde en milieu scolaire ont été créés pour assurer la sécurité physique des enfants dont les mères travaillaient à l'extérieur. Quelques années plus tard, les intervenants de ces milieux, ayant trouvé des moyens pour répondre aux besoins de base des enfants, se sont surtout préoccupés de la qualité de la relation à mettre en place pour assurer le bien-être psychologique de ces enfants. Aujourd'hui, plusieurs cherchent à définir les caractéristiques d'un programme d'activités qui favoriserait davantage le développement global des enfants. L'ensemble de la société partage cette préoccupation, particulièrement en ce qui concerne les programmes d'éducation préscolaire.

Pour mettre en place les conditions favorables au développement global des enfants et à l'actualisation de leur potentiel, l'environnement éducatif doit répondre aux trois objectifs cités plus haut. Précisons-les.

1. Assurer un réponse aux différents besoins de base des enfants

L'environnement éducatif doit être conçu pour répondre en premier lieu aux besoins fondamentaux de l'organisme, tels la faim, la soif ou le besoin de sommeil. Une personne ne peut pas développer son potentiel si elle est constamment à la recherche de moyens pour satisfaire ses besoins de base. L'observation d'un enfant fatigué ou affamé permet de bien comprendre à quel point répondre aux besoins physiologiques est prioritaire. Dans cette perspective, l'aménagement de l'horaire doit respecter les besoins individuels et collectifs. Les activités de routine doivent aussi être planifiées avec soin.

Une fois ces conditions élémentaires assurées, les services de garde éducatifs doivent aussi procurer aux enfants toute la sécurité nécessaire à leur bien-être. Ils éprouvent un sentiment de sécurité dans un milieu où le personnel est stable et responsable, où l'environnement physique est sécuritaire et où les règles de vie sont connues et appliquées avec constance. Une série de règlements ont d'ailleurs été élaborés dans le but d'assurer que l'organisation physique des services de garde corresponde à des normes de qualité bien définies. Les enfants doivent avoir satisfait leurs besoins de base et se sentir en sécurité pour profiter des situations d'apprentissage qui leur sont offertes.

2. Créer un climat favorable à l'apprentissage

Des relations humaines saines et équilibrées sont essentielles à l'établissement d'un climat favorable à l'apprentissage. Les valeurs véhiculées par les attitudes et les interventions de l'éducatrice ont un effet direct sur le développement des enfants et sur la qualité des relations entre les individus d'un groupe. Les enfants ont besoin d'avoir une image positive d'eux-mêmes pour évoluer sainement. Cette image se construit dans un climat d'amour, de respect et de confiance.

> « Les enfants ne naissent pas avec une estime de soi bonne ou mauvaise; ils se forment une image d'eux-mêmes basée largement sur la façon dont ils sont traités par les personnes significatives pour eux : parents, éducateurs, pairs... » (Coppersmith, cité par Duclos, 1996).

Si un enfant ne reçoit pas suffisamment d'amour, principalement de la part de ses parents, mais aussi des personnes qui en sont temporairement les substituts, son développement harmonieux peut être compromis. Il est reconnu que les enfants vivant des perturbations affectives importantes ont davantage de difficultés à se développer normalement. Les enfants ont besoin d'être acceptés inconditionnellement, ils veulent se sentir aimés pour ce qu'ils sont et non en fonction de leurs comportements. Dans les milieux éducatifs, pour qu'un enfant ait une bonne estime de soi, il doit se sentir apprécié avec ses particularités et pouvoir évoluer à son rythme.

Même si l'image que l'enfant a de lui-même, dans le très jeune âge, dépend grandement de la perception qu'il a de la valeur que lui accordent les autres, cette image dépend aussi des compétences qu'il développe. En se sentant compétent, il sera fier de lui et se percevra comme un être capable d'agir efficacement sur son environnement. Il suffit de regarder un enfant qui attache ses souliers pour la première fois pour voir comment cette réussite le rend fier de lui. Une image positive de soi est une des principales clés de la réussite, d'où l'importance de faire vivre à chaque enfant des succès à sa mesure en lui proposant des défis adaptés à son degré de développement.

Faire confiance à l'enfant, c'est aussi le laisser faire seul ce dont il est capable. Si l'adulte agit à sa place ou règle ses conflits, il ne se sentira pas compétent. Le rôle de l'éducatrice est

d'aider l'enfant à prendre ses décisions, à faire ses choix et à prendre des risques.

3. Offrir des situations d'apprentissage qui placent l'enfant devant de nouveaux défis

Quand les besoins de base sont assurés et que le climat est favorable à l'apprentissage, les enfants sont vraiment disposés à actualiser leur potentiel. On peut se demander, dans un premier temps, pourquoi l'activité libre dans un milieu riche et bien organisé n'est pas suffisante pour permettre à l'enfant d'actualiser tout son potentiel. Certes, l'activité libre est une occasion de développement. De façon naturelle, les enfants vont se donner des défis à relever parce qu'ils possèdent une tendance innée à se développer. Un environnement physique riche et stimulant suscite l'exploration et la découverte. Présenter aux enfants des situations d'apprentissage qui les placent devant de nouveaux problèmes à résoudre augmente les occasions de développement et, donc, les possibilités d'actualiser tout leur potentiel. Le problème qu'on leur donne à résoudre est le point de départ d'un processus. En cherchant des solutions, les enfants rencontrent des obstacles qui les placent devant de nouveaux défis; si les difficultés rencontrées sont à leur mesure, ils cherchent des moyens pour résoudre le problème et font ainsi de nouveaux apprentissages.

Des recherches américaines, faites auprès d'enfants provenant de milieux défavorisés, démontrent clairement les avantages que peuvent présenter de bons programmes d'éducation préscolaire. La qualité des programmes d'activités influence à plusieurs égards le développement des enfants. Les situations d'apprentissage offertes aux enfants doivent donc être élaborées avec beaucoup de soin et d'attention, et les mettre en présence de nouveaux problèmes à résoudre. Ces situations d'apprentissage doivent permettre aux enfants de s'engager avec tout leur être dans ce qu'ils font. Dans cette perspective, une approche globale de l'activité favorisera davantage le développement de tous les aspects de la personnalité. Le prochain chapitre décrit un type de situation d'apprentissage à présenter aux enfants selon une telle approche.

1.4 QUESTIONS D'INTÉGRATION

1. À partir de votre expérience personnelle, donnez un exemple concret de situation d'apprentissage où les méthodes pédagogiques utilisées étaient surtout associées :

   a) à l'école traditionnelle;

   b) à l'École nouvelle.

2. Julie est éducatrice auprès d'un groupe d'enfants de deux ans. Elle aimerait beaucoup que les enfants soient capables de mettre seuls leurs vêtements de neige. Expliquez comment elle aborderait cette situation, selon qu'elle favorise :

   a) une approche centrée sur l'apprentissage;

   b) une approche centrée sur l'enfant.

   Justifiez vos réponses.

3. Démontrez comment l'enfant se développe globalement, c'est-à-dire comment il développe progressivement et simultanément tous les aspects de sa personnalité, au cours des activités suivantes :

   a) faire une construction en blocs Lego (4 ans);

   b) donner des soins à une poupée (3 ans);

   c) organiser une vente de cartes de Noël (7 ans);

   d) faire bouger un mobile sonore (6 mois);

   e) participer à la création d'une murale collective (9 ans).

4. À partir d'un exemple concret de votre choix, démontrez le lien qui existe entre la capacité de prendre des risques et l'apprentissage.

5. Quels facteurs influencent l'estime de soi de l'enfant ?

6. À partir de la réalité d'un service de garde que vous connaissez, démontrez comment l'environnement éducatif répond aux besoins des enfants.

L'activité-projet, un monde de découvertes

Les situations d'apprentissage que favorise l'activité-projet correspondent principalement aux orientations pédagogiques des services de garde, mais peuvent tout aussi bien convenir à un cadre scolaire ou récréatif.

Le présent chapitre traite du sujet même de ce livre, soit l'activité-projet comme telle. Il commence avec une définition de l'activité-projet, suivie d'une illustration au moyen d'un exemple qui s'intitule *L'hôpital*. Par la suite, les cinq objectifs visés par ce type de situation d'apprentissage sont clairement analysés à partir de l'exemple présenté.

De plus, afin de mieux cerner ce qu'est véritablement l'activité-projet, ce chapitre explique et commente quatre de ses principales caractéristiques, tout en mettant en lumière les conditions qui favorisent la réussite de ce genre de situation d'apprentissage. En terminant, il propose un mode de classification des activités-projets suivi d'exemples qui en illustrent les différentes catégories.

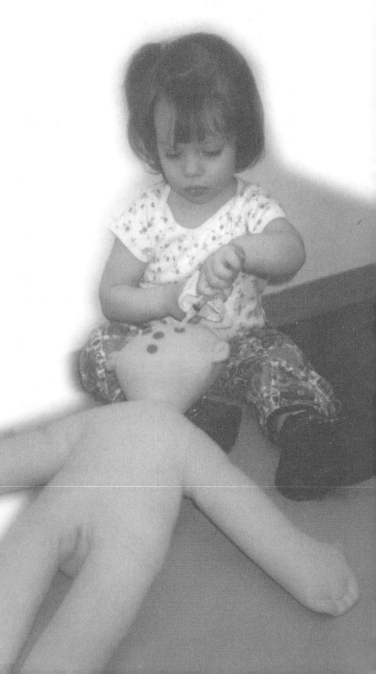

2.1 DÉFINITION

> L'**activité-projet** offre une situation d'apprentissage où l'enfant est l'acteur principal. Elle vise le développement global et elle a comme point de départ la proposition d'un projet adapté à l'âge des enfants.

Une telle activité est en fait un prétexte à l'apprentissage où les tâches et les actions, qu'elles soient reliées ou non à l'activité, sont toutes considérées comme aussi importantes les unes que les autres et représentent des occasions de développement.

À partir d'une mise en situation stimulante, l'activité-projet propose aux enfants de résoudre, seuls ou en groupe, un problème concret ou d'accomplir une tâche réelle ou simulée.

Le tableau 2.1 présente les différentes composantes de la planification d'une activité-projet. La deuxième partie du présent ouvrage exposera en détail chacune d'elles. Ce tableau comporte uniquement les éléments de base de la planification du recueil d'activités du chapitre 14. La fiche de planification de l'activité-projet intitulée *L'hôpital*, qui sert ici d'exemple, se trouve dans le recueil d'activités et porte le n° 8.

Tableau 2.1 Présentation des composantes de l'activité-projet

Composantes de l'activité-projet	Information complémentaire
La tâche à accomplir ou le problème à résoudre	Chapitre 7
La mise en situation	Chapitre 8
Le choix du matériel	Chapitre 9
Les pistes d'intervention	Chapitre 10
L'évaluation	Chapitre 11
L'organisation	Chapitre 12
Le déroulement	Chapitre 13

Afin d'avoir une vue d'ensemble de ce type de situation pédagogique, voici un premier exemple; il s'agit d'une activité qui a été expérimentée avec un groupe d'enfants de quatre ans du Jardin d'enfants *Cachou* du cégep de Saint-Jérôme.

Exemple d'activité-projet
L'hôpital

L'idée du projet a pris naissance après qu'un parent eut demandé à l'éducatrice, un midi, si elle comptait préparer les enfants à recevoir leur vaccin pour l'école. Effectivement, la majorité des enfants devaient se faire vacciner sous peu. L'éducatrice reconnaît alors ne pas avoir pensé à les y préparer. L'idée de faire une semaine sur le thème de la santé germe alors dans son esprit, d'autant plus qu'un des enfants du groupe a été hospitalisé quelques semaines auparavant. Elle discute du programme de la semaine avec une collègue et décide, entre autres, de planifier une activité-projet qu'elle intitule *L'hôpital*.

Compte tenu de l'intérêt des enfants de cet âge pour les jeux de rôles, l'éducatrice choisit de leur proposer de soigner les « bébés » qui sont malades. Elle entreprend alors la recherche de matériel stimulant : une variété de bandages, des bouteilles et des compte-gouttes... Elle choisit d'investir davantage dans de vrais objets, à condition qu'ils soient sécuritaires, plutôt que dans des trousses-jouets. La mère d'un enfant du groupe étant infirmière, l'éducatrice en profite pour lui demander sa collaboration. Celle-ci accepte volontiers et apporte plusieurs objets, dont son propre stéthoscope.

Par la suite, une visite aux départements de Techniques de soins infirmiers et de Technologie de laboratoire médicale du collège permet à l'éducatrice de faire provision de gants chirurgicaux, de masques, de plateaux et de gobelets à médicaments, auxquels s'ajoutent un masque d'oxygène et un sac à soluté. La collaboration est d'autant plus facile que les gens sont généralement disposés à participer à des projets qui favorisent l'apprentissage des enfants. Les préparatifs sont complétés par l'emprunt de poupées, de façon qu'il y en ait une par enfant, et par l'achat d'une boîte de couches jetables.

Le jour où l'activité-projet doit se tenir, le matériel est disposé dans un meuble vitré placé de façon à attirer l'attention des enfants dès leur arrivée. Lors de la causerie d'accueil, l'éducatrice demande aux enfants s'ils ont remarqué quelque chose de nouveau. Ayant ainsi piqué leur curiosité, elle les fait parler des soins de santé qu'ils ont reçus par le passé. Les enfants racontent alors ce dont ils se souviennent et expriment leurs sentiments. À la fin de la causerie, l'éducatrice leur dit qu'elle a des bébés malades et qu'elle aurait besoin de leur aide pour les soigner. La mise en scène aidant, l'intérêt est vite suscité. Elle les invite donc à préparer des lits, avec les coussins et les couvertures disponibles, pour les bébés qui arriveront bientôt dans le local.

Lorsque les poupées arrivent, l'éducatrice encourage chaque enfant à prendre doucement un des « bébés malades ». Elle insiste : « Fais bien attention, il est très malade. » Les enfants jouent le jeu. La plupart commencent par dévêtir leur bébé, lui parler et l'examiner. L'éducatrice leur offre, par la même occasion, de venir chercher un plateau de matériel pouvant les aider à soigner les bébés. Chacun des plateaux contient du matériel de base. Les objets dont on n'a qu'un petit nombre d'exemplaires, tel le stéthoscope, sont disposés dans le meuble vitré et peuvent être empruntés au besoin par les enfants au « service de l'infirmerie ».

Les enfants partent ensuite à la découverte du matériel, enfilent les gants chirurgicaux avec application, collent des bandages sur les « blessures » des bé-

bés... Il faut voir alors le plaisir qu'ils ont à mettre une vraie couche aux poupées. Un des enfants a même emmailloté la sienne comme une momie. Pendant plus de 90 minutes, dans un climat de plaisir et de collaboration, les enfants prennent soin du bébé qui leur est confié avec un intérêt soutenu. Aucun conflit ne survient, car les enfants sont complètement absorbés. Lorsqu'ils réclament de l'aide, c'est la plupart du temps pour poser des questions et plus précisément pour apprendre à utiliser certains objets.

Dès le début de l'activité, un des enfants refuse de participer, se contentant d'observer. L'éducatrice le remarque et le laisse faire. Puis, peu à peu, l'enfant se met à collaborer avec les autres, les aide à développer un pansement, explique comment utiliser un compte-gouttes, place les jambes de la poupée pour mettre une couche. Il participe donc à sa manière à l'activité, que ce soit en observant, en commentant ou en collaborant.

Après un certain temps, l'éducatrice suggère à ceux qui veulent prendre leur collation de confier leur bébé à quelqu'un de leur entourage et d'aller à la cafétéria (coin cuisine) prendre leur pause. C'est ainsi que l'activité de routine est intégrée au jeu.

Quand l'intérêt commence à diminuer, l'éducatrice annonce aux enfants qu'elle va maintenant raconter une histoire à leur bébé. Tous viennent s'asseoir autour d'elle avec leur poupée pour écouter *La varicelle* (Anfousse, 1978). Par la suite, les bébés « s'étant endormis », elle demande aux enfants de les coucher dans un coin et de faire le ménage de l'hôpital.

Il va sans dire que les enfants ont beaucoup de choses à raconter quand les parents viennent les chercher à la fin de la journée. Le lendemain, l'éducatrice amènera les enfants à s'exprimer sur leurs découvertes et fera avec eux l'évaluation de la journée précédente. Elle en profitera pour amorcer un échange sur la prochaine séance de vaccination.

2.2 OBJECTIFS DE L'ACTIVITÉ-PROJET

L'activité-projet vise principalement à favoriser le développement global des enfants, mais elle vise également d'autres objectifs qui découlent des fondements théoriques de l'approche globale. Ainsi, comme l'illustre l'exemple de *L'hôpital*, l'activité-projet :

- favorise le développement global;
- encourage la découverte et l'exploration personnelle;
- développe l'autonomie;
- développe la créativité;
- place l'enfant devant de nouveaux défis.

Favoriser le développement global

Favoriser le développement global est le principal objectif visé par l'activité-projet. Dans le chapitre 1, on a mentionné que la plupart des projets éducatifs des services de garde du Québec retiennent cette orientation comme option éducative. Les situations d'apprentissage proposées dans les programmes d'activités devraient donc faire vivre aux enfants des expériences variées qui leur permettent de développer en même temps tous les aspects de leur personnalité.

Lorsqu'on parcourt les manuels de psychologie, on s'aperçoit que les divers aspects du développement sont regroupés de façon différente selon les auteurs. Par exemple, certains isolent le développement du langage du développement cognitif; d'autres parlent de développement socio-affectif parce qu'ils traitent en même temps des aspects affectif et social. Ces quelques variantes n'ont pas de conséquences réelles et constituent uniquement un classement différent pour analyser le développement qui, de toute façon, se fait globalement. Dans le présent ouvrage, la division proposée au tableau 2.2 sert de référence.

Le développement cognitif La présence d'objets nouveaux est particulièrement favorable au développement cognitif. La découverte du matériel, de son utilité et de son fonctionnement, ainsi que l'apprentissage du vocabulaire lié à ces objets constituent de multiples occasions de développement. Durant l'activité *L'hôpital*, la découverte du matériel suscite beaucoup d'intérêt. Par exemple, les enfants cherchent à utiliser les compte-gouttes et veulent comprendre l'utilité du sac à soluté.

Par ses différentes interventions, l'éducatrice peut aussi amener les enfants à réfléchir et à développer leur sens critique. En demandant, par exemple : « Explique-moi comment tu as réussi cela. », elle provoque une occasion de transposer l'action en paroles, ce qui favorise l'acquisition d'habiletés logiques et langagières.

La période de rangement est une invitation à classer et à regrouper des objets. C'est là une façon naturelle d'aborder la théorie des

Tableau 2.2 Les composantes des cinq grands aspects du développement

ASPECTS DU DÉVELOPPEMENT				
cognitif	**psychomoteur**	**social**	**affectif**	**moral**
habiletés logiques créativité langage connaissances compréhension du monde	motricité globale motricité fine latéralité schéma corporel organisation temporelle et sens rythmique organisation spatiale organisation perceptive	conscience des autres ou empathie relations avec les pairs relations avec l'adulte sens des responsabilités	confiance (estime de soi) autonomie expression des besoins et des sentiments	conception du bien et du mal acceptation des différences intégration des règles, des valeurs

ensembles. De plus, la liberté d'exploration et le caractère symbolique de cette activité favorisent l'expression de l'imaginaire.

Le développement psychomoteur   Les défis psychomoteurs sont nombreux durant une situation d'apprentissage comme *L'hôpital*. Le matériel proposé favorise grandement l'exploration, parce qu'il est nouveau, stimulant et varié. Il suffit de regarder les enfants mettre les gants chirurgicaux ou déballer un bandage adhésif pour leur bébé pour se convaincre de l'importance des défis surmontés et des habiletés exercées.

En outre, cette activité encourage l'évolution de la perception du schéma corporel. Les enfants situent et nomment à plusieurs reprises les parties du corps de la poupée. En expliquant la « maladie » de cette dernière, ils transposent la connaissance qu'ils ont du fonctionnement de leur corps et font des liens avec leur expérience personnelle.

Le développement affectif   Cette situation d'apprentissage favorise aussi l'expression des sentiments. Au cours de l'activité, on entend des enfants expliquer à leur bébé que le geste qu'ils poseront comme soignants ne lui fera pas mal. Ils ont aussi la possibilité de raconter leurs expériences médicales, de parler de la douleur, de la guérison, du goût des médicaments, etc. L'estime de soi est favorisée par leur rôle de soignant et on peut voir alors sur leurs visages beaucoup de fierté. Cette satisfaction de soi contribue grandement au développement affectif.

Le développement social   Tout au long de l'activité, un véritable climat de coopération et d'entraide règne dans le local. Les enfants travaillent ensemble, l'un demande à l'autre d'attacher son masque, ils collaborent pour mettre une couche et se donnent des informations. Dans un tel contexte, les habiletés sociales ne peuvent qu'évoluer.

Le développement moral   L'aspect moral aussi se trouve touché, car des situations d'apprentissage s'apparentant à la vie courante facilitent l'intégration des valeurs, des règles et des principes en vigueur dans la société. Durant l'activité *L'hôpital,* on entend des phrases comme : « Ça va te faire un peu mal, mais tu vas être beaucoup mieux après. » On peut constater que les enfants ont compris le rôle des gestes médicaux et qu'ils commencent à percevoir le bien-fondé d'une action en fonction du but poursuivi. La notion de ce qui est bien commence à se nuancer.

Une activité-projet, comme soigner des bébés, offre l'occasion à tous les enfants de faire de multiples apprentissages. Ceux-ci diffèrent d'un enfant à l'autre; pour certains, l'aspect psychomoteur prend beaucoup de place, tandis que, pour d'autres, le côté affectif est plus important, mais tous relèvent des défis.

Encourager la découverte et l'exploration personnelle

Il est important de mettre en place un environnement physique qui favorisera l'exploration fréquente de nouveau matériel et la découverte active des caractéristiques de ce dernier. Il a déjà été dit que les enfants ont besoin de manipuler les objets pour les connaître, mais cela ne signifie pas qu'ils n'ont jamais besoin d'information. Une période d'exploration suscite chez les enfants un questionnement et crée la motivation qui donne un véritable sens à l'information fournie. C'est lorsque l'enfant a essayé de faire fonctionner quelque chose que naît en lui le besoin de connaître ou de comprendre.

Lors de l'activité *L'hôpital,* les enfants posent plusieurs questions. Ils sont motivés à apprendre le nom des objets et le fonctionnement de certains instruments tels que le compte-gouttes. C'est ce contact avec de nouveaux objets qui stimule la curiosité et le désir d'apprendre.

Offrir à l'enfant du matériel nouveau est souvent plus facile qu'on le pense. La majorité des enfants ont déjà vu des bandages, des gants chirurgicaux ou des masques, mais peu d'entre eux ont déjà eu la chance d'en manipuler. Les fabricants de jouets mettent beaucoup d'énergie à reproduire de façon artificielle des objets qui font déjà partie de notre quotidien : des aliments-jouets, des costumes, des ensembles pour cuisiner, des trousses de médecin, etc. Dans l'activité *L'hôpital,* les enfants manipulent des objets qui leur sont souvent interdits. Un simple pansement adhésif suscite chez eux beaucoup d'intérêt.

Développer l'autonomie

Développer l'autonomie ne signifie pas de laisser les enfants tout faire par eux-mêmes, mais bien les laisser faire ce dont ils sont capables. Il n'est pas question de demander à l'enfant de deux ans de s'habiller complètement sans aide; il s'agit plutôt de le soutenir en l'observant, en lui laissant faire ce qu'il peut faire et en lui donnant les petits coups de pouce dont il a besoin pour compléter sa tâche. Si, pour aller plus vite ou pour leur rendre service, l'adulte les habille, les enfants perdent alors une belle occasion de se développer. Ils peuvent même interpréter cette aide comme un message de non-confiance. Les défis qui leur sont offerts par le biais des activités-projets doivent être larges et diversifiés, ce qui leur permettra de vivre des réussites. C'est ainsi qu'ils se construiront une image positive d'eux-mêmes.

Durant l'activité *L'hôpital*, certains enfants sont capables de mettre une couche à leur bébé et ils le font sans demander d'aide. Certains autres choisissent tout simplement de ne pas le faire; ce défi ne les intéresse pas ce jour-là. D'autres éprouvent certaines difficultés, mais veulent les surmonter. Par exemple, une petite fille demande à l'éducatrice de soulever sa poupée pendant qu'elle étend la couche. Elle sollicite l'aide nécessaire et l'éducatrice répond à cette demande. Quelquefois, les enfants demandent de l'aide seulement pour la partie de la tâche qui leur cause problème; à d'autres moments, par contre, ils disent : « Veux-tu mettre la couche à ma poupée ? Je ne suis pas capable. » Il est très intéressant dans ces cas-là de vérifier, soit par des questions ou simplement par l'observation, quelle partie de la tâche cause un problème, et d'inviter l'enfant à accomplir lui-même, le plus possible, tout ce dont il est capable.

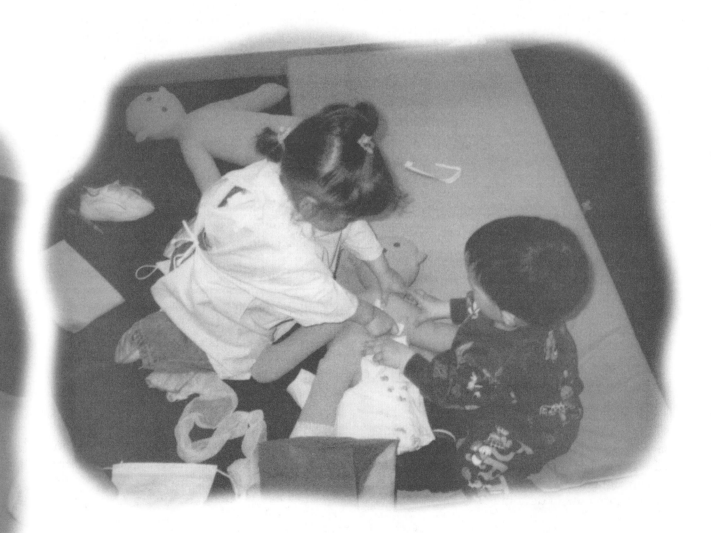

Développer la créativité

Les enfants ont de l'imagination et, pour développer leur créativité, ils doivent surtout avoir l'occasion d'imaginer et d'expérimenter. En leur demandant de soigner les « bébés malades », on donne aux enfants l'occasion d'inventer toutes sortes de maladies et différentes façons de les guérir. Ils sont dans un contexte qui laisse beaucoup de place aux idées nouvelles, chaque enfant pouvant faire des choix.

C'est en ayant la possibilité de trouver différentes façons de résoudre un problème que l'enfant peut créer et développer de la confiance en ses idées. Il importe de ne pas éteindre la créativité des enfants en imposant une seule façon de faire ou en dictant les « bonnes » réponses.

Placer l'enfant devant de nouveaux défis

En apparence, l'activité-projet intitulée *L'hôpital* ne comporte pas de défi évident. Pourtant, ce type de situation d'apprentissage favorise l'expression des craintes des enfants à l'endroit des soins médicaux. L'activité a d'ailleurs été pensée dans cette perspective. En plusieurs occasions, les enfants verbalisent leurs sentiments personnels et les transfèrent au bébé. « Je ne te ferai pas mal et tu vas voir que tu vas être mieux après. » Les jeux de rôles favorisent cette expression spontanée. Dans le cadre d'une causerie animée sans lien avec une activité vécue, les propos auraient probablement été moins sentis et moins riches.

Comme il a été dit au chapitre 1, le problème posé par l'activité-projet sert de point de départ ou de bougie d'allumage. La présence de seringues suscite chez les enfants le désir de faire une injection à leur bébé. Toutefois, avant de satisfaire ce désir, ils doivent expliquer leur geste à leur malade et le justifier. En cherchant des solutions, ils intègrent davantage les raisons qui motivent les soins médicaux et en acceptent le bien-fondé. Au moment où ils seront eux-mêmes vaccinés, il est probable qu'ils feront des liens avec cette situation.

Placer les enfants devant de nouveaux défis, c'est aussi leur demander d'expliquer pourquoi ils choisissent une solution plutôt qu'une autre. En expliquant à l'autre sa façon de penser ou de procéder, l'enfant intègre davantage les principes qui ont motivé ses choix. Cependant, l'éducatrice doit accepter ces explications même si elles sont partielles : il ne s'agit pas de vérifier la compréhension que l'enfant a des phénomènes, mais bien de le soutenir dans ses découvertes.

Placer les enfants devant de nouveaux défis, c'est les amener à faire face à la réalité et aux conséquences de leurs choix. Les laisser expérimenter des solutions est le meilleur gage d'une véritable intégration des connaissances. Toutes ces choses étant dites, il est bien entendu que l'on ne doit pas leur laisser vivre des situations qui mettraient en péril leur sécurité.

En outre, il est primordial de leur donner les moyens de trouver des réponses à leurs questions. Leur désir d'apprendre est un feu qu'il faut alimenter. Il faut éviter de reporter à plus tard les réponses ou de décider pour eux du moment où ils peuvent faire tel ou tel apprentissage, car cela risquerait d'éteindre cette curiosité naturelle.

2.3 Caractéristiques de l'activité-projet

L'activité-projet se distingue des autres types de situations d'apprentissage par quatre grandes caractéristiques. C'est une activité semi-dirigée qui se présente dans une perspective de résolution de problèmes et qui emprunte la démarche de projet dans une vision transdisciplinaire.

Une activité semi-dirigée

La documentation adaptée aux services de garde parle généralement d'activités dirigées et d'activités libres. L'activité dirigée est définie comme étant une activité choisie, planifiée et animée par l'adulte, tandis que l'activité libre est choisie et initiée par les enfants. Il est à noter que ces deux genres d'activités répondent à certains besoins, mais ne les comblent pas tous. De là, la définition d'un modèle intermédiaire : l'activité-projet.

L'activité-projet se situe à mi-chemin entre l'activité libre et l'activité dirigée. Elle privilégie une gestion démocratique, soit un partage du pouvoir et de la prise de décision entre l'éducatrice et l'enfant.

L'expression gestion démocratique renvoie au fait que les problèmes à résoudre peuvent être proposés par l'éducatrice ou par les enfants. Dans les groupes de petits, c'est souvent l'éducatrice qui initie les activités-projets; en revanche, les enfants plus vieux expriment facilement leurs désirs. Que l'idée provienne de l'éducatrice ou des enfants, la proposition d'activité doit être acceptée conjointement pour que chacun puisse s'investir pleinement.

Il s'agit bien de gestion démocratique puisque, durant la réalisation de l'activité, les enfants peuvent travailler à leur rythme. Ce n'est pas l'éducatrice qui contrôle à elle seule tout le déroulement de l'activité. D'ailleurs, dans un tel contexte, il est souvent étonnant de constater que, même avec des groupes d'enfants de deux ans, certaines situations d'apprentissage peuvent se poursuivre pendant près d'une heure. Une activité-projet aussi simple que le lavage des tricycles amène les enfants à poser plusieurs gestes. Mettre de l'eau dans un seau, y ajouter un peu de savon et brasser, frotter les tricycles, les arroser, les essuyer, les essayer, les salir et tout recommencer; tout cela peut prendre beaucoup de temps à cet âge.

Bien sûr, dans certains cas, l'éducatrice peut avoir à gérer l'organisation de grandes étapes de l'activité. Par exemple, entre quatre et huit ans, les enfants ont besoin d'aide pour coordonner les différentes tâches liées à un projet axé sur l'organisation. Selon les types d'activités-projets, les enfants n'auront pas la même liberté de choix. Par exemple, soigner les bébés malades est un problème à résoudre qui n'exige pas de marche à suivre particulière. Par contre, d'autres activités-projets, comme celles liées à l'organisation d'un repas, comportent des étapes qu'il faut respecter pour obtenir un résultat acceptable. Cette confrontation avec la réalité fait partie intégrante de la démarche de projet.

Il s'agit de gestion démocratique aussi parce que les enfants peuvent compléter le matériel que l'éducatrice a mis à leur disposition en y joignant d'autres objets de leur choix. De plus, aucune façon de faire ou modèle n'est imposé. Au besoin et à la demande des enfants, quelques techniques peuvent être enseignées et l'éducatrice peut enrichir l'activité de quelques idées.

Plus les enfants sont jeunes, plus le rôle de l'éducatrice est important en ce qui concerne l'organisation et la prise de décision. Il va de soi que l'on ne peut pas attendre le même degré de responsabilisation des tout-petits et des enfants d'âge scolaire. Le choix des activités-projets doit toujours tenir compte de la capacité des enfants à travailler entre eux, à anticiper, à se représenter une situation, à décider et à évaluer. C'est pourquoi l'éducatrice doit continuellement adapter aux compétences de son groupe le niveau de défi que représente une situation d'apprentissage. Les défis ne doivent jamais être trop grands, car les enfants pourraient se décourager très vite et perdre confiance en leurs possibilités.

Une perspective de résolution de problèmes

À partir d'une mise en situation stimulante, l'activité-projet propose aux enfants de résoudre un problème concret ou d'accomplir une tâche, réelle ou simulée, et de s'adonner à ces occupations individuellement ou en groupe. Ce genre d'activité leur offre l'occasion de s'engager activement dans un processus de résolution de problèmes à partir de situations concrètes et significatives pour eux. Comme le soulève Viviane de Landsheere (1992) :

> « Dans *Comment nous pensons,* John Dewey montre que, dans maintes situations de la vie courante, l'individu qui a pris conscience d'une difficulté et désire la surmonter suit la démarche de l'investigation scientifique : le problème est défini, des hypothèses de solution sont formulées et testées, l'une d'elles est retenue, et le gage de la réussite est donné par la disparition de l'obstacle rencontré. L'apprentissage ainsi produit n'est plus simple mise en mémoire de solutions fournies toutes faites, mais consiste en règles ou principes implicites ou explicites, construits par l'individu et plus ou moins transférables. »

Une démarche de projet

À partir du problème à résoudre, les enfants vivent une démarche de projet. « Être en situation de projet, c'est être à la quête d'information pour réaliser une tâche mobilisatrice et c'est orienter notre attention vers une tâche à réaliser, à chercher des solutions aux problèmes rencontrés et à se les approprier. » (Meirieu, 1992)

Dans l'activité-projet, cette démarche comprend trois étapes : le choix d'un but, la réalisation et l'évaluation.

1. **Le choix d'un but ou d'un problème** à résoudre peut naître d'une situation réelle ou simulée. C'est en acceptant le défi proposé que tous pourront s'engager dans la recherche de solutions.

2. **Durant la réalisation,** les enfants planifient, choisissent des moyens, les expérimentent, pour finalement exécuter les travaux en adoptant une ou des façons de procéder qui leur conviennent. Au fur et à mesure que les enfants sont capables d'envisager les conséquences de leurs actions, l'étape de planification devrait être dissociée de celle de la réalisation. À l'âge scolaire, ils sont en mesure de prévoir les gestes à poser pour arriver au résultat souhaité.

3. **L'évaluation,** effectuée en fonction de l'âge des enfants, permet de jeter un regard critique sur le processus vécu. Évaluer une activité pour un enfant de deux ans, ce peut être tout simplement d'approuver ou non les commentaires de l'éducatrice sur son action. Par exemple, si celle-ci lui dit que son bébé a l'air beaucoup mieux, son sourire exprimera son accord et sa satisfaction. Par contre, avec des enfants plus âgés, cette étape est l'occasion de s'interroger sur l'activité qu'ils viennent de réaliser. Le chapitre 11 propose différentes façons de vivre des évaluations en fonction de l'âge des enfants.

Pour de très jeunes enfants, construire une cabane avec des couvertures est une tâche mobilisatrice d'envergure. L'enfant de deux ans qui accepte le problème à résoudre doit planifier, réaliser et évaluer constamment; même si ces étapes se font dans un certain va-et-vient, elles sont néanmoins présentes. C'est pourquoi l'activité-projet offre la possibilité de réaliser aussi bien des activités de courte durée avec les groupes de petits que des projets à long terme avec les grands d'âge scolaire. Les activités-projets peuvent aussi être réalisées par un enfant seul ou par une ou des équipes, selon l'âge des enfants et le type de problème à résoudre.

L'éducatrice doit s'adapter aux capacités des différents groupes d'âge, mais s'orienter vers une pédagogie où l'enfant développera son autonomie et prendra en main son apprentissage. L'essentiel, c'est de placer l'enfant dans le cadre d'une démarche de projet.

Une vision transdisciplinaire

Parce que l'activité-projet vise à favoriser le développement global des enfants, elle se situe au-delà des disciplines. Une approche globale de l'activité propose à l'enfant d'aborder un problème en utilisant toutes ses connaissances et ses compétences. Elle fait appel à l'ensemble des savoirs, savoir-être et savoir-faire, peu importe à quelle discipline ils sont rattachés. Une telle vision est peu conciliable avec une approche disciplinaire, puisque celle-ci limite les solutions aux moyens liés à sa discipline.

L'approche disciplinaire a souvent tendance à cloisonner les apprentissages, ce qui ne correspond pas tout à fait à la façon naturelle qu'a l'enfant de découvrir le monde. Elle peut être utile lorsque des apprentissages précis sont jugés essentiels, mais c'est rarement le cas dans le cadre des services de garde.

Par contre, certaines activités-projets peuvent faire référence à des disciplines particulières. C'est le cas, par exemple, lorsque des enfants choisissent de présenter une pièce musicale lors d'un spectacle. Dans ce contexte précis, cependant, la musique sera perçue davantage comme un moyen d'expression que comme une discipline, car l'activité-projet vise le développement global et non la maîtrise d'habiletés spécifiques.

En général, même si, par le biais des activités-projets, les enfants font plusieurs apprentissages liés à des disciplines, ces apprentissages ne sont pas prédéterminés et il y a de bonnes chances pour qu'ils soient différents d'un enfant à l'autre.

2.4 CONDITIONS DE RÉUSSITE

Certaines conditions favorisent la réussite des activités-projets et représentent des balises importantes pour les personnes qui veulent offrir aux enfants des situations d'apprentissage stimulantes. On peut même utiliser ces principes comme critères pour évaluer la qualité d'une activité-projet. Ces conditions de réussite s'inspirent des principes de choix d'activités décrits dans le *Guide pédagogique du préscolaire* (Québec, ministère de l'Éducation, 1982)

Une activité-projet est plus valable qu'une autre, dans la mesure où :

- elle est issue des intérêts des enfants et acceptée par eux;
- elle est présentée sous forme de jeu;
- l'enfant est l'acteur principal;
- le problème à résoudre est une occasion d'apprentissage;
- le problème à résoudre peut donner lieu à une variété de solutions;
- elle permet à l'enfant de faire des choix;
- elle est fondée sur le concret et le réel;
- elle permet à tous les enfants qui s'y adonnent de réussir;
- elle met à la disposition des enfants de la documentation et du matériel très diversifiés.

L'activité-projet issue des intérêts des enfants

Pour que les enfants acceptent le problème proposé, celui-ci doit partir de leurs intérêts. À cet effet, l'éducatrice doit être à l'écoute, observer, interpréter et évaluer les messages des enfants. Les très jeunes enfants diront rarement qu'ils sont intéressés par tel ou tel sujet. Il faut donner libre cours à son intuition, savoir décoder, prendre des risques, abandonner ou modifier son idée de départ. Par exemple, l'observation est un excellent moyen pour découvrir les véritables intérêts des enfants, ce qui fournit souvent des pistes utiles pour planifier l'emploi du temps des jours suivants. Le chapitre 7 propose différents moyens d'identifier les intérêts des enfants et offre des pistes pour la création d'activités-projets stimulantes sur la base de ces intérêts.

L'activité-projet présentée sous forme de jeu

L'activité-projet doit avoir un caractère ludique et le problème à résoudre doit être une source de plaisir pour les enfants. Lorsqu'ils n'éprouvent aucun plaisir à s'adonner à une activité, les enfants adoptent divers comportements. Certains font rapidement ce qui est demandé pour plaire à l'éducatrice, d'autres dérangent le groupe et quelques-uns, plus déterminés, s'opposent carrément et refusent d'agir.

On peut se demander comment créer un climat de plaisir. Plusieurs facteurs entrent en jeu : le choix du problème à résoudre, l'attitude de l'éducatrice, la façon dont est présentée l'activité, les préoccupations des enfants, l'aménagement des lieux et le choix du matériel. La mise en situation de l'activité ou le déclencheur doit être choisi avec soin, puisqu'il s'agit du premier pas pour créer ce climat de plaisir et inciter à l'action. Par exemple, si une éducatrice propose aux enfants de décorer le local, elle peut susciter un certain intérêt, mais si cette proposition est reliée à l'organisation d'une fête, la motivation sera beaucoup plus grande.

L'enfant est l'acteur principal

L'activité étant pensée pour les enfants, c'est donc eux qui doivent la vivre. Être l'acteur principal, c'est avoir un rôle actif tout au long du déroulement et des différentes étapes de l'activité-projet. Si on veut leur laisser ce rôle, on doit fournir à chaque enfant la possibilité de choisir les moyens qui l'aideront à résoudre un problème et à relever les défis qu'il se sent capable d'affronter. Dans une telle approche, les résultats sont personnalisés et chacun peut faire des apprentissages à sa mesure.

Certaines éducatrices sont très mal à l'aise quand elles ne contrôlent pas le déroulement de l'activité. Elles se sentent inutiles et n'ont pas l'impression de travailler. Pourtant leur tâche consiste avant tout à préparer des situations d'apprentissage qui plaisent aux enfants pour qu'ils puissent s'investir pleinement. Durant l'activité, le rôle de l'éducatrice consiste à se mettre à la disposition des enfants, à les soutenir, à répondre à leurs besoins et à les inciter à aller plus loin. Si c'est elle qui dirige et qui contrôle le déroulement de l'activité, elle devra courir à droite et à gauche, de sorte qu'elle ne pourra plus aller au-devant des enfants qui attendent et demeurent inactifs.

Les enfants ne sont pas dupes, ils sont fiers de ce qu'ils ont réussi à faire seuls. Ce n'est pas l'apparence du produit fini qui est important pour eux, mais plutôt les difficultés qu'ils ont surmontées et ce qu'ils ont créé. Dans un vestiaire, un petit garçon remet, sans entrain, un bricolage à sa mère en disant : « Ginette m'a dit de te donner cela. » Ce résultat n'avait aucun sens pour lui parce que les défis surmontés n'étaient pas les siens.

Les enfants doivent être au centre de l'activité, c'est eux qui doivent agir, créer, chercher et prendre des initiatives. Il leur appartient de découvrir en explorant sans pour autant tout réinventer.

Pour être actifs tout au long de l'activité, les enfants doivent participer, à leur mesure, à la planification, à l'organisation, au rangement et à l'évaluation de l'activité proposée. C'est pourquoi, lors de la planification des activités, l'éducatrice doit tenir compte des capacités du groupe.

Le problème à résoudre est une occasion d'apprentissage

Le plus important, c'est ce qui se passe pendant que les enfants tentent de résoudre un problème ou d'accomplir une tâche. Le processus qui conduit à la connaissance est plus utile que le résultat ou la solution trouvée. Le problème posé n'est qu'un prétexte pour enrichir le quotidien des enfants d'expériences nouvelles et leur permettre d'apprendre à apprendre.

L'activité-projet doit mettre les enfants dans une situation d'exploration et de découverte. S'ils transforment le problème en cours de route pour l'adapter à leurs nouveaux intérêts, les enfants y travailleront avec plus d'ardeur. Il est très courant que de jeunes enfants, par exemple, commencent à fabriquer une automobile et que rapidement celle-ci se transforme en fusée. Jusqu'à trois ou quatre ans, ils changent facilement d'idée parce que leurs habiletés intellectuelles ne leur permettent pas encore de poursuivre le même but très longtemps. L'instabilité de leurs images mentales les amène à passer d'une fantaisie à une autre. Respecter l'enfant, c'est aussi respecter cette réalité.

Le problème à résoudre peut donner lieu à une variété de solutions

Le problème à résoudre doit mener à des solutions diversifiées; il doit donc être suffisamment ouvert et complexe pour offrir cette variété. Chaque enfant devra véritablement avoir la liberté

de choisir les moyens à prendre pour trouver des solutions personnelles. Par exemple, si le problème posé est de sortir un objet d'un verre d'eau à l'aide d'un aimant sans se mouiller les mains, les enfants n'ont pas vraiment le choix des solutions. Par contre, si on leur demande d'inventer un jeu qui nécessite l'utilisation d'aimants, on augmente considérablement les possibilités de réponses. Ils pourront ainsi explorer les caractéristiques des aimants dans une multitude de contextes.

Si l'éducatrice a des attentes précises quant au produit fini ou à la façon de réaliser une activité-projet, ce genre de situation d'apprentissage ne peut être qu'insatisfaisant. Il n'a été pensé ni pour développer des habiletés spécifiques ni pour répondre à des besoins précis. Par exemple, si l'éducatrice propose à un groupe d'enfants de cinq ans de faire une salade de fruits, elle ne doit pas avoir d'attente précise quant au résultat. Cette activité est un prétexte à l'exploration des fruits, elle ne doit pas leur proposer une façon de faire ou une recette déterminée à l'avance. C'est aux enfants de chercher les moyens à prendre pour accomplir cette tâche; c'est à eux de choisir quels fruits ils mettront dans leur salade, quelles formes auront les morceaux, ce qui servira de jus, et avec qui ils travailleront. Le rôle de l'éducatrice est d'être attentive aux besoins des enfants, de répondre à leurs questions et de les encourager à sentir, à goûter et à observer. Pourquoi ne pas commencer cette activité par une visite au magasin de fruits ? De cette façon, les enfants pourraient même choisir les fruits à explorer.

L'activité-projet permet à l'enfant de faire des choix

Les enfants apprennent par essais et erreurs. Ils doivent avoir la possibilité de vérifier leurs intuitions et, donc, d'expérimenter les différents moyens d'atteindre un but. Expliquer qu'une façon de faire fonctionne mieux qu'une autre présente peu d'intérêt ou d'utilité. Il est préférable de laisser les enfants expérimenter, si cela n'entraîne aucun risque pour leur sécurité.

Laisser les enfants faire des choix, c'est respecter leur rythme d'apprentissage, leur faire confiance et valoriser l'estime de chacun. Les choix que l'on offre aux enfants dépendent de leur âge. À un an, il leur est possible de choisir parmi quelques pistes de solutions. Leur laisser trop de possibilités les déroute. Par exemple, si l'activité consiste à mettre des objets dans des boîtes pour les transporter, le choix du matériel à « déménager » doit être limité. Si on leur propose d'utiliser tout ce qu'ils désirent, cette activité risque bien de dégénérer en fouillis général. Par contre, en mettant à leur disposition des boîtes de tailles et de formes variées et en proposant, par exemple, de déménager les blocs, on concentre leur attention sur la tâche à accomplir tout en leur offrant la possibilité de faire des choix.

Les enfants d'âge scolaire sont capables de planifier un processus et, avec un peu d'aide, ils peuvent évaluer les conséquences des choix qu'ils effectuent. L'éducatrice peut alors les laisser choisir parmi un éventail très large de possibilités. Tout en respectant leur niveau de développement, il faut viser à ce que les enfants prennent en main une partie de plus en plus grande de la planification, de l'organisation, de la réalisation et de l'évaluation des activités.

Laisser les enfants faire des choix et les assumer n'est pas toujours très facile pour une éducatrice débutante. N'ayant peut-être pas encore une grande confiance en ses capacités d'animation, celle-ci peut facilement éprouver une certaine insécurité si elle laisse beaucoup de place aux enfants. C'est pourquoi il est essentiel qu'elle précise ses attentes, de manière à pouvoir laisser aux enfants les choix qu'elle est prête à assumer. Ainsi, progressivement, elle pourra leur laisser davantage de place.

L'activité-projet est fondée sur le concret et le réel

C'est dans l'action que les enfants ont l'occasion d'exercer toutes leurs facultés. Leur capacité de penser, de réfléchir et d'analyser est en lien direct avec les gestes qu'ils posent. Par exemple, ils ont besoin de toucher pour connaître la texture d'un objet. Par cette manipulation des objets et cette recherche de solutions concrètes à des problèmes, les enfants sont davantage placés devant la réalité et c'est ainsi qu'ils se construisent une vision du monde. Le choix du problème à résoudre et du matériel mis à leur disposition est donc fondamental.

Demander aux enfants de faire une tarte avec de la pâte à modeler et des outils-jouets ne leur offre pas la possibilité de ressentir la vraie texture de la pâte à tarte, de la goûter, de la sentir et finalement de savoir ce dont il s'agit. Il est bien plus motivant pour eux d'utiliser le rouleau à pâte de la cuisinière et de la vraie pâte à tarte qu'ils peuvent sentir et goûter. Pour favoriser une découverte significative, il est préférable, dans la mesure du possible, d'offrir à l'enfant des objets réels faisant partie de son environnement.

Le problème à résoudre peut faire appel à l'imaginaire et être posé à partir d'une situation simulée, comme dans l'activité intitulée *L'hôpital,* mais les enfants ont besoin d'objets réels pour participer activement. On peut très bien imaginer que l'on prend la collation sur la Lune, pourvu que des éléments concrets puissent servir de support à cette idée.

L'activité-projet permet à tous les enfants qui s'y adonnent de réussir

Si le problème à résoudre offre une variété de solutions et est adapté au stade de développement de l'ensemble du groupe, chaque enfant peut fort probablement trouver des réponses en fonction de ses capacités. Il se donne alors des défis auxquels il est capable de faire face. La réussite d'un enfant n'est pas celle de l'autre. L'éducatrice ne doit pas avoir d'attente précise quant au produit fini. Si un enfant est déçu par ce qu'il a fait, il s'agit là d'une belle occasion de l'amener à s'exprimer et de lui proposer des moyens pour réaliser ses désirs.

Il faut garder à l'esprit que l'estime de soi se construit à partir de ses propres réussites. Quand le problème à résoudre est ouvert, tel que laver un tricycle ou soigner des poupées malades, il est difficile de ne pas réussir. L'enfant de un an est fier de jouer dans l'eau avec une éponge. Il n'accorde pas d'importance particulière à la propreté du véhicule. Par contre, celui de quatre ans se donne des défis plus grands. Il est fort probable qu'il ira montrer son tricycle à l'éducatrice afin qu'elle lui dise s'il reste encore des saletés.

L'activité-projet met à la disposition des enfants de la documentation et du matériel très diversifiés

Les enfants, même très jeunes, aiment regarder les illustrations des livres et cela suscite souvent plusieurs questions. Par une simple affiche sur le mur, toute une discussion peut être amorcée. Mettre de la documentation à la portée des enfants ne veut pas nécessairement dire qu'ils sont obligés de la consulter. Les enfants sont naturellement curieux; si de la documentation se trouve à leur portée, il y a bien des chances pour qu'ils aillent voir et posent des questions. Lors de l'activité *L'hôpital,* un enfant a passé une trentaine de minutes à regarder *Le grand livre du corps humain,* c'était là son principal intérêt. Commencer dès le plus jeune âge à faire référence aux livres et à les utiliser en présence des enfants est une habitude à développer. Cela stimule la curiosité des enfants et leur goût d'apprendre à lire, tout comme de parler au bébé développe son désir de communiquer, même s'il n'a pas encore l'âge de l'apprentissage du langage.

Le matériel à la portée des enfants doit éveiller la curiosité. Les objets généralement utilisés par les adultes suscitent davantage d'intérêt chez les enfants. Le chapitre 9 développe ce sujet et fait plusieurs suggestions quant au matériel adapté à l'âge des enfants.

2.5 Catégories d'activités-projets

Les activités-projets peuvent se répartir entre trois grandes catégories, selon qu'elles sont axées sur :
- l'exploration et la découverte ( );
- l'expression et la création ( );
- l'organisation ( ).

Cette classification oriente le choix des activités-projets à offrir aux enfants en fonction de leur âge et facilite la recherche de nouvelles idées pour la planification. Au dernier chapitre, le recueil d'activités-projets donne des exemples pour chacune de ces catégories.

Activités-projets axées sur l'exploration et la découverte de l'environnement

Les activités d'exploration et de découverte sont accessibles aux enfants de tous les âges, à condition que l'on choisisse du matériel ou des sujets qui leur sont adaptés. Explorer, c'est découvrir, étudier, prospecter, chercher à connaître ou à comprendre. L'exploration précède généralement la création. Il est essentiel d'explorer l'environnement physique, de connaître les caractéristiques et la façon d'utiliser les matériaux ou les objets, de comprendre leur mode d'utilisation avant de s'en servir à des fins de création. C'est pourquoi le très jeune enfant qui crayonne explore alors les possibilités du crayon, il le manipule de plusieurs façons, il l'essaie sur différentes surfaces et c'est ainsi qu'il le découvre. Par la suite, il pourra l'utiliser pour créer et inventer.

Les activités-projets axées sur l'exploration et la découverte de l'environnement sont particulièrement adaptées aux enfants de moins de trois ans. Elles sont aussi très appropriées pour les plus âgés, qui entrent en contact avec des objets ou des phénomènes nouveaux de l'environnement.

Il s'agit donc d'activités-projets axées sur la découverte de soi, de l'environnement physique et de l'environnement social. Pour chacune de ces catégories, le tableau 2.3 présente quelques exemples de grands thèmes qui peuvent être proposés aux enfants (*voir page 30*).

Tableau 2.3 Suggestions de thèmes à développer par catégories d'activités-projets

Activités-projets axées sur la découverte de soi		
son corps ses sentiments ses besoins	ses intérêts ses habiletés ses valeurs	ses origines son histoire son mode de vie et ses habitudes
Activités-projets axées sur la découverte de l'environnement physique		
le monde des objets le monde des matériaux le monde des minéraux	le monde des végétaux le monde des animaux les phénomènes naturels	les phénomènes scientifiques les problèmes environnementaux les phénomènes mystérieux
Activités-projets axées sur la découverte de l'environnement social		
la famille les amis les différences et les ressemblances	les rôles sociaux les métiers les ethnies et les cultures	les problèmes sociaux la sexualité l'histoire actuelle et ancienne

Activités-projets d'expression et de création

Les activités-projets d'expression et de création regroupent toutes les activités qui proposent aux enfants de créer, d'inventer, d'imaginer, de concevoir, de produire ou de fabriquer quelque chose. Elles sont accessibles aux enfants de deux ans et plus, car c'est à partir de cet âge qu'ils sont capables d'imaginer. Quant aux enfants de moins de deux ans, même si on leur offre des matériaux généralement utilisés pour la création, ils s'y intéresseront davantage pour les explorer que pour créer.

Vers l'âge de deux ans, les enfants atteignent le stade des jeux symboliques. Il devient facile de leur proposer d'imiter des personnages et, plus tard, d'inventer des scénarios de toutes sortes. Les activités-projets d'expression et de création englobent aussi toutes les activités qui proposent aux enfants de créer un numéro de spectacle dans le but de le présenter à un auditoire.

Vers l'âge de quatre ans, les constructions ou les bricolages des enfants commencent à s'orienter vers des objets utilitaires. Mêmes si ceux-ci sont plus ou moins fonctionnels, les enfants sont généralement très motivés par des activités-projets qui, par exemple, proposent de créer des machines à filtrer l'eau ou à transporter des objets.

Le tableau 2.4 indique quelques exemples de grands thèmes à proposer aux enfants.

Tableau 2.4

Activités-projets axées sur l'expression et la création
jeux de rôles, de théâtre, de mime...
production d'une œuvre artistique (musicale, visuelle, picturale, dramatique, corporelle...)
construction de véhicules, d'objets divers, de maquettes...
invention de machines de toutes sortes...
composition de poèmes, de contes...

Activités-projets axées sur l'organisation

Les activités-projets axées sur l'organisation regroupent toutes les activités qui proposent aux enfants de planifier, de préparer, de mettre sur pied et de coordonner différentes tâches en fonction d'un résultat. Elles sont généralement réservées aux enfants de quatre ans et plus, car c'est autour de cet âge qu'ils sont capables de planifier en fonction d'un but précis plus ou moins immédiat. Il est quand même possible d'en proposer à des enfants de trois ans, à condition que l'organisation ne comporte que très peu d'étapes et se réalise dans un très court laps de temps. Par exemple, il est possible de leur demander de mettre la table pour le repas et de la décorer. Par contre, l'éducatrice devra les soutenir à chacune des étapes. Qui veut laver les tables ? Comment peut-on les disposer ? De quels objets avons-nous besoin ?

Les activités-projets axées sur l'organisation sont grandement appréciées des enfants de six ans et plus. Même en jeux libres, ceux-ci planifient et organisent. Les enfants de sept ou huit ans qui jouent avec des poupées passent la majeure partie de leur temps à les préparer pour une sortie, à prévoir les événements qui pourraient survenir, à arranger la garde-robe des poupées en classant les vêtements. Lors d'une journée pédagogique dans un service de garde en milieu scolaire, un groupe d'enfants a passé presque toute la journée à créer une ville dans son local, en y aménageant des magasins, une banque, un bureau de poste, etc. L'installation complétée, ils ne savaient plus trop quels jeux amorcer. En fin de compte, leur intérêt était de créer et d'organiser cette ville.

Voici quelques exemples de situations qui donnent l'occasion de mettre à profit le sens de l'organisation des enfants.

Tableau 2.5

Activités-projets axées sur l'organisation	
d'un repas	d'un spectacle
d'activités de routine	d'une campagne de financement
d'une fête	d'un journal
d'une sortie	d'une exposition

2.6 Questions d'intégration

1. Pour chaque aspect du développement, nommer deux habiletés que des enfants de deux ans peuvent développer en lavant des tricycles.

2. Expliquer comment une activité-projet, comme celle de laver des tricycles, peut être l'occasion de placer l'enfant de deux ans devant de nouveaux défis.

3. Démontrer comment l'activité-projet *L'hôpital* satisfait à chacune des conditions qui favorisent la réussite d'une activité.

4. Donner trois exemples pour chaque catégorie d'activités-projets et dire à peu près à quel groupe d'âge ces situations d'apprentissage peuvent être présentées.

L'activité-projet adaptée à l'âge de l'enfant

Le présent chapitre présente l'information nécessaire à la mise en place d'un environnement éducatif favorisant le développement global des enfants de chaque groupe d'âge. Dans un premier temps, il donne les caractéristiques générales des enfants de chaque groupe. Son but n'est donc pas de décrire de façon exhaustive tous les aspects du développement ni de présenter la chronologie de l'acquisition des habiletés. Il existe d'excellents manuels qui traitent en profondeur de ces sujets et peuvent compléter l'information contenue dans le présent ouvrage. Par exemple, les trois volumes de *La garderie, une expérience de vie pour l'enfant* (1984) constituent de bonnes sources de renseignements en ce qui a trait aux enfants d'âge préscolaire.

De plus, le chapitre que voici propose des conseils pratiques aux éducatrices en vue de les aider à créer un environnement éducatif qui favorise le développement global des enfants de chaque groupe d'âge. Enfin, en lien avec les conditions de réussite exposées au chapitre 2, on y trouvera également la description de quelques conditions particulières susceptibles de faciliter la réussite des activités-projets selon le groupe d'âge.

Le développement de l'enfant étant un processus continu, il est souvent difficile d'associer certaines caractéristiques à un âge précis. Ainsi, un enfant de deux ans peut avoir des comportements plus spécifiques au groupe des moins de deux ans pour certains aspects de sa personnalité, et au groupe des deux à quatre ans pour d'autres. La présentation de ce chapitre par groupes d'âge doit donc être interprétée avec beaucoup de souplesse.

3.1 Le développement de l'enfant

Une bonne connaissance des caractéristiques des enfants selon leur âge est essentielle à la mise en place d'un environnement éducatif qui favorise leur développement global. En outre, il est nécessaire de savoir comment les enfants perçoivent le monde qui les entoure pour intervenir de la façon la plus adéquate possible. En ayant une meilleure connaissance de ce qu'ils comprennent, de ce qu'ils savent faire et de leur façon de réagir aux événements, il est plus facile de leur offrir des situations d'apprentissage qui les aident à évoluer. Bien que l'observation soit une source d'information importante, un savoir plus théorique permet de mieux saisir ce qui se passe quand les enfants agissent et, par le fait même, de mieux les observer.

Bien comprendre son évolution pour mieux intervenir

Chaque enfant croît à son rythme, mais le processus de développement est relativement universel. Ainsi, tous les individus, selon un rythme qui leur est propre, passeront par les mêmes stades ou auront à franchir à peu près les mêmes étapes. L'apprentissage de la marche en est un bon exemple. La position fœtale est commune à tous les bébés naissants. Progressivement, ceux-ci deviennent capables de soulever leur thorax, de tendre la main pour attraper un objet, de s'asseoir, de marcher à quatre pattes, de se tenir debout, pour enfin faire leurs premiers pas. Certains enfants marchent à 10 mois et d'autres à 18 mois, mais tous doivent franchir les mêmes étapes pour y parvenir.

Pour décrire plusieurs séquences d'acquisitions psychomotrices propres au développement des enfants, de la naissance à la maturité, il est relativement facile de partir de l'observation. D'autres aspects du développement, bien que plus difficiles à observer, ont aussi fait l'objet d'une approche séquentielle. Les plus connus sont les stades du développement cognitif de Piaget, ceux du développement moral de Kohlberg et, enfin, ceux du développement psychosocial d'Erikson.

Tous les spécialistes de la question s'entendent pour dire que certaines acquisitions sont préalables à d'autres et que le développement d'un aspect influence celui de plusieurs autres. Pour comprendre le développement de l'enfant, il faut connaître l'évolution de chaque aspect (cognitif, affectif, social, psychomoteur et moral) de même que les liens qui existent entre eux.

Une intervention appropriée au stade de développement de l'enfant tient compte de sa compréhension du monde. Par exemple, si un enfant de un an mord un autre enfant, on peut lui dire que cela fait mal, mais on ne peut pas s'attendre à ce qu'il comprenne l'effet de son geste; il est encore incapable de se mettre à la place de l'autre et de s'imaginer que celui-ci souffre. La réaction d'un adulte témoin de la scène sera différente s'il sait que mordre est un geste normal pour un enfant de un an, même si on peut le considérer comme inacceptable. Cet exemple illustre aussi le lien qui existe entre le développement cognitif et le développement social. On ne peut demander à un enfant qui ne perçoit pas l'effet de ses gestes sur les autres d'avoir des comportements socialement acceptables.

Il est également important de créer un environnement qui offre aux enfants la possibilité d'exercer leurs nouvelles capacités. Bien connaître les caractéristiques du développement habilite l'éducatrice à offrir du matériel et des situations pédagogiques qui donnent aux enfants l'occasion d'utiliser leurs compétences naissantes. Par exemple, entre quatre et six ans, l'imagination des enfants est débordante et leur intérêt pour les jeux symboliques est à son apogée. Il est donc capital que, durant cette période, le choix des activités tienne compte de ces caractéristiques.

Bien doser les défis

Des activités comportant des défis adaptés aux capacités d'un groupe d'âge favorisent la participation active de chacun des enfants, en plus de stimuler leur développement et de leur permettre d'avoir une image positive d'eux-mêmes.

Une bonne connaissance des caractéristiques d'un groupe d'âge permet d'adapter l'activité aux intérêts et aux capacités des enfants, favorisant ainsi leur participation active. Par exemple, si on offre à un groupe d'enfants de trois ans de jouer au facteur en tricycle, les chances de succès sont grandes parce qu'ils sont généralement à l'âge d'exercer l'habileté de pédaler et qu'ils apprécient particulièrement les jeux symboliques. Une activité présentant trop ou pas assez de défis provoque un désintéressement de la part de l'enfant et, dans ce sens, n'est pas vraiment utile à son développement.

L'importance d'offrir aux enfants des activités que tous pourront réussir a été expliquée précédemment. Les problèmes à résoudre qui leur sont présentés doivent correspondre à leurs intérêts et être suffisamment larges pour que chaque enfant puisse relever des défis proportionnels à ses capacités. C'est ainsi qu'ils développeront une bonne estime d'eux-mêmes et qu'ils conserveront le goût d'apprendre.

Il est possible de proposer la même activité à différents groupes d'âge, mais plusieurs modifications doivent alors être apportées de manière à l'adapter au stade de développement des enfants. Prenons l'exemple de *L'hôpital*, une activité conçue pour des enfants d'environ 4 ans, mais qui a été proposée par la suite à un groupe de 18 mois à 2 ans. Ce sont principalement le choix du matériel proposé et l'organisation de l'espace qui ont été modifiés dans ce cas. Les matelas généralement utilisés pour la sieste servaient de lits pour les poupées et étaient disposés un peu partout dans le local. De cette façon, les enfants pouvaient circuler aisément et n'avaient pas à partager avec les autres un espace restreint. Cet aménagement délimitait psychologiquement le territoire de chacun. Chaque enfant recevait son matériel de soin dans un petit sac de papier. Ce sac renfermait des pansements adhésifs, des tampons d'ouate, une petite bouteille de plastique remplie d'eau, une seringue sans aiguille et quelques gazes et bandages. Les enfants ont eu beaucoup de plaisir à mettre et à enlever les pansements adhésifs, autant sur leur poupée que sur eux-mêmes ou sur l'éducatrice. Ils mouillaient la ouate pour frotter tout ce qui se trouvait à leur portée, vissaient et dévissaient le bouchon de la bouteille, couvraient et découvraient leur poupée... Par ces gestes, ils exerçaient surtout leurs habiletés psychomotrices. Cet exemple illustre bien le fait qu'un thème large et une organisation adaptée à l'âge des enfants leur permettent d'exercer certaines habiletés propres à leur stade de développement.

3.2 Les enfants, de la naissance à deux ans

Depuis la naissance jusqu'à l'âge de deux ans, les enfants sont, selon Piaget, au stade sensorimoteur. Ils apprennent à connaître les objets qui les entourent en les manipulant, en les sentant, en y goûtant... Ils éprouvent des sensations, mais n'ont pas encore d'image mentale ou d'acte de pensée. À cet âge, le développement cognitif est intimement lié au développement psychomoteur, car les outils de connaissance des enfants sont les sens et l'activité motrice.

L'expérimentation sensorimotrice
Durant les trois premiers mois, les enfants exercent leurs sens et leurs réflexes. Leurs activités consistent à sucer, à regarder, à prendre... De 3 à 10 mois, ils coordonnent leurs habiletés sensorimotrices. Par exemple, ils prennent un objet pour le porter à leur bouche. Vers l'âge de 10 mois, ils acquièrent la notion de permanence de l'objet, c'est-à-dire qu'ils cherchent un objet qui se trouve hors de leur vue : ils sont alors capables de faire des liens. C'est le début de la véritable intelligence.

À la fin de leur première année de vie, compte tenu que les enfants sont désormais capables de se déplacer vers les objets, leur expérimentation psychomotrice est de plus en plus active. Ils sont constamment à la recherche de la nouveauté : ils touchent à tout, explorent sans relâche. Leur occupation principale est d'exercer leurs habiletés sensorimotrices. Ils pratiquent uniquement des jeux d'exercice. C'est ainsi qu'ils répètent inlassablement les mêmes gestes pour le plaisir de les faire et de réussir à maîtriser de nouvelles habiletés. Ils empilent quelques blocs pour construire une tour, la démolissent et recommencent. Ils aiment bien assembler, insérer, combiner et recombiner.

Vers l'âge d'un an, les enfants commencent peu à peu à déchiffrer le langage et à prononcer leurs premiers mots. Ils nomment certains objets ou personnes de leur entourage et, comme dans le cas des habiletés sensorimotrices, prennent plaisir à répéter les mots pour mieux les utiliser.

La construction des bases de l'image de soi

C'est à cet âge que les enfants développent un sentiment de confiance fondamental : en prenant conscience qu'ils peuvent obtenir une réponse à l'expression de leurs besoins, ils développent le sentiment d'être quelqu'un d'important. Selon Erikson, s'ils vivent des expériences relativement positives, ils en déduiront qu'ils peuvent faire confiance à la vie. Si, par contre, la peur et l'insécurité dominent leur quotidien, ils développeront un sentiment de méfiance qui peut les handicaper longtemps.

L'âge des jeux solitaires

À la naissance, les enfants ne différencient pas les êtres humains et les objets. Ils ne sont pas sociables, c'est-à-dire qu'ils ne tiennent pas compte des besoins des autres. Ils sont essentiellement égocentriques. Très vite, cependant, par le regard et le sourire, ils commencent à réagir aux autres. Les contacts chaleureux qu'ils établissent avec leurs proches servent de base au développement de leurs habiletés sociales. Ils apprécient la présence d'un adulte ou d'un autre enfant puisqu'elle stimule leurs jeux; ils aiment bien être en leur compagnie, mais ne jouent pas avec eux. Si l'enfant veut un jouet, il le prendra dans les mains de l'autre, comme si ce jouet était sur une tablette; si l'autre résiste, il tirera plus fort. Ce n'est que vers l'âge de trois ans que les enfants en viennent à pouvoir attendre leur tour et partager.

Durant la deuxième année de leur vie, ils commencent à imiter les autres. Par exemple, si un enfant transporte des coussins, il est probable que quelques autres feront de même. C'est ainsi que la présence de modèles, adultes ou enfants, stimule leurs jeux et que plusieurs apprentissages se réalisent.

L'environnement éducatif

L'environnement éducatif doit permettre aux enfants de moins de deux ans :

1. De vivre une multitude d'expériences sensorimotrices.
2. De se sentir en confiance et en sécurité.
3. D'avoir de bons rapports avec les autres.

Le tableau 3.1 présente quelques conseils pour réaliser ces objectifs.

Tableau 3.1 Conseils pour adapter l'environnement éducatif aux enfants de moins de deux ans

1. Pour que les enfants vivent une multitude d'expériences sensorimotrices :
– offrir un programme d'activités leur permettant d'exercer les habiletés correspondant à leur stade de développement; – favoriser les activités de découverte et d'exploration de l'environnement immédiat; – alimenter l'expérience sensorielle et motrice par le choix d'un matériel de jeux diversifié et adapté; – aménager le local pour leur permettre d'explorer librement, sans danger et sans interdiction.
2. Pour que les enfants se sentent en confiance et en sécurité :
– accorder beaucoup d'attention à leurs besoins physiologiques et émotifs; – privilégier les activités individuelles aux activités de groupe; – faire preuve de souplesse dans l'organisation des principaux moments de vie, puisque les enfants s'adaptent difficilement à un horaire de groupe; – accorder à chaque enfant des moments d'attention particulière; – souligner leurs progrès par des encouragements et des félicitations; – voir à ce que les éducatrices fassent preuve de constance.
3. Pour que les enfants aient de bons rapports avec les autres :
– offrir du matériel en quantité suffisante; par exemple, faire en sorte que les objets les plus populaires soient disponibles en plusieurs exemplaires, afin d'éviter les conflits; – aménager le local de façon que chacun ait une certaine liberté de mouvement et la possibilité de jouer sans avoir à négocier constamment avec d'autres un espace restreint.

Les conditions particulières de réussite des activités-projets

Toute activité qui amène les enfants à explorer avec leurs sens et leur corps est susceptible de les intéresser. Regarder, écouter, goûter, manipuler, se déplacer, transporter, assembler, séparer, vider, transvider, marcher, sauter, trottiner, monter, descendre... voilà autant d'actions qui leur permettront d'exercer leurs habiletés psychomotrices. Durant la deuxième année de leur vie, les enfants apprécient les activités où ils ont à combiner différents gestes et mouvements, comme les jeux d'eau ou de sable. Leur offrir de déménager des objets peut aussi susciter beaucoup d'intérêt.

Au cours de la première année, le jeu libre est la forme d'intervention à privilégier. Étant donné que les tout-petits ont des horaires très variables et que leurs capacités et intérêts se modifient considérablement d'un mois à l'autre, l'activité-projet n'est pas un modèle vraiment adapté aux enfants de moins de un an.

À partir de un an, il est possible de proposer à un petit groupe un problème à résoudre ou une tâche commune. Pour que ces activités-projets aient de bonnes chances de réussir, il est essentiel de respecter les principes de base qui suivent.

Offrir des problèmes à résoudre simples ou limités à une seule tâche

Durant la deuxième année, les enfants aiment imiter les actions et les gestes de l'adulte, comme laver les tables ou mettre des blocs dans un panier. Par contre, ils ne sont pas encore capables d'entrer dans la peau d'un personnage. Par exemple, si l'éducatrice leur propose de marcher comme une petite souris, ils imiteront l'éducatrice en train de marcher et non la souris. Au début, ils sont en mesure d'imiter ce qu'ils voient dans le présent immédiat.

Les activités-projets proposées aux enfants de cet âge doivent se limiter à une ou deux tâches. Leur proposer de nettoyer les jouets du local risque d'entraîner beaucoup de confusion. Il vaut mieux leur offrir de laver les petites autos et de mettre à leur disposition différents outils, comme des éponges, des brosses, des linges secs, d'autres humides... Les enfants doivent avoir la possibilité de faire des choix, mais leur demander de choisir parmi trop d'éléments provoque de l'éparpillement et crée de la confusion.

Offrir des activités-projets qui se réalisent individuellement

Étant donné que les enfants de cet âge ne coopèrent pas encore, il n'est pas réaliste de leur proposer une activité où ils ont à travailler avec d'autres. Ils sont encore incapables de s'adapter au rythme des autres enfants et de négocier avec eux. Chacun doit avoir le matériel nécessaire à la réalisation de son jeu; de cette façon, plusieurs conflits peuvent être évités. Si l'on reprend l'exemple précédent, il est préférable que chaque enfant dispose d'un bac et de matériel de nettoyage pour laver les petites autos. Ainsi, il n'aura pas à négocier pour utiliser tel ou tel objet. Cela ne veut pas dire que l'on doive interdire les échanges entre enfants, mais tout simplement de ne pas les y contraindre.

Offrir des activités-projets qui leur permettent de bouger

Les enfants de cet âge ne restent pas immobiles très longtemps. Il est facile de le constater en les observant pendant la période du dîner. Ils ont très hâte de se lever de table parce qu'ils ont besoin de bouger. Le laps de temps pendant lequel ils peuvent se concentrer à une même tâche est très court. C'est pourquoi il est intéressant de privilégier les activités qui leur permettront de se déplacer et de remuer.

S'attendre à ce que l'enfant interprète à sa façon la tâche à accomplir

La tâche à accomplir est une occasion de développement. Il est particulièrement normal à cet âge que les enfants changent d'activité assez rapidement. Ils commencent, par exemple, à laver les tables et, après quelques instants, ils se mettent à laver les chaises ou à jouer dans l'eau. Dans la mesure où une nouvelle activité ne menace pas leur sécurité ou celle du groupe, il est préférable de les laisser faire.

3.3 LES ENFANTS DE DEUX À QUATRE ANS

Vers l'âge de deux ans, l'enfant entre dans une nouvelle période, marquée par le développement de la pensée symbolique. Il s'agit plus précisément de la première phase du stade représentatif ou préopératoire, dont la principale caractéristique est la capacité de se représenter des situations passées.

L'apparition d'images mentales et du jeu symbolique

Vers l'âge de deux ans, les enfants peuvent évoquer par représentation, c'est-à-dire par un signe ou un mot, un objet, une personne ou un événement qui n'est pas immédiatement présent. Ils ont maintenant la possibilité d'intérioriser leurs expériences sous forme d'images mentales. C'est ainsi qu'ils peuvent distinguer un fait de sa signification : maman met son manteau, donc elle part. Cette nouvelle possibilité leur permet d'inventer de nouvelles histoires, de nouvelles situations, et de faire semblant. Ils peuvent imiter des animaux ou des personnes en l'absence du modèle. Le présent immédiat n'est plus leur seul champ d'activité mentale.

L'apparition d'images mentales amène un nouveau type de jeu, appelé jeu symbolique. « Il s'agit d'un jeu dans lequel le joueur apporte de nouvelles significations aux objets, aux personnes, aux actions, aux événements, etc., en s'inspirant de ressemblances plus ou moins fidèles avec les choses représentées. » (Garon, 1985)

Le jeu symbolique aide les enfants à mieux comprendre et à mieux assimiler le monde qui les entoure. C'est en imitant des situations qu'ils peuvent mieux les comprendre. Au début, ils jouent seuls, mais peu à peu de nouveaux personnages réels ou imaginaires prendront place dans les scénarios qu'ils inventent. En outre, il n'y a pas nécessairement de suite logique entre les événements qu'ils créent. Le cheval à bascule sur lequel ils voyagent peut rapidement se transformer en avion, puis se retrouver sous l'eau. À cet âge, toutes les fantaisies sont permises.

Les enfants de cet âge ne jouent pas de la même manière, avec des jeux de construction, qu'au stade précédent. Maintenant, ils ne se contentent plus de combiner les blocs et de les séparer; ils les « transforment » plutôt en objets de toutes sortes. C'est ainsi que deux ou trois blocs deviennent un camion ou une fusée. Les objets qu'ils fabriquent ressemblent peu aux objets réels, mais ils témoignent de leur imagination fertile. Une même construction peut représenter aussi bien un animal qu'une maison.

L'apparition de ces nouveaux jeux n'empêche pas les enfants de mettre en pratique leurs nouvelles habiletés sensorimotrices. Toutefois, les jeux d'exercice sont maintenant enrichis par la présence des jeux symboliques. Ainsi, en s'exerçant à pédaler, l'enfant peut devenir un facteur, sans pour autant accomplir les véritables tâches de ce dernier. On peut donc parler de jeux d'exercice avec attraits symboliques.

La capacité de représentation a une influence importante sur l'évolution du langage. Les enfants ne se limitent plus à nommer des objets : vers deux ans, ils peuvent construire une courte phrase. Ils transforment les actions en pensée et leur pensée s'exprime maintenant par des phrases : « Lise, jouer dans l'eau. » Durant les deux années qui suivent, l'évolution du langage sera phénoménale. À quatre ans, l'enfant sera en mesure de soutenir une conversation et d'utiliser des phrases longues et complexes.

En revanche, les images mentales des enfants sont fragiles. Leur pensée ressemble davantage à un diaporama dont les différentes images n'auraient pas toujours de liens les unes avec les autres, ce qui a pour effet de leur faire oublier le but poursuivi. Par exemple, lorsqu'ils jouent avec une poupée qui représente maintenant un bébé, ils lui témoignent de l'affection et lui donnent des soins. Pourtant, ils peuvent soudainement se mettre à lui frapper la tête contre le mur et la lancer de toutes leurs forces. Les scénarios qu'ils inventent sont décousus et ils changent facilement de situation ou de personnage. Leur pensée est encore égocentrique et ils sont insensibles à la contradiction. Ils ne considèrent que leur point de vue et perçoivent un seul aspect d'une situation à la fois. Leur raisonnement est discontinu et instable. Ils peuvent donc changer souvent d'avis et ils ne raisonnent qu'en fonction de leurs besoins immédiats.

Les changements qui s'opèrent autour de l'âge de deux ans donnent aux enfants de nouveaux outils pour découvrir le monde. Entre deux et quatre ans, les enfants évoluent rapidement. Peu à peu, leur pensée se stabilise et ils se dirigent vers une logique intuitive. Ainsi, les scénarios qu'ils inventent deviennent moins décousus et plus cohérents, même s'ils demeurent profondément influencés par le monde de l'imaginaire.

« Capable tout seul »

À la naissance, les enfants sont totalement dépendants des adultes pour survivre, c'est-à-dire qu'ils doivent être déplacés, nourris et gardés dans des conditions qui assureront leur sécurité. Peu à peu, en développant leurs habiletés sensori-motrices, ils contrôlent de mieux en mieux leur corps et peuvent agir davantage seuls. À deux ans, ils se déplacent avec aisance. Ce relatif équilibre psychomoteur leur permet de diriger leur énergie vers des buts que leurs nouvelles habiletés cognitives leur permettent de fixer. À mesure qu'ils découvrent l'efficacité de leur propre pouvoir, ils désirent « faire tout seuls ». Ils deviennent de plus en plus autonomes. Toutefois, l'acquisition de cette autonomie ne se fait pas sans heurts. Ils veulent agir seuls, mais n'en sont pas toujours capables. Ce qui occasionne de multiples frustrations et amène souvent l'adulte à intervenir pour assurer leur sécurité.

Entre deux et trois ans, les enfants font l'apprentissage de la propreté. Ils alternent entre le désir de faire ce que les parents demandent et leur besoin de s'affirmer.

« Cette étape représente une forme de dialogue subtil entre l'enfant et le modèle parental, faire plaisir à l'adulte en poussant pour expulser les selles ou le contrarier en se retenant. Il découvre la possibilité de dire non. C'est pour lui la tentation de contrôler le monde. » (Robert, 1985)

C'est le début de la période du négativisme. Ils s'opposent régulièrement et ils veulent faire à leur tête. Par exemple, un enfant de deux ans qui ne veut pas mettre ses vêtements chauds pour aller jouer dehors à -10 °C. Aucune argumentation logique ne le fera changer d'idée, il s'affirme. En général, la meilleure façon de réagir dans une telle situation est d'attirer l'attention des enfants sur autre chose; il est fort probable qu'ils oublieront alors leur intention de départ et accepteront quelques minutes plus tard de faire ce qu'on attend d'eux. Heureusement, avec un peu d'habileté, il est généralement facile de les faire changer d'idée.

Cet âge est sans contredit celui de l'apprentissage de l'autonomie. Trop de restrictions ou de critiques peuvent court-circuiter cette marche vers l'autonomie et amener les enfants à douter de leurs possibilités. Il ne faut pas non plus les laisser tout faire à leur guise. Ils développeraient alors un sentiment d'insécurité. En s'opposant, ils n'affrontent pas l'adulte, ils désirent uniquement s'affirmer. Une douce fermeté leur permet de traverser assez sereinement cette période. C'est pourquoi l'environnement doit être pensé de façon à leur permettre d'agir seuls, en toute sécurité.

L'âge des jeux parallèles

Comment les enfants de deux ans jouent-ils avec les autres ? Socialement, ces enfants ne sont pas encore prêts à partager avec d'autres; ils jouent à côté de leurs camarades et non vraiment avec eux. C'est pourquoi nous parlons de jeux parallèles. En revanche, la présence de compagnons les stimule, et c'est en imitant ce qu'ils voient et ce qu'ils entendent qu'ils développent de nouvelles habiletés. En effet, il arrive fréquemment que deux ou trois enfants, dans le coin cuisine, poursuivent une conversation qui ressemble davantage à des monologues collectifs. Même s'ils semblent jouer ensemble, les scénarios élaborés sont individuels : un enfant met le couvert, l'autre l'enlève et un troisième décide qu'il change la

couche du bébé sur la table. D'où la naissance de conflits qui ne durent généralement pas très longtemps. Les enfants ne comprennent pas encore les règles d'un jeu et agissent en fonction de leurs besoins immédiats.

Vers l'âge de trois ans, à force de voir l'effet de leurs comportements sur autrui, les enfants en arrivent à pouvoir imaginer le point de vue de l'autre. Quand ils frappent un ami, l'éducatrice n'est pas contente. Quand ils lui donnent un baiser, elle sourit. Ils découvrent alors les comportements qui plaisent ou ceux qui déplaisent aux autres. Puisqu'ils aiment plaire, ils se mettent à agir de façon à recevoir de l'affection, ce qui constitue un grand pas vers l'acquisition d'habiletés sociales. Peu à peu, ils sont capables de compromis. Vers trois ans, ils commencent à pouvoir partager et attendre leur tour. Ce n'est que vers cet âge, selon Weininger (1979), que les enfants commencent réellement à échanger des idées et des jouets avec les autres. Les jeux parallèles se transforment progressivement en jeux associatifs. Ils s'intéressent peu à peu aux jeux de groupe, mais il ne faut pas oublier qu'ils acceptent de collaborer seulement quand leur intérêt personnel n'est pas menacé. Autour de quatre ans, ils pourront davantage coopérer.

La fantaisie prend plus de place que le réel

Le produit fini n'a aucune importance pour eux. Si on leur demande de construire une voiture, il y a bien des chances que leurs réalisations aient peu d'éléments qui correspondent à l'objet véritable. Si l'on cherche à connaître l'utilité de telle ou telle pièce, ils s'étonnent et cherchent une réponse dans le but de plaire.

Ils prennent souvent leurs désirs pour des réalités. Par exemple, cet enfant de presque quatre ans qui racontait sérieusement qu'il était allé, le matin même, faire un tour d'avion avec son père à l'autre bout du pays. L'enfant de cet âge ne ment pas : il imagine.

L'environnement éducatif

L'environnement éducatif doit permettre aux enfants de deux à quatre ans :

1. De mettre leur imagination à l'œuvre.

2. De développer leur autonomie.

3. De développer des habiletés sociales.

Le tableau 3.2 présente quelques conseils pour réaliser ces objectifs.

Les conditions particulières de réussite des activités-projets

Pour que les activités-projets destinées à ce groupe aient de bonnes chances de réussir, il est important de respecter les principes de base décrits ci-dessous.

Proposer des activités-projets qui donnent l'occasion de reproduire des situations familières

Toutes les activités qui leur proposent d'imiter les tâches des adultes, comme laver la vaisselle, plier des vêtements ou donner des soins à une poupée, sont susceptibles d'intéresser les enfants de deux à quatre ans. Ils auront du plaisir à faire semblant d'être des déménageurs, des cuisiniers ou des animaux qu'ils connaissent.

Offrir des activités-projets à réaliser seul, mais avec la possibilité de coopérer

À cet âge, les enfants aiment les activités de groupe, mais leur capacité de coopérer et de partager est encore limitée. Il est intéressant de proposer à tout le groupe une tâche commune où chacun peut agir seul et à son rythme. Cette façon de faire respecte leur développement. Par exemple, en leur demandant de préparer leur poupée pour aller au terrain de jeux, on leur donne la possibilité de le faire chacun pour soi. Par contre, s'ils le désirent, ils peuvent aider les autres, converser avec eux et même échanger des vêtements de poupée.

Privilégier les activités-projets qui ne visent pas de résultats précis

Comme le produit fini a peu d'importance à cet âge, il n'est pas approprié de leur demander de construire des objets précis ou fonctionnels, car les résultats les décevraient. Les problèmes à résoudre doivent être larges et se réaliser selon des degrés d'habiletés variables. Si on leur demande d'habiller leur poupée pour aller à l'extérieur, l'enfant qui se contente de l'envelopper dans une couverture peut être aussi satisfait que celui qui parvient à boutonner les vêtements. Si l'activité-projet leur propose de laver les tables ou de plier des vêtements, il n'est pas réaliste de

Tableau 3.2 Conseils pour adapter l'environnement éducatif aux enfants de deux à quatre ans

1. Pour que les enfants mettent leur imagination à l'œuvre :
– aménager des coins et offrir du matériel pour qu'ils puissent faire semblant, imaginer et entrer dans la peau d'un personnage;   – raconter régulièrement des histoires et des contes; ils les apprécient particulièrement avant la sieste;   – les inviter à imiter un personnage pour accomplir des tâches ou se déplacer (« Vous vous rendez dans l'autre salle comme des géants. »);   – utiliser l'imaginaire dans les différentes situations d'apprentissage (« Vous faites semblant d'être de petits chats qui se promènent dans la forêt. »);   – les écouter attentivement quand ils racontent des histoires, même lorsqu'elles sont invraisemblables;   – poser des questions ouvertes qui suscitent l'imagination (« Qu'est-ce que ta poupée aimerait manger ce midi ? »).
2. Pour que les enfants développent leur autonomie :
– aménager le local pour qu'ils aient accès aux jeux en toute sécurité et sans l'aide de l'adulte;   – établir des règles de vie simples et claires; même s'ils ne sont pas encore en mesure de les respecter toutes, ils apprennent à le faire;   – les encourager et les féliciter lorsqu'ils réussissent de nouvelles tentatives; cela leur permet d'être fiers d'eux-mêmes et compense les frustrations qu'ils peuvent ressentir dans d'autres contextes.
3. Pour que les enfants développent des habiletés sociales :
– réduire au minimum le nombre de périodes d'activité en grand groupe;   – laisser aux enfants le choix de jouer seuls ou avec d'autres;   – favoriser les échanges, l'entraide, le partage et la coopération en leur proposant de s'aider mutuellement;   – valoriser le respect des autres en étant soi-même un modèle;   – accorder à chacun un moment d'attention particulière;   – soutenir la négociation en reformulant, au besoin, leurs propos.

s'attendre à ce que cela soit bien fait. Il ne faut pas oublier que l'activité proposée à l'enfant est un prétexte pour stimuler son développement.

Offrir le matériel de base servant à la réalisation de l'activité

Parfois, les activités-projets proposées aux enfants de cet âge peuvent aboutir à un certain produit fini, comme la fabrication d'une carte de souhaits pour un ami hospitalisé. À ce moment-là, il est intéressant d'offrir aux enfants le matériel qui servira de support à la réalisation du projet, par exemple des cartons déjà pliés en deux. Cela leur facilitera la tâche et le produit fini ressemblera à une carte de souhaits, peu importe la façon dont ils la décoreront. De plus, les enfants de cet âge aimeront bien « embellir » leur réalisation à l'aide de tampons encreurs ou d'autocollants.

3.4 LES ENFANTS DE QUATRE À SIX ANS

Les enfants de quatre à six ans en sont encore au stade représentatif ou préopératoire, mais leurs images mentales sont de plus en plus organisées et stables. Ils sont maintenant capables de garder en tête le but qu'ils se sont fixé, de poursuivre la même idée ou de tenir le même rôle assez longtemps. Par contre, leur raisonnement est encore très intuitif et ils se laissent facilement tromper par l'apparence des choses. Piaget le démontre très bien par l'expérience suivante : lorsque deux boules de pâte à modeler identiques sont présentées à des enfants de quatre ou cinq ans, ils admettent spontanément qu'elles contiennent une même quantité de pâte. Quand une de ces boules est aplatie devant eux, ils affirment, sans hésiter, que la boule la plus plate contient moins de matière que l'autre. Cette réaction est liée au fait qu'ils examinent un problème en ne tenant compte que d'une seule dimension à la fois. De la même façon, ils classent, sérient ou ordonnent des objets en fonction d'un seul critère à la fois.

Ils peuvent maintenant poursuivre un but

Leur nouvelle capacité d'agir en fonction d'un but et une meilleure compréhension de la réalité

transforment considérablement leur façon de jouer. Ils élaborent de véritables scénarios quand ils s'adonnent à des jeux symboliques, c'est-à-dire qu'ils inventent des histoires où les différentes scènes, comme les personnages, ont des rapports réciproques entre eux. Ils reproduisent souvent, avec une ressemblance relative, des moments de la vie quotidienne. Leur capacité de créer, d'inventer et d'imaginer étant très grande, il leur arrive encore souvent de transformer, d'embellir ou d'exagérer la réalité. Par les différents scénarios qu'ils inventent, ils essaient de comprendre le monde qui les entoure.

En jouant à des jeux d'assemblage, les enfants de cet âge combinent les éléments en un tout, avec l'intention d'atteindre le but qu'ils se sont fixé. Maintenant, le produit fini commence à avoir une certaine importance. Ils distinguent les éléments essentiels de ceux qui sont accessoires, mais laissent encore de la place à la fantaisie. Par exemple, s'ils construisent une maison, elle aura probablement des portes et des fenêtres, mais aussi des éléments inutiles, comme une piste de décollage pour fusée ou une décoration farfelue.

C'est aussi à cette époque que naît leur intérêt pour les jeux comportant des règles simples, c'est-à-dire « un jeu qui compte des règles concrètes relatives à des actions, des objets, des stratégies simples, assorties de défenses et d'obligations endossées par tous les participants selon un code précis ou par accord spontané ». (Garon, 1985)

Il est important de noter qu'au début les enfants ont besoin de l'aide de l'adulte pour pratiquer des jeux de ce type. Ils n'hésitent pas à modifier les règles pour servir leurs intérêts. Par contre, ils peuvent devenir intransigeants si les autres agissent ainsi. Ils aiment beaucoup gagner et détestent perdre. Leur frustration peut facilement déclencher des manifestations agressives et s'exprimer par des coups. Ils ne maîtrisent pas encore très bien leurs émotions. C'est pour cela, entre autres raisons, qu'il est préférable de privilégier les activités coopératives plutôt que les jeux compétitifs.

C'est en manipulant les objets et en vivant des situations concrètes qu'ils réfléchissent. Ils peuvent se représenter mentalement des actions et en anticiper les résultats s'il s'agit de situations qu'ils ont déjà vécues. Par exemple, un enfant qui veut atteindre un objet situé sur une tablette hors de sa portée ira chercher une chaise pour le prendre. La prochaine fois, il prévoira apporter la chaise avant même de se diriger vers l'objet.

Ils veulent expérimenter et comprendre

Les enfants de quatre à six ans contrôlent plutôt bien leur corps et maîtrisent assez le langage pour faire valoir leur opinion. Ils sont maintenant prêts à élargir leurs champs d'exploration. Ils ne sont plus seulement curieux de découvrir les objets qui les entourent, ils veulent expérimenter et comprendre les phénomènes humains et physiques. Ils interrogent sans relâche : « Pourquoi fais-tu cela ? Comment se fait-il que... ? » Ils ont besoin d'être constamment en action, aussi bien physiquement que mentalement.

D'ailleurs, l'activité mentale leur permet de se concentrer plus longuement sur une tâche qui exige de l'attention. Ils peuvent aussi rester assis ou attendre leur tour quelque temps, à condition de ne pas être complètement inactifs. Il ne faut cependant pas abuser de cette nouvelle capacité, car elle est encore limitée. Ils commencent à apprécier les activités qui exigent de la minutie et de la concentration.

Ils prennent de plus en plus d'initiatives et sont conscients du pouvoir de leur action sur les autres. Comme ils confondent parfois l'imaginaire avec la réalité, il arrive que leurs actions aient des conséquences fâcheuses. Dans de tels cas, il est préférable de réagir avec prudence, car ils peuvent facilement développer un sentiment de culpabilité. Au fond d'eux-mêmes, ils vivent beaucoup d'insécurité malgré leur côté plutôt fonceur. Ils cherchent l'approbation des adultes et vont vers eux pour recevoir des commentaires sur leurs réalisations. Ils veulent être compétents, et l'opinion des autres influence beaucoup celle qu'ils ont d'eux-mêmes.

Il est généralement très agréable de converser avec eux parce qu'ils écoutent, comprennent et exposent leurs idées. Ils peuvent même raconter longuement leurs aventures.

Les amis sont importants

À deux ou trois ans, les enfants jouaient seuls en présence des autres. Maintenant, ils sont capables de coopérer et jouent entre eux. Leur cercle de relations sociales s'élargit considérablement et les amis prennent de plus en plus d'importance. Ils les réclament de plus en plus fréquemment. « C'est mon ami à moi. » et « Veux-tu être mon ami ? » sont des phrases que l'on entend souvent de la part d'enfants de cet âge. La popularité que leur reconnaissent leurs pairs contribue à améliorer l'image qu'ils ont d'eux-mêmes. Ils veulent faire partie de la société et, pour cela, ils acceptent de faire quelques compromis.

Ils sont désireux de travailler et de coopérer avec les autres pour atteindre un but commun, mais ils demeurent plutôt égocentriques. Les autres ont plus souvent tort qu'eux et leurs besoins personnels les préoccupent davantage que l'opinion d'autrui.

Ils s'identifient à leur sexe

C'est l'âge de l'identité sexuelle. Ils se reconnaissent maintenant comme fille ou garçon et s'identifient au parent du même sexe. C'est ainsi que les garçons veulent agir comme leur père, souvent pour plaire à leur mère, et les filles, comme leur mère, pour plaire à leur père. Pour vivre cette étape sainement, ils ont besoin d'entrer en contact avec des personnes des deux sexes. Ils sont aussi préoccupés par leurs organes sexuels et ils veulent connaître et comprendre leur réelle utilité. Ils peuvent placer des mots, comme « pipi » ou « caca », dans une phrase, uniquement pour observer la réaction des autres.

Au fur et à mesure qu'ils se développent, ils deviennent moins dépendants de leurs parents. Ceux-ci ne perdent pas pour autant de leur valeur; au contraire, il arrive souvent que les enfants les transforment en héros tout-puissants. « Mon père est plus fort que le tien. » « Son auto est la plus rapide du monde. »

Le début du sens moral

Leur besoin d'être aimés a permis aux enfants de distinguer ce qui plaît de ce qui déplaît aux autres. C'est ainsi qu'ils se sont construit une image de ce qui est bien et de ce qui ne l'est pas. Toutefois, ils jugent les actes des personnes en fonction de leurs conséquences objectives et non de leur intention. Voici un exemple classique qui le montre bien. Une petite fille qui casse une pile d'assiettes en voulant aider sa mère à ranger la vaisselle est considérée, par un enfant de cet âge, comme étant plus fautive que celle qui en lance une seule volontairement par terre.

L'environnement éducatif

L'environnement éducatif doit permettre aux enfants de quatre à six ans :

1. De prendre des initiatives et de poursuivre des buts.

2. De découvrir les phénomènes physiques et humains.

3. De créer, d'inventer et d'imaginer.

4. De développer des comportements socialement acceptables.

Le tableau 3.3 indique quelques conseils pour réaliser ces objectifs.

Tableau 3.3 Conseils pour adapter l'environnement éducatif aux enfants de quatre à six ans

---

1. Pour que les enfants prennent des initiatives et poursuivent des buts :

- les responsabiliser en les faisant participer aux tâches et les féliciter quand le but est atteint;
- discuter et négocier avec eux des règles à suivre pour leur permettre de mieux comprendre les buts poursuivis;
- les laisser choisir parmi plusieurs possibilités;
- proposer des activités qui poursuivent des buts.

2. Pour que les enfants découvrent les phénomènes physiques et humains :

- proposer des activités portant sur des thèmes très variés;
- offrir du matériel et de la documentation diversifiés;
- modifier régulièrement certains aspects de l'environnement pour piquer leur curiosité;
- les encourager à trouver des réponses à leurs questions en leur proposant des personnes-ressources ou de la documentation;
- leur proposer des rôles associés à des métiers;
- organiser des sorties pour leur faire découvrir l'environnement extérieur au service de garde.

3. Pour que les enfants créent, inventent et imaginent :

- leur donner l'occasion de s'exprimer par les arts;
- proposer d'inventer des histoires ou des scénarios;
- mettre en valeur leurs inventions;
- utiliser la fantaisie et l'imaginaire à plusieurs occasions;
- faire preuve d'humour;
- encourager la pratique de jeux de rôles en aménageant un coin costume ou théâtre.

4. Pour que les enfants développent des comportements socialement acceptables :

- les aider à verbaliser leur mécontentement et leur frustration;
- favoriser les compromis en les aidant à négocier avec les autres;
- les aider à comprendre les sentiments des autres;
- valoriser le partage, l'entraide et la coopération plutôt que la compétition;
- leur apprendre à respecter les idées et les opinions des autres;
- les écouter et les aider à raconter leurs aventures, lors d'une causerie ou de façon informelle, à un moment ou à un autre de la journée;
- les complimenter et renforcer les comportements positifs;
- leur permettre de s'identifier comme garçon ou fille;
- organiser des activités avec des groupes d'enfants plus jeunes; ils seront heureux d'en prendre soin;
- encourager la formation de petites équipes.

Les conditions particulières de réussite des activités-projets

Pour que les activités destinées à ce groupe aient de bonnes chances de réussir, il est important de respecter les principes de base décrits ci-dessous.

Proposer des activités-projets où les enfants deviennent des personnages

Les mises en situation qui transforment les enfants en personnages fictifs ou réels déclenchent généralement leur intérêt pour une activité. Il est même possible de leur proposer de choisir parmi différents personnages. C'est ainsi qu'en jouant au magasin, certains peuvent être des caissiers, d'autres des étalagistes et d'autres des clients. Les interactions entre les enfants sont ainsi favorisées et ils prendront plaisir à élaborer des scénarios.

Proposer des activités-projets qui poursuivent un but

Le problème à résoudre peut être plus ou moins réel, mais les enfants aiment avoir un objectif à atteindre. Par exemple, il est possible de leur demander de se construire une soucoupe volante pour aller sur Mars. Le but proposé leur permet alors de créer des histoires ou d'inventer des situations qui soutiendront le processus de création. N'accordant pas encore beaucoup d'importance au réalisme du produit fini, ils ont un immense plaisir à agrémenter leur réalisation d'éléments farfelus et imaginaires.

Ils aiment beaucoup que leurs œuvres soient vues par les autres. Il est intéressant de leur proposer de fabriquer un cadeau pour l'offrir à quelqu'un ou de créer en vue d'une exposition.

Le but proposé par une activité-projet doit toujours permettre aux enfants de choisir différents moyens pour résoudre le problème et les orienter vers une variété de productions.

Offrir du matériel nouveau en grande quantité

Les enfants de cet âge sont particulièrement curieux et veulent tout découvrir. Ils ne se contentent plus d'explorer uniquement le matériel de base. Du matériel nouveau, lié à différents thèmes, doit enrichir leur quotidien pour qu'ils puissent en expérimenter les différentes possibi-

lités. Sans abuser, l'aménagement doit être modifié régulièrement de manière à piquer leur curiosité. Il est aussi intéressant de leur demander d'apporter certains objets de la maison.

Proposer des activités-projets à réaliser en équipes de deux

La réalisation d'activités avec un pair permet aux enfants de développer leurs habiletés sociales. Il est cependant important de voir à ce que personne n'impose son choix et de laisser aux enfants qui le désirent la possibilité de travailler seuls. L'aménagement physique peut aussi favoriser les interactions. Par exemple, ils peuvent être deux à une même table pour réaliser des activités individuelles. Même s'il est recommandé de donner à chacun le matériel de base, les enfants peuvent partager certains objets disponibles en moins grande quantité. Dans l'activité *L'hôpital*, les enfants devaient s'emprunter l'unique stéthoscope. Il est certain que cette façon de faire peut occasionner quelques conflits, mais ils sont à l'âge où l'on apprend à négocier avec les autres.

3.5 LES ENFANTS DE SIX À NEUF ANS

Les enfants de six ans ont déjà vécu des expériences diversifiées, des succès et des échecs qui ont influencé leur personnalité. L'histoire de chaque enfant, très différente de celles des autres, constitue son bagage lors de son entrée à l'école.

Ils ne tâtonnent plus, ils réfléchissent

L'importance accordée aux apprentissages scolaires et sociaux caractérise cette époque de la vie. Les enfants de cet âge se dirigent vers le stade opératoire concret. C'est la période de l'acquisition des bases de la pensée logique. Ils deviennent capables d'intérioriser leurs actions. Ils ne tâtonnent plus, ils réfléchissent avant d'agir. Vers l'âge de sept ans, ils parviennent à faire des opérations mentales portant sur des objets concrets. Ils peuvent classer, sérier et ils comprennent le phénomène de la conservation de la matière. Par contre, ils ne peuvent encore manier des concepts abstraits ou raisonner correctement à partir de simples hypothèses ou de propositions abstraites. Ils ont besoin d'exemples concrets pour comprendre certains phénomènes abstraits.

Leur nouvelle capacité de se mettre à la place des autres leur permet d'accepter un point de vue qui ne coïncide pas avec leur vision des choses. Par exemple, les enfants de cet âge se représentent assez facilement l'aspect d'un paysage pour un observateur situé à un autre endroit et ils peuvent comprendre le mécontentement d'un ami. À cet âge, la pensée prend le pas sur les perceptions et la vision de la réalité est de plus en plus objective. D'ailleurs, les jeux symboliques qu'ils pratiquent se modifient considérablement. Maintenant, ils mettent en relation des personnages, en utilisant des figurines ou des poupées : ils sont devenus metteurs en scène.

Ils sont à même de prévoir les étapes à franchir pour atteindre un but. En général, ils planifient et s'organisent avant d'agir. Par exemple, les enfants rassemblent le matériel nécessaire à l'accomplissement d'une tâche avant d'amorcer le travail. Il n'est plus nécessaire de tout mettre à leur portée, car ils iront chercher les objets dont ils ont besoin même si ceux-ci sont hors de leur vue. Ils sont capables d'organiser le milieu physique pour qu'il réponde aux exigences de leurs activités.

Ils acceptent que l'autre ait un point de vue différent du leur et sont prêts à négocier et à faire des compromis. Ces nouvelles habiletés leur permettent de participer à des projets communs. Mais au début, ils ont encore besoin d'aide pour planifier et s'organiser de façon concrète. L'éducatrice doit être prête à les aider et à intervenir au besoin.

Ils veulent être compétents

Au cours de cette période, les enfants veulent développer des savoir-faire. Ils ont beaucoup de motivation pour acquérir diverses compétences qui leur permettront de faire leur place dans leur environnement social. L'école les juge d'après leurs résultats scolaires, les groupes sportifs les évaluent selon leurs habiletés physiques, tandis que leur popularité dépend de ce que leurs amis pensent d'eux. C'est ainsi qu'ils se comparent aux autres et s'évaluent à partir de ce qu'ils sont capables de faire. Leur image d'eux-mêmes et leur façon d'être sont étroitement liées aux compétences qu'ils ont développées. Ils peuvent accepter de ne pas être très bons dans un domaine, à condition de réussir ailleurs. Chose certaine, ils ont un immense besoin de se sentir compétents. La peur d'être rejetés leur fait perdre confiance en leurs possibilités, ce qui rend l'apprentissage plus difficile.

Les enfants prennent plaisir à raffiner leurs habiletés psychomotrices et à apprendre des techniques pratiques. Ils agissent en fonction d'un résultat et ce qu'ils font doit être utile. Le produit fini a de l'importance pour eux parce qu'il est la preuve de leur savoir-faire.

Ils se taillent une place dans la société

Les enfants de cet âge veulent se conformer aux exigences de la société. Ils acceptent leur milieu, veulent le comprendre et essaient avec énergie de répondre à ses exigences. Il est très important pour eux de correspondre aux normes, c'est pour cela d'ailleurs qu'ils n'aiment généralement pas se sentir marginaux ou différents.

C'est à cette époque que plusieurs modes se propagent dans la cour d'école, comme les collections de billes, de « pugs » ou telle marque de chaussures. Ils ont besoin de développer un sentiment d'appartenance à la société et c'est pour cela qu'ils s'identifient spontanément comme membres d'un groupe. Il est très fréquent que les garçons et les filles de cet âge refusent de partager leurs jeux avec les enfants de l'autre sexe. Ils préfèrent les activités qui leur permettent de se distinguer comme garçon ou fille et d'adopter des attitudes propres à leur sexe.

Leur début dans le monde scolaire élargit considérablement leur environnement social. Maintenant, ils sont des individus parmi tant d'autres et doivent faire eux-mêmes leur place. Cela les oblige à établir une certaine distance entre eux et leurs parents. Au centre de la petite enfance, le groupe était restreint et chaque enfant recevait fréquemment une attention particulière. À l'école, les règles sont établies en fonction de la majorité et ne s'adaptent pas aisément aux besoins individuels.

Les enfants de six à neuf ans comprennent et maîtrisent très bien les règlements des jeux de groupe et aiment à participer à des activités ou à des sports d'équipe. Ils sont généralement actifs, productifs et collaborent généreusement aux tâches communes. Ils recherchent l'approbation des adultes et considèrent certains d'entre eux comme des modèles ou des héros. Il arrive assez souvent qu'ils veuillent s'habiller ou se coiffer comme des vedettes d'émissions télévisées. Ils ont tellement besoin d'être reconnus et d'être quelqu'un pour leurs pairs que, s'ils ne réussissent pas à se tailler une place, ils cherchent à attirer l'attention en adoptant des comportements dérangeants ou qui divergent de ceux de la majorité. C'est ainsi que certains, pour se faire valoir, mentiront, deviendront particulièrement agressifs ou très impolis, ou encore feront les clowns pour tout et pour rien. Ils sont prêts à risquer beaucoup pour se faire apprécier des autres.

Ils sont conformistes

Ils découvrent les valeurs de la société et se montrent disposés à les respecter. Ils apprennent à devenir ce que la société attend d'eux, parce qu'ils veulent obtenir la confiance et le respect des autres. Ils acceptent les règles établies sans trop les discuter et sont parfois rigides quant à leur application.

L'environnement éducatif

L'environnement éducatif doit permettre aux enfants de six à neuf ans :

1. De développer des compétences variées.

2. De collaborer à des projets communs.

3. De prendre leur place.

4. De s'identifier à leur milieu.

Le tableau 3.4 indique quelques conseils pour réaliser ces objectifs.

Tableau 3.4 Conseils pour adapter l'environnement éducatif aux enfants de six à neuf ans

1. Pour que les enfants développent des compétences variées :	
– offrir des ateliers où ils peuvent s'initier à différentes techniques; – organiser des événements ou des spectacles qui mettent chacun en valeur;	– faire appel aux compétences de chacun pour aider les autres; – offrir des activités complémentaires à celles de l'école.
2. Pour que les enfants collaborent à des projets communs :	
– leur donner l'occasion de verbaliser leurs goûts et leurs intérêts; – offrir le soutien nécessaire à la réalisation des projets qu'ils mettent en œuvre; – les laisser se regrouper d'eux-mêmes en vue de la réalisation des projets; – les aider à négocier le partage des tâches relatives à la vie de groupe;	– favoriser la coopération et l'entraide; – adopter un horaire souple, où les activités communes sont prévues et annoncées; – soutenir les projets à long terme; – encourager les jeux coopératifs; – les faire participer à l'élaboration du programme d'activités.

Tableau 3.4 (*suite*)   Conseils pour adapter l'environnement éducatif aux enfants de six à neuf ans

3. Pour que les enfants prennent leur place :	
– féliciter et encourager chacun pour ce qu'il sait faire; – mettre en valeur les compétences individuelles; – valoriser les différences; – favoriser les activités qui permettent de connaître d'autres valeurs et d'autres cultures;	– aider à négocier, lors de conflits, en animant l'échange et en permettant à chacun d'exprimer son point de vue; – établir un climat de respect.
4. Pour que les enfants s'identifient à leur milieu :	
– proposer des jeux de groupe et laisser les enfants former les équipes; – offrir aux différents groupes de se trouver un signe distinctif (mot de passe, couleur, etc.);	– leur proposer de participer aux activités de l'école (spectacles, collecte de fonds, etc.); – favoriser la découverte de leur héritage culturel.

Les conditions particulières de réussite des activités-projets

Pour que les activités destinées à ce groupe aient de bonnes chances de réussir, il est important de respecter les principes de base décrits ci-dessous.

Proposer des activités-projets qui permettent de résoudre des problèmes réels

Les enfants ont besoin de sentir que ce qu'ils font sert à quelqu'un ou à quelque chose. C'est pourquoi ils aiment bricoler des objets utilitaires comme des porte-crayons ou des boîtes à bijoux. Les problèmes proposés doivent être larges et branchés sur leur réalité; par exemple, préparer une fête ou organiser une sortie ou un voyage. Bien sûr, ils ont encore besoin du soutien de l'adulte pour planifier leur organisation, mais ils sont tellement fiers de leurs réalisations personnelles.

Laisser les enfants choisir parmi une variété d'activités-projets

À cet âge, les enfants sont capables d'aménager l'environnement en fonction d'une activité. Il devient beaucoup plus facile de gérer un groupe où de petites équipes réalisent des activités différentes. Les activités-projets proposées par l'éducatrice servent surtout à donner aux enfants des idées ou à explorer de nouvelles thématiques.

Proposer des problèmes à résoudre qui permettent de développer des compétences variées

Le choix d'activités-projets offert aux enfants doit permettre à chacun d'explorer ses goûts et ses talents, et de découvrir de nouveaux intérêts. À cet âge, ils veulent tout connaître, explorer une variété de situations et relever des défis à leur mesure. Des activités-projets qui ouvrent les enfants sur le monde et leur font découvrir des phénomènes inconnus favorisent l'émergence de nouvelles compétences.

Proposer des activités-projets à réaliser en équipe

Même s'ils aiment parfois jouer seuls, les enfants apprécient généralement de résoudre un problème avec leurs pairs. Ils apprennent ainsi à partager les tâches, à négocier et à vivre en société. Ils sont capables de réaliser des projets à plus long terme et de gérer leur temps.

3.6 LES JEUNES DE NEUF À DOUZE ANS

Les jeunes de 9 à 12 ans sont encore au stade opératoire concret, mais se dirigent vers le stade des opérations formelles. Vers 11 ou 12 ans, ils deviendront capables de manier des concepts abstraits et de raisonner correctement sur des hypothèses ou des théories.

Des défis à leur mesure

Toutes leurs capacités et leurs habiletés sont plus développées et beaucoup plus raffinées que celles de leurs cadets. Ils apprécient les jeux d'énigmes ou d'esprit pour mettre à l'épreuve leurs habiletés mentales. Ils ont besoin de défis à leur mesure. Ils veulent vivre des expériences nouvelles et faire leurs preuves. Ils apprécient particulièrement les activités très exigeantes et les projets à long terme. Ils sont souvent plus à l'aise que les adultes pour naviguer à travers les nouvelles technologies. Certains d'entre eux peuvent facilement devenir personnes-ressources pour le groupe.

Plusieurs jeunes de cet âge ne veulent plus fréquenter les services de garde. « La garderie, c'est pour les bébés », disent-ils. Certains milieux ont contourné le problème en les regroupant et en élaborant avec eux un programme d'activités adapté à leurs intérêts et leurs besoins. Il faut faire appel à leurs talents, à leurs idées et à leur sens de l'initiative.

Ils connaissent leurs forces et leurs faiblesses

Socialement, leur place est souvent faite et ils sont reconnus et identifiés par leurs pairs comme ayant déjà des caractéristiques propres. En parlant de leurs camarades, ils diront spontanément « Guillaume est capable de réparer cet appareil » ou « Selma est championne au ballon chasseur ». L'image qu'ils ont d'eux-mêmes est assez déterminée. Ils savent dans quels domaines ils sont compétents ou non. Souvent, ils évitent les activités où ils ne se sentent pas habiles, ce qui ne les aide en rien à le devenir. La raison en est simple : ils ont tellement peur de vivre l'échec qu'il leur est plus facile de fuir cette réalité. Quand ils se sentent incompétents, ils se perçoivent comme inférieurs et il est parfois très difficile de les aider à remonter la pente.

Leur environnement social ne se limite plus à l'école et au voisinage immédiat de leur résidence. À vélo, ils peuvent parcourir quelques kilomètres et ils perçoivent assez bien l'organisation du territoire pour se déplacer et se retrouver dans leur région. Ils sont mobiles, autonomes et prêts à explorer un environnement beaucoup plus vaste qu'avant.

Ils aiment faire partie d'un groupe et veulent être traités en grands

Au cours de leurs premières années à l'école, les enfants ont côtoyé différents camarades et ont

établi des relations variées. Maintenant, les groupes d'amis sont relativement stables et les jeunes se rencontrent même à l'extérieur du milieu scolaire. Le groupe, parfois appelé la *gang,* est identifié à partir de caractéristiques spécifiques et les jeunes décident ensemble des activités à entreprendre. L'intérêt collectif passe souvent avant les besoins individuels.

À cet âge, ces jeunes ont un grand besoin d'être traités différemment de leurs cadets et ils demandent un statut particulier. Ils font souvent preuve de beaucoup d'autonomie et veulent être considérés comme des grands. Ils sont capables d'organiser leur temps, d'aménager leur espace, de planifier leurs activités et même de gérer leurs conflits. De plus, ils apprécient le fait d'avoir un local qui leur est réservé et qu'ils pourront aménager selon leurs besoins. Cela n'est pas toujours possible, mais il est important de discuter avec eux pour trouver des solutions aux contraintes du milieu.

L'éducatrice est une personne-ressource qu'ils iront consulter au besoin. Sa disponibilité est très appréciée, mais sa présence doit être discrète. Il est normal que tantôt ils se conduisent comme des enfants, tantôt comme de véritables adolescents. Ils peuvent même être frondeurs et méprisants à l'occasion parce qu'ils ont aussi besoin de se distinguer.

Leur jugement moral et leurs valeurs se personnalisent

Leur sens moral a aussi évolué. Ils jugent les actions des autres par rapport à l'intention et non plus uniquement en fonction du résultat objectif. Ils défendront un ami qui en a blessé un autre en expliquant que ce n'est pas sa faute et qu'il ne l'a pas fait exprès. Leur jugement moral et leurs valeurs se personnalisent, et ils se font une idée personnelle de ce qui est acceptable, juste et équitable.

L'environnement éducatif

L'environnement éducatif doit permettre aux jeunes de 9 à 12 ans :

1. De surmonter des défis à leur mesure.
2. De s'organiser et de gérer leur emploi du temps.
3. De découvrir le monde.

Le tableau 3.5 présente quelques conseils pour réaliser ces objectifs.

Tableau 3.5 Conseils pour adapter l'environnement éducatif aux jeunes de neuf à douze ans

1. **Pour que les jeunes surmontent des défis à leur mesure :**	
– planifier avec eux le programme d'activités; – démontrer une grande ouverture à leurs idées;	– leur donner accès aux nouvelles technologies.
2. **Pour que les jeunes s'organisent et gèrent leur emploi du temps :**	
– intervenir seulement au besoin; – être disponible pour les aider sur demande; – les laisser gérer certains moments de l'horaire; – les laisser gérer leurs conflits dans la mesure du possible; – les soutenir dans la réalisation des projets qu'ils mettent en œuvre en leur fournissant les conseils et les références nécessaires;	– accepter les regroupements naturels; – aider discrètement ceux qui ne réussissent pas à se tailler une place dans un groupe; – favoriser les projets à long terme.
3. **Pour que les jeunes découvrent le monde :**	
– les informer des différents événements municipaux ou régionaux; – leur proposer de participer aux activités de l'école, de la ville ou de la région; – favoriser les échanges interculturels;	– proposer des activités-projets qui ont un impact social; – amorcer des discussions sur des problèmes actuels; – réserver un endroit pour afficher différentes informations ou articles de journaux; – les soutenir dans la réalisation de projets d'envergure.

Les conditions particulières de réussite des activités-projets

Pour que les activités destinées à ce groupe aient de bonnes chances de réussir, il est important de respecter les principes de base décrits ci-dessous.

Proposer uniquement de grandes idées ou de grands thèmes

L'éducatrice peut suggérer aux jeunes de son groupe différents thèmes à exploiter ou proposer des problèmes à résoudre qui sont d'intérêt commun. En proposant une idée très large, elle leur donne la possibilité de traiter le problème sous différents angles. Par exemple, elle peut leur dire : « Hier, en allant dans le boisé avec vous, j'ai constaté qu'il y avait beaucoup de déchets dont certains peuvent être dangereux, surtout pour les petits. Je me suis demandé si vous seriez intéressés à faire quelque chose pour améliorer notre environnement. Qu'en pensez-vous ? » Ainsi, elle lance un sujet de discussion en leur laissant le choix d'agir ou non. S'ils décident que la cause les intéresse, plusieurs chemins peuvent mener à régler le problème. Ils peuvent proposer de faire une intervention auprès des autorités municipales, de nettoyer eux-mêmes le boisé ou encore de faire une campagne de sensibilisation, c'est à eux de choisir.

De plus, il est intéressant, voire souhaitable, que l'éducatrice leur fournisse l'information relative aux différents événements de l'école ou de la région qui sont susceptibles de les intéresser. Leur participation est d'autant plus assurée qu'ils auront décidé eux-mêmes d'y prendre part.

Partir de problèmes qu'ils veulent résoudre

Les jeunes de cet âge sont capables de planifier, d'organiser, de réaliser et d'évaluer. Ils ont des idées à revendre et l'éducatrice doit les encourager à réaliser leurs projets. Une attitude ouverte à leurs suggestions les encouragera à prendre des initiatives et à développer un sentiment de compétence. Des périodes de discussion, prévues à l'horaire, peuvent servir à l'élaboration du programme d'activités. L'organisation d'une sortie, par exemple, est une activité-projet à leur mesure. Ils éprouvent beaucoup de satisfaction à faire les démarches nécessaires et la sortie suscitera un intérêt accru.

Cela ne veut pas dire que toutes les idées apportées par les jeunes sont acceptables. Les critères de choix des activités peuvent être discutés en groupe et servir de point de repère tout au long de l'année. À la rigueur, l'éducatrice pourrait même ajouter des critères qui ne sont pas retenus par eux, à condition de bien en expliquer les motifs. Par exemple, elle peut préciser aux jeunes qu'elle n'acceptera aucune activité allant à l'encontre des valeurs véhiculées par l'école ou le service de garde. Si les limites sont claires et bien justifiées, les jeunes auront tendance à les respecter.

Agir comme personne-ressource

Le rôle de l'éducatrice consiste à soutenir les jeunes dans l'organisation des activités-projets. Malgré toutes leurs capacités, ils ont encore besoin de l'adulte et ils lui reconnaissent des compétences qu'ils n'ont pas. Ils apprécient un encadrement indirect où l'éducatrice est présente et disponible. Ils aiment être consultés, apprécient l'information qu'elle leur fournit; en revanche, trop de directives entraînera de la résistance.

3.7 QUESTIONS D'INTÉGRATION

1. À quel groupe d'âge associez-vous les comportements suivants ?

Caractéristiques des enfants	0-2 ans	2-4 ans	4-6 ans	6-9 ans	9-12 ans
1. Ils jugent les actes des autres en fonction de leurs conséquences objectives.					
2. Ils développent leur autonomie en s'opposant à l'adulte.					
3. Ils réfléchissent avant d'agir et comprennent un point de vue qui n'est pas le leur.					
4. Ils ont une logique intuitive et une imagination débordante.					
5. Ils sont capables de se représenter des situations passées, mais leurs images mentales sont instables.					
6. Ils contrôlent et maîtrisent leur corps avec assez d'harmonie.					
7. Ils apprennent à jouer avec les autres, et les amis deviennent de plus en plus importants.					
8. Ils jugent les actions des autres par rapport aux intentions qui les sous-tendent. Leur jugement moral et leurs valeurs se personnalisent.					
9. L'image qu'ils ont d'eux-mêmes est étroitement liée à ce qu'ils savent faire et à l'opinion de leurs amis.					
10. Ils découvrent le monde par leurs sens et leurs activités motrices.					
11. Ils prennent des initiatives et s'identifient à leur sexe.					
12. Ils prennent plaisir à raffiner leurs habiletés psychomotrices et à apprendre des techniques pratiques.					
13. Ils sont très dépendants des adultes et développent un sentiment de confiance ou de méfiance face à la vie.					

2. À quel groupe d'âge pouvez-vous commencer à offrir les activités-projets qui suivent ?

Activités-projets	1-2 ans	2-4 ans	4-6 ans	6-9 ans	9-12 ans
1. Donner un cours de natation aux bonshommes Playmobil					
2. Construire un terrain de camping dans le bac de sable					
3. Organiser un spectacle pour Noël					
4. Laver les petites autos					
5. Construire une maquette					
6. Cueillir des fleurs des champs pour faire de beaux bouquets					
7. Organiser une exposition d'avions de papier					
8. Bricoler une voiture à partir d'une boîte de carton					
9. Mettre toutes les balles dans une grosse boîte					
10. Produire un document vidéo					
11. Effectuer un petit parcours en imitant un animal de son choix					
12. Construire des tours avec des boîtes de carton et des gros blocs					
13. Bricoler des décorations pour le sapin de Noël					
14. Se déguiser pour faire un défilé					
15. Organiser et présenter un spectacle de mimes					
16. Faire une beauté à sa poupée pour l'amener se faire photographier					
17. Bricoler des porte-clés pour une campagne de financement					

3. La municipalité organise une fête pour les services de garde de la région. Elle demande aux éducatrices de lui communiquer comment leur groupe d'enfants pourrait participer à l'événement.

Pour chaque groupe d'âge, élaborez une réponse à la municipalité en tenant compte des caractéristiques des enfants décrites dans le présent chapitre.

L'activité-projet adaptée aux groupes multiâges

Chapitre 4

Ce chapitre vise à fournir à l'éducatrice qui travaille auprès d'un groupe d'enfants d'âges variés des renseignements utiles à la mise en place d'un environnement éducatif favorisant le développement global.

Les sources documentaires sur les groupes multiâges sont rares et d'autant plus si l'on cherche de l'information sur les enfants d'âge préscolaire. En 1991, le *National Association for the Education of Young Children*, de Washington, a publié *The Case for Mixed-age Grouping in Early Education* (Katz, Evangelou et Hartman, 1991), qui présente les effets de ce mode de regroupement sur le développement social et cognitif des enfants. Cet ouvrage propose en outre quelques stratégies pour favoriser l'apprentissage des enfants qui fréquentent des groupes multiâges et a largement inspiré une des parties du présent chapitre.

Dans un premier temps, ce chapitre situe le regroupement multiâge dans les services de garde éducatifs québécois. Il examine ensuite les effets de ce mode de regroupement sur le développement des enfants. Enfin, il identifie des objectifs à privilégier pour créer un environnement éducatif favorisant le développement global des enfants et propose des idées pour faciliter la réussite des activités-projets dans les groupes multiâges.

4.1 LE REGROUPEMENT MULTIÂGE

Selon l'Office des services de garde à l'enfance[1], le terme « multiâge » renvoie à un « groupe constitué d'enfants ayant des âges variés ». Par ailleurs, il définit un groupe d'âge comme étant un « groupe constitué d'enfants ayant des âges rapprochés », le groupe des deux-trois ans, par exemple. On peut en déduire que dans les groupes multiâges l'écart d'âge entre les enfants les plus jeunes et les plus âgés est d'au moins deux ans.

L'expression « groupes familiaux » est aussi utilisée pour identifier des groupes formés d'enfants dont l'âge varie de quelques mois à 12 ans. De tels groupes se retrouvent surtout dans les services de garde en milieu familial.

Dans le contexte scolaire, on appelle « classes multiâges » les groupes formés d'enfants de deux niveaux ou plus, placés sous la responsabilité d'une seule éducatrice et partageant le même environnement physique.

Les groupes multiâges dans les services de garde québécois

Dans les services de garde, le mode de regroupement des enfants est souvent choisi en fonction de facteurs organisationnels. Il varie selon le type de services de garde et le nombre d'enfants qui le fréquentent. Par ailleurs, il existe certains milieux où l'on choisit ce mode de regroupement à cause de ses répercussions sur le développement social des enfants. Cette orientation est généralement précisée dans leur projet éducatif.

Depuis son origine, l'organisation de la garde collective s'est profondément transformée. Il y a une vingtaine d'années, plusieurs garderies fonctionnaient en groupes multiâges. Quelques-unes accueillaient une trentaine d'enfants de deux à cinq ans, dans un environnement physique constitué d'un grand espace central et de quelques locaux plus ou moins spécialisés. À certaines périodes de la journée, on offrait différentes activités aux enfants et, suivant les choix exprimés, on partageait le groupe en sous-groupes et on utilisait alors le local le plus approprié aux besoins se rapportant à chaque activité. Durant la majeure partie de la journée, des enfants d'âges variés pouvaient ainsi jouer ensemble.

Les garderies populaires implantées durant les années 1970, qui accueillaient un plus grand nombre d'enfants, étaient souvent logées dans des écoles désaffectées. N'ayant pas les moyens d'entreprendre des travaux de rénovation, elles devaient, pour organiser leur milieu de vie, s'accommoder des grandes classes mises à leur disposition. La dimension des locaux et peut-être aussi la philosophie éducative des garderies les ont amenées à choisir le multiâge comme mode de regroupement. Mais, progressivement, le niveau élevé du bruit ambiant, attribuable à la présence de plusieurs enfants dans une même salle, a entraîné l'aménagement de cloisons.

Au début des années 1980, l'Office des services de garde à l'enfance décida de n'accorder de permis qu'aux garderies de moins de 60 places et fixa à 30 le nombre d'enfants pouvant se trouver au même moment dans une salle. À cette époque, le gouvernement octroyait des sommes pour l'implantation de nouvelles garderies à but non lucratif, ce qui rendait possible la construction d'immeubles conçus pour répondre aux besoins spécifiques de ces dernières. Le choix des concepteurs s'est surtout orienté vers des édifices de type « maison unifamiliale » comportant plusieurs pièces de moyenne ou petite dimension. Le règlement de l'Office déterminait également le nombre d'éducatrices devant être présentes dans les garderies, établi à partir du nombre d'enfants par membre du service de garde. Rien cependant n'obligeait les milieux à appliquer ce rapport (enfants/adulte) dans chaque local, sauf pour les enfants de moins de 18 mois, mais il a néanmoins été interprété par plusieurs comme une exigence à respecter dans chaque local et pour chaque classe d'âge. Avec le temps, les garderies ont choisi la formation de petits groupes stables d'enfants du même âge.

---

1. L'Office des services de garde à l'enfance n'existe plus depuis le 20 juin 1997. Les services de garde éducatifs consacrés à la petite enfance sont maintenant sous la juridiction du ministère de la Famille et de l'Enfance.

C'est ainsi que des cloisons ont servi à diviser les grands espaces qui existaient encore, pour offrir à chaque groupe un local fermé, polyvalent et pouvant répondre à la majorité des besoins du quotidien. D'autres facteurs ont influé sur la transformation des garderies et les ont progressivement amenées à privilégier le fonctionnement en groupes d'âge homogènes. Par exemple, la documentation concernant l'éducation préscolaire était presque toujours faite en fonction des classes de maternelle et les activités qu'on y trouvait étaient conçues pour un groupe d'âge précis.

Aujourd'hui, même s'il existe encore quelques milieux ayant adopté le groupe multiâge comme mode de regroupement des enfants, ils sont peu nombreux. Par contre, plusieurs organisent des journées « portes ouvertes », où les enfants peuvent circuler d'un local à l'autre ou passer la journée avec le groupe de leur choix.

Dans les services de garde en milieu scolaire, il est fréquent de voir tous les enfants, de la maternelle à la sixième année, former un seul groupe. Plusieurs de ces services, surtout en région, ne peuvent embaucher qu'une seule éducatrice, étant donné le nombre d'enfants inscrits. Aux heures d'affluence, là où le nombre d'éducatrices le permet, on organise parfois des activités variées et on divise le groupe en sous-groupes. Par exemple, les enfants pourront choisir un des trois ou quatre ateliers offerts. Quand le nombre d'inscriptions est particulièrement élevé, certains services de garde forment des groupes stables composés d'enfants dont les âges sont très rapprochés. Par contre, il est rare que l'on puisse constituer des groupes où tous les enfants sont du même âge. Le regroupement multiâge, aménagé de différentes façons, est donc chose courante dans les services de garde en milieu scolaire.

Dans les services de garde en milieu familial, des enfants dont l'âge varie de quelques mois à cinq ans se côtoient durant une bonne partie de la journée. Parfois, pour le repas du midi et après l'école, d'autres enfants d'âge scolaire viennent se joindre à eux. La responsable d'un service de garde en milieu familial peut accueillir six enfants si elle travaille seule et jusqu'à neuf, si elle a recours à l'assistance d'un autre adulte.

Le fonctionnement par groupes multiâges est donc inévitable dans ce type de service de garde, qui accueille un petit nombre d'enfants d'âges très variés. Souvent, ils ne forment qu'un seul groupe.

Le groupe multiâge : un regroupement naturel

Autrefois, la famille québécoise comptait plusieurs enfants vivant en interaction quotidienne. Les parents n'étaient pas les seuls responsables de l'éducation des petits. Souvent, les plus âgés initiaient leurs cadets à de nouveaux apprentissages. De plus, l'école du village accueillait dans un seul lieu tous les enfants âgés de 6 à 12 ans. La vie courante mettait quotidiennement les jeunes en présence d'autres personnes de compétences et d'âges assez variés, et chacun devait continuellement adapter ses comportements et ses attentes à ceux de l'autre.

C'est donc dire que, d'une certaine manière, le regroupement multiâge est très ancien et probablement plus naturel qu'une répartition en classes d'âge homogènes. On peut se demander si en répartissant les enfants par groupes d'âge, on ne les prive pas d'informations et de modèles qui étaient présents dans des regroupements naturels. Ces questions méritent réflexion, mais l'objectif du présent chapitre est d'abord d'expliquer comment le fonctionnement en groupes multiâges influence les différents aspects de la personnalité de l'enfant et de montrer comment utiliser ses avantages.

4.2 Influence du regroupement multiâge sur le développement des enfants

Comme chacun sait, le milieu social influence le développement des enfants. Selon Katz *et al.* (1991), les groupes multiâges constituent un environnement éducatif qui favorise davantage le partage, l'entraide, la collaboration, le respect des différences et le développement de comportements plus tolérants. Ainsi, les enfants sont sensibilisés assez jeunes à leurs responsabilités sociales. Comme l'enfant est un être global, ces effets sur son développement social influencent aussi les apprentissages reliés aux autres aspects de sa personnalité. Par exemple, en collaborant avec des enfants d'âges différents, l'enfant fera probablement des apprentissages qu'il n'aurait pas réalisés autrement.

Une bonne compréhension des influences du fonctionnement en groupe multiâge sur le développement des enfants facilite le choix des interventions qui favoriseront l'actualisation du potentiel de chacun.

Un milieu très animé pour les poupons

L'environnement d'un groupe multiâge est souvent très stimulant pour un jeune enfant. Lors de ses périodes d'éveil, le poupon qui ne peut se déplacer manipule les objets qu'on lui offre ou regarde ce qui se passe autour de lui. Dans un groupe multiâge, il en a plein la vue et n'a pas le temps de s'ennuyer. De plus, plusieurs enfants peuvent lui accorder une attention particulière. L'un d'entre eux se déplace pour lui donner le hochet qu'il a laissé tomber, un autre l'embrasse en passant et, au moindre son qu'il émet, quelqu'un s'en approche pour lui faire la conversation, le distraire et essayer de répondre à ses désirs. Dans bien des cas, le poupon d'un service de garde en milieu familial reçoit plus d'attention qu'il n'en recevrait d'un adulte seul. Toutes ces stimulations de même que la satisfaction de voir ainsi ses besoins comblés lui inspirent des sentiments positifs à l'égard de son environnement, ce qui ne manque pas de favoriser un accroissement de l'estime qu'il a de lui-même.

De nombreuses occasions d'apprentissage

Plusieurs comportements s'apprennent principalement par observation. En regardant un autre agir, les enfants enregistrent des informations qu'ils utiliseront au moment opportun. Par exemple, il est fort probable qu'un enfant saura où ranger un casse-tête parce qu'il aura déjà vu quelqu'un d'autre le faire. Les groupes multiâges offrent plusieurs occasions d'observer et d'imiter des modèles de compétence variés. De même, il est plus facile pour un jeune enfant d'imiter le comportement d'un aîné de quelques années que celui d'un adulte, car le défi à relever est généralement moins grand.

De plus, dans les groupes multiâges, l'éducatrice n'est pas la seule à pouvoir accorder du temps à un enfant en particulier pour lui montrer, par exemple, à faire des boucles. Les plus âgés sont souvent très fiers d'enseigner de telles techniques à leurs cadets. Ils font souvent preuve d'une grande patience et les stratégies qu'ils utilisent sont assez efficaces. Dans un tel contexte, les occasions d'apprentissage par les pairs sont multipliées et tous peuvent en profiter.

Enfin, les plus jeunes sont quelquefois capables de participer et d'apporter leur contribution à des activités plus complexes que celles dont ils auraient eux-mêmes pris l'initiative. Une fois que les plus âgés ont commencé un jeu, les enfants plus jeunes peuvent se joindre à eux et y participer dans la mesure de leurs capacités. Ils n'ont pas toujours les habiletés nécessaires pour jouer un rôle très actif, mais en retirent quand même des avantages certains. Par exemple, un enfant de trois ans qui participe à un jeu de règles avec des amis plus âgés, sans vraiment comprendre la marche à suivre, développe certaines habiletés ou enregistre des informations qui lui seront sans doute utiles plus tard. Dans bien des cas, un aîné lui sert de tuteur et lui explique au fur et à mesure ce qu'il faut faire. Il ne fait pas de doute que cette situation constitue une belle occasion de développement. Les enfants les plus jeunes sont souvent en admiration devant leurs aînés et le seul fait d'être acceptés dans un groupe de copains plus âgés peut les combler de satisfaction et stimuler leur désir d'apprendre. En jouant, ils s'aperçoivent que d'autres ont des habiletés qu'eux-mêmes ne possèdent pas et, si le défi n'est pas trop grand, ils tenteront d'imiter les autres. Dans des groupes d'âge homogènes, ce type de situations d'apprentissage est moins fréquent, car certaines activités peuvent difficilement être entreprises par des enfants qui ont tous le même âge.

Un contexte où les attentes sont personnalisées

Tous savent que les enfants d'un groupe homogène ne peuvent pas apprendre la même chose, de la même manière et en même temps. Malgré cela, bon nombre d'éducatrices s'attendent inconsciemment à ce que tous possèdent des connaissances et des habiletés semblables. Par exemple, il arrive souvent que les activités ou les règles de fonctionnement soient pensées en fonction des capacités moyennes du groupe et ne tiennent pas compte des différences indivi-duelles. Les groupes d'âge homogènes semblent créer une énorme pression normalisatrice sur les enfants. Ceux qui éprouvent quelques diffi-cultés sont plus facilement remarqués parce qu'ils ne correspondent pas « aux normes ». L'enfant qui s'aperçoit qu'il est souvent le seul du groupe à être incapable de réaliser quelque chose peut développer une image négative de lui-même.

Dans les groupes multiâges, des enfants de com-pétences variées se côtoient quotidiennement et il est fréquent que des habiletés maîtrisées par les uns ne le soient pas par d'autres. Par exem-ple, certains sont capables de s'habiller seuls, tandis que d'autres ont besoin d'aide. Parce que les niveaux de performance sont généralement différents, les particularités individuelles sont plus facilement acceptées, autant par les adultes que par les enfants, et l'éducatrice a davantage tendance à adapter ses interventions et ses at-tentes aux capacités de chaque enfant.

Des recherches ont permis de démontrer que, même très jeunes, les enfants modifient leurs comportements et leurs attentes selon l'âge de ceux à qui ils s'adressent. Par exemple, un en-fant de quatre ans adapte spontanément son langage pour se faire comprendre d'un plus jeune. Il change la longueur des phrases, le ton de la voix et les mots qu'il utilise. Dans un groupe multiâge, les enfants plus jeunes perçoivent na-

turellement leurs aînés comme étant plus com-pétents qu'eux-mêmes. De la même façon, les aînés sont conscients du fait que les plus jeunes ont moins d'habiletés qu'eux et acceptent volon-tiers de les aider. Cette perception mutuelle crée un climat où les différences entre les individus sont normales. Ainsi, un enfant présentant cer-tains retards dans son développement n'est pas rapidement étiqueté comme tel et peut ainsi évoluer à son rythme en subissant moins de pres-sion sociale et en étant moins exposé à l'échec que dans un milieu homogène sur le plan de l'âge. Selon Katz *et al.* (1991), le regroupement multiâge peut même être un milieu thérapeu-tique pour certains enfants.

Une source de valorisation pour les enfants plus âgés

Jusqu'à maintenant, on a surtout parlé des avan-tages dont profitent les enfants plus jeunes, mais il ne faut surtout pas sous-estimer ceux qui s'ap-pliquent aux plus âgés. Effectivement, les aînés sont généralement très valorisés quand ils ap-portent de l'aide et du soutien à leurs cadets. Même un enfant qui a de la difficulté à se faire valoir dans un groupe homogène a souvent l'oc-casion de se sentir compétent dans un groupe multiâge. L'admiration que les plus jeunes leur témoignent est une excellente source de valori-sation et ne peut que contribuer à l'améliora-tion de l'image qu'ils ont d'eux-mêmes.

Une initiation au futur rôle de parents

L'éducation parentale s'amorce quand un en-fant prend soin ou aide un plus jeune. Autrefois, dans les familles nombreuses, les enfants déve-loppaient des compétences parentales en regar-dant leur mère ou leur père intervenir auprès des plus jeunes et en partageant certaines tâches avec eux. Aujourd'hui, principalement à cause d'une fratrie réduite, ces occasions d'apprentis-sage sont de moins en moins fréquentes.

De nos jours, il n'est pas rare de rencontrer un adolescent qui n'a jamais changé une couche ou nourri un bébé. Les apprentissages liés aux rôles de parents se font beaucoup plus tardivement. Le regroupement multiâge procure aux enfants de vrais contextes dans lesquels ils peuvent dé-montrer et renforcer leurs dispositions à jouer le rôle de parent ou de tuteur. Ce contexte favo-rise aussi l'apprentissage de la tolérance envers les plus jeunes et, plus tard, l'enfant qui a été encouragé et réconforté par un aîné sera capable à son tour d'aider les autres.

Un contexte favorable à l'intégration des apprentissages

Pour pouvoir enseigner à quelqu'un d'autre, il faut bien comprendre soi-même. Quand un enfant plus âgé explique le fonctionnement d'un jeu à un plus jeune, il doit organiser l'information qu'il fournit pour que l'autre la comprenne bien. Cet effort de synthèse et de structuration consolide ses propres savoirs. Ainsi, un enfant qui explique à un plus jeune comment jouer au jeu de mémoire doit lui montrer une à une les règles à suivre. Les réactions instantanées de « son élève » l'amènent à préciser ses propos ou à les expliquer autrement. Il est d'ailleurs amusant d'observer un enfant de cinq ans grondant un plus jeune qui ne respecte pas une règle de vie. Il lui explique minutieusement ce qu'il faut faire, lui démontre l'importance de cette règle et donne l'exemple en adoptant le comportement souhaité. C'est souvent dans ces occasions que l'on s'aperçoit que même celui qui ne respecte pas une règle la connaît très bien et est capable de justifier sa raison d'être. D'ailleurs, l'éducatrice peut favoriser la compréhension des règles en demandant aux enfants plus âgés de les expliquer aux plus petits. L'enseignement crée un contexte favorable à l'intégration des apprentissages.

4.3 L'ENVIRONNEMENT ÉDUCATIF

Le chapitre précédant fournit divers conseils pour créer un environnement éducatif qui favorise le développement global des enfants de chaque groupe d'âge. Ces conseils demeurent valables, mais la présence d'enfants d'âges variés dans un même groupe modifie considérablement l'organisation de l'environnement éducatif, qui doit répondre à la fois aux besoins individuels et collectifs. Ainsi, l'environnement éducatif d'un groupe multiâge doit :

■ favoriser la participation active de chacun à tous les moments de vie;

■ permettre aux plus jeunes de se sentir en sécurité;

■ permettre à chacun de prendre sa place au sein du groupe;

■ donner à chacun l'occasion d'acquérir les habiletés correspondant à son niveau de développement.

Favoriser la participation active de chacun à tous les moments de vie

Dans le contexte du regroupement multiâge, il peut quelquefois paraître difficile d'organiser la journée pour que chacun des enfants participe pleinement à chaque moment de vie. L'éducatrice d'un groupe multiâge, particulièrement celle qui travaille en milieu familial, doit s'occuper des enfants tout en assumant diverses tâches, comme préparer les repas ou ranger la vaisselle. Il peut s'avérer utile de laisser les enfants en jeux libres pendant quelque temps, mais il est davantage motivant et éducatif de les initier à assumer collectivement certaines tâches domestiques. Évidemment, cela n'est pas toujours possible, mais plusieurs situations quotidiennes peuvent être sources d'apprentissage. Par exemple, les aînés peuvent assumer certaines responsabilités durant la période du repas, parce qu'ils mangent et s'organisent plus rapidement. En leur confiant différentes tâches, on évite de faire attendre les plus jeunes qui ont besoin de plus de temps et de toute leur énergie pour s'organiser.

De plus, lors des périodes d'activités, il ne faut pas s'attendre à ce que tous désirent participer. Un bon choix d'activités-projets, la mise en place d'ateliers variés et un aménagement qui offre la possibilité à un enfant de jouer seul sans déranger les autres permettent de répondre à la fois aux besoins individuels et collectifs. L'éducatrice d'un groupe multiâge doit développer une approche individualisée et partager son temps entre les enfants.

Quelques conseils à l'intention de l'éducatrice

- Encourager le partage des tâches en fonction des habiletés de chaque enfant.
- Offrir des choix d'activités.
- Favoriser l'entraide entre les plus jeunes et les plus âgés.
- Organiser l'environnement physique pour que chacun puisse agir de la façon la plus autonome possible.

Permettre aux plus jeunes de se sentir en sécurité

À quatre ou cinq ans, les enfants ont grand besoin de dépenser leur énergie motrice. Ils bougent beaucoup et peuvent quelquefois, bien involontairement, effrayer les tout-petits. En portant une attention particulière à l'organisation physique du milieu, il sera possible de mieux répondre aux besoins de chacun, dans un climat de sécurité.

Quelques conseils à l'intention de l'éducatrice

– Réserver aux tout-petits une aire de jeux où ils peuvent temporairement s'isoler des activités motrices des plus âgés tout en demeurant visuellement en contact avec ces derniers.

– Ne mettre à la disposition de tous que du matériel parfaitement sécuritaire pour les tout-petits.

– Expliquer aux plus âgés les dangers que comportent certaines activités pour les plus jeunes, tout en leur permettant de s'y adonner dans un endroit ou à un moment adéquats.

Permettre à chacun de prendre sa place au sein du groupe

Pour évoluer sainement, chaque enfant a besoin de se sentir important et de développer un sentiment d'appartenance au groupe. Une éducatrice attentive aux différences individuelles utilise au maximum les occasions qui se présentent pour mettre en valeur les compétences de chacun.

Quelques conseils à l'intention de l'éducatrice

– Encourager l'entraide et la coopération.

– Valoriser les compétences particulières de chacun.

– Offrir à chacun un moment d'attention particulière.

– Confier aussi des responsabilités aux enfants d'âge moyen. Dans un contexte de regroupement multiâge, ceux-ci sont moins souvent mis en évidence.

– Laisser à tous le temps d'exprimer leurs intérêts et leurs besoins.

Donner à chacun l'occasion d'acquérir les habiletés correspondant à son niveau de développement

Même si l'environnement éducatif est pensé, dans un premier temps, en fonction de l'ensemble du groupe, il doit aussi donner à chacun l'occasion d'acquérir les habiletés correspondant à son niveau de développement. Pour ce faire, le programme d'activités doit être planifié avec beaucoup d'attention et mis en œuvre avec souplesse.

Comment demeurer attentive aux besoins des plus jeunes tout en offrant aux plus âgés une attention particulière et des défis à leur mesure ? Selon plusieurs éducatrices, cet aspect constitue la plus grande difficulté à surmonter. Certains enfants se plaignent d'être dérangés par des plus jeunes et de devoir trop souvent faire des compromis. Il est donc très important d'organiser le local, l'horaire et le programme d'activités pour que chacun puisse réaliser des activités à sa mesure et cela en toute tranquillité.

Quelques conseils à l'intention de l'éducatrice

– Accorder aux enfants plus âgés des moments privilégiés (par exemple, durant la sieste des petits) et leur offrir des activités appropriées.

– Habituer les plus âgés à exprimer leurs besoins aux plus jeunes (par exemple, en leur montrant à dire : « Je ne peux pas t'aider maintenant, mais j'irai te voir quand j'aurai fini ce que je fais. »)

– Favoriser l'apprentissage par les pairs.

– Organiser des ateliers qui répondent particulièrement aux besoins de sous-groupes.

– Proposer des activités-projets adaptées au contexte de regroupement multiâge.

4.4 Les activités-projets adaptées au contexte de regroupement multiâge

En général, l'âge des enfants oriente le choix des situations d'apprentissage qui composeront le programme d'activités. Ce critère n'a plus le même poids lorsque dans un groupe l'âge des enfants et leur niveau de développement varient considérablement. Dans ce contexte, les activités doivent être choisies en fonction des possibilités de participation d'un maximum d'enfants, tout en permettant à chacun d'acquérir les habiletés correspondant à son stade de développement. Le regroupement multiâge apporte, avec ses avantages, certaines contraintes évidentes.

L'activité-projet, par sa nature, convient très bien au contexte de regroupement multiâge. Elle permet, comme au sein d'une famille, de préparer ensemble des sorties, des fêtes, des événements spéciaux et de vivre collectivement différents projets. Une répartition adéquate des tâches offre à chacun la possibilité de prendre sa place en fonction de ses compétences. Par exemple, en proposant aux enfants d'organiser une fête pour souligner l'anniversaire du poupon, chacun peut assumer un rôle différent. Les plus âgés auront rapidement plusieurs idées, et quelques suggestions peuvent être faites aux plus jeunes s'ils ne savent pas quoi faire. Ainsi, tous peuvent participer à leur manière à un tel projet et chacun peut y acquérir des habiletés correspondant à son stade de développement.

Conditions particulières de réussite des activités-projets dans des groupes multiâges

Certaines activités-projets sont plus adaptées que d'autres à des groupes multiâges. On peut augmenter considérablement les chances de réussite en respectant les conditions suivantes :

■ choisir des activités-projets réalisables par des enfants présentant des niveaux d'habileté variés;

■ proposer des activités-projets qui intègrent les événements de la vie quotidienne;

■ proposer des activités-projets où les tâches peuvent être réparties en fonction des habiletés de chacun;

■ offrir des activités-projets qui amènent les enfants plus âgés à s'occuper des plus jeunes;

■ proposer des activités-projets qui utilisent les ressources du quartier.

Choisir des activités-projets réalisables par des enfants présentant des niveaux d'habileté variés

Certaines activités-projets ne demandent pas d'habiletés particulières. Par exemple, les enfants de tout âge ont du plaisir à se déguiser : l'enfant de un an s'amuse à mettre et à enlever des chapeaux, tandis que d'autres accordent une attention particulière au choix des vêtements et du maquillage qui les transformeront en per-

sonnage de leur choix. Voici d'autres exemples d'activités-projets offrant à chacun la possibilité de doser les défis en fonction de ses intérêts et de ses capacités :

– se déguiser et parader;
– construire des cabanes avec des couvertures;
– décorer des cartes de souhaits;
– peindre la clôture avec de l'eau colorée;
– laver les tricycles;
– soigner les poupées malades...

Proposer des activités-projets qui intègrent les événements de la vie quotidienne

Plusieurs événements reliés à la vie quotidienne peuvent facilement être transformés et inspirer différentes idées d'activités-projets. Pour rompre la routine, on peut organiser un pique-nique avec les enfants, planifier une visite à la bibliothèque où l'on empruntera des livres et transformer une course en véritable sortie éducative. Pourquoi ne pas préparer la venue d'un visiteur avec la complicité des enfants ? Une mise en situation telle que « Ginette nous rend visite cet après-midi, on ne peut pas la recevoir dans un tel désordre. Que pourrait-on faire ? » peut être à l'origine d'un projet fort stimulant. Il est évident que quelqu'un proposera de ranger les jouets, mais certains enfants pourraient aussi suggérer de cueillir quelques pissenlits pour mettre un bouquet sur la table ou de cuisiner des biscuits. Une telle occasion, transformée en projet collectif, devient véritablement significative pour les enfants. La façon de présenter de telles activités aux enfants est bien importante. Il faut surtout créer un climat de plaisir où chacun se sentira valorisé par la fierté du travail accompli. La transformation d'événements quotidiens en occasions spéciales ajoute un peu de magie et donne lieu à des moments de joie généralement appréciés, autant par les enfants que par les éducatrices. Pour mettre à profit les événements du quotidien, on peut s'inspirer des exemples suivants :

– transformer un repas en pique-nique, en fête, en dégustation ou s'imaginer qu'on est au restaurant;
– transformer la corvée de rangement en plaisir en proposant d'aménager un nouveau coin, de préparer une surprise pour les petits ou d'accueillir un invité;

– préparer la collation en décorant des muffins, en organisant une dégustation de fruits ou en aménageant une cabane pour y prendre le goûter;

– transformer les courses en véritables sorties éducatives;

– planifier des journées sur un thème comme « le cirque ».

Proposer des activités-projets où les tâches peuvent être réparties en fonction des habiletés de chacun

Des projets communs, où différentes tâches peuvent être assumées par des sous-groupes, permettent à chacun de prendre sa place au sein du groupe. Les enfants reconnaissent volontiers les habiletés spécifiques de chacun et identifient souvent avec justesse celui ou celle qui peut assumer telle ou telle tâche. Par exemple, lors de l'organisation d'une exposition, ils pourraient proposer que Julien et Élisabeth (8 ans) rédigent les cartes d'invitation et que Laurence (2 ans) décore les enveloppes avec Siham (4 ans), au moyen de gommettes. Lors d'une activité, il n'est pas nécessaire que tous fassent la même chose en même temps. Bien au contraire, une activité où chacun met à profit ses compétences rendra l'ensemble du groupe fier de cette réalisation commune. Voici trois autres exemples de projets communs :

– décorer le local pour une fête;

– faire un potager;

– préparer une sortie.

Offrir des activités-projets qui amènent les enfants plus âgés à s'occuper des plus jeunes

Il a été dit précédemment que les enfants plus âgés se sentent généralement valorisés d'aider

les plus jeunes. Sans en abuser, cette situation peut être favorablement exploitée lors de la planification d'activités-projets. Dans un premier temps, il peut être proposé aux plus âgés de préparer une activité ou un jeu pour un enfant ou un sous-groupe; par la suite, ils l'animent sous la supervision de l'éducatrice. Tous les enfants tirent profit d'une telle situation. Ceux qui se chargent de la préparation et de l'animation apprennent à être tuteurs et sont valorisés par les témoignages des plus jeunes, alors que ceux-ci reçoivent une attention particulière de la part des aînés. L'éducatrice n'a qu'à s'assurer du bon déroulement de chacune des activités et à apporter son aide au besoin. Il est même intéressant de répéter ce type d'activité-projet toutes les semaines et de réserver, dans l'horaire, une période pour l'animation.

Une mise en garde s'impose : il est important de laisser à chacun la possibilité de choisir le rôle qu'il désire jouer. Sous la surveillance de l'éducatrice, un enfant de trois ans qui le souhaite est bien capable d'amuser le poupon pendant un certain laps de temps.

De plus, certaines activités-projets peuvent se réaliser en duo, les enfants plus âgés ayant choisi un partenaire plus jeune. Encore là, il faut bien doser la fréquence d'utilisation de ce mode de fonctionnement pour ne pas susciter de mécontentement. Voici maintenant quelques idées d'activités-projets :

– préparer et raconter une histoire à un ami ou à un petit groupe;

– préparer et animer un jeu pour quelques enfants;

– préparer et animer un bricolage;

– construire un véhicule avec un plus jeune.

Proposer des activités-projets qui utilisent les ressources du quartier

Diverses activités sont offertes par les municipalités et plusieurs autres organismes. En y participant, les éducatrices enrichissent leur programme d'activités d'éléments nouveaux. De plus, différentes activités-projets peuvent être proposées en lien avec ces événements. Par exemple, si l'on prépare la visite d'une exposition, il peut être intéressant de l'agrémenter d'un pique-nique au parc.

Plusieurs responsables de services de garde en milieu familial trouvent difficile d'être isolées et de vivre toute la semaine dans le même milieu. Des sorties peuvent alors être organisées pour compenser cette lacune. De tels projets se préparent avec les enfants et, au retour, peuvent devenir des sources d'inspiration pour la planification de nouvelles activités-projets. Comme les enfants aiment généralement recevoir des visiteurs, on peut aussi inviter une autre famille de garde à partager un repas ou une collation. Cela fera le bonheur de tous. Le très bon livre d'Hélène Tardif (1986) propose différentes idées pour préparer, exploiter et utiliser les sorties ou les visites afin de favoriser l'apprentissage des enfants et de leur permettre de découvrir leur environnement. En voici quelques-unes :

– cuisiner avec les produits récoltés lors d'une sortie;

– aller chercher des retailles de bois chez un fabricant de meubles pour entreprendre des constructions;

– jouer à la coiffeuse et au coiffeur pour préparer une visite au salon de beauté;

– préparer des cadeaux pour la grand-mère d'un ami qui a invité les enfants à prendre la collation.

4.5 Questions d'intégration

1. Vous êtes responsable d'un service de garde en milieu familial et vous voulez rédiger un document publicitaire pour inviter les parents à inscrire leurs enfants dans votre service. Rédigez un court texte (une demi-page) qui explique aux parents les avantages de ce type de milieu en ce qui a trait au développement de leurs enfants.

2. Vous êtes responsable d'un service de garde en milieu familial. Un père vous informe qu'il désire retirer sa fille de quatre ans de votre service de garde, car il trouve qu'elle passe trop de temps à aider et à jouer avec des plus jeunes. Expliquez à ce père quels avantages son enfant peut retirer d'une telle situation.

3. Justifiez pourquoi une activité-projet comme celle de « laver les jouets » est adaptée au contexte multiâge.

4. En équipe, trouvez dix nouvelles idées d'activités-projets pouvant être animées auprès d'un groupe d'enfants de quelques mois à 12 ans. Justifiez vos choix.

L'intervention éducative

Tel que l'explique le premier chapitre, l'éducatrice a la responsabilité de créer un environnement éducatif qui favorise le développement global des enfants. À cet effet, elle choisit diverses interventions éducatives. L'approche centrée sur l'apprentissage privilégie les interventions structurées de façon à assurer l'acquisition de savoirs, la maîtrise de savoir-faire ou le développement de savoir-être déterminés à l'avance. L'approche centrée sur l'enfant vise davantage à donner à chaque individu l'occasion de développer son potentiel et d'évoluer à son rythme. Dans cette perspective, l'intervention est perçue comme un moyen offert à l'enfant pour évoluer. De là l'importance de consacrer un chapitre à l'intervention éducative selon une approche globale du développement de l'enfant.

Le présent chapitre présente d'abord une définition de l'intervention éducative et des différentes formes qu'elle peut prendre. Par la suite, il propose quelques critères pour guider le choix des formes appropriées. Au moyen de plusieurs exemples, il met en lumière le lien qui existe entre l'intervention éducative et l'intention pédagogique. Enfin, il définit les principaux types de situations d'apprentissage, expose l'utilité de chacun d'eux et propose quelques suggestions quant à la façon d'en tirer profit.

5.1 CONCEPTION DE L'INTERVENTION ÉDUCATIVE

L'intervention éducative est l'action d'agir consciemment et volontairement dans le but de soutenir, de stimuler ou d'influencer le développement des enfants.

Les diverses interventions sont les gestes posés ou les moyens employés en vue de modifier ou d'influencer le déroulement de ce qui se passe. Une intervention est qualifiée d'éducative si on y a recours volontairement pour favoriser le développement des enfants. À tout moment, l'éducatrice doit analyser une situation pour trouver des moyens correspondant aux besoins des enfants et les aider à se développer. Que ce soit lors de l'élaboration du programme d'activités, où elle choisit les situations d'apprentissage à présenter aux enfants, ou dans la pratique quotidienne, où elle intervient pour répondre à des besoins ponctuels, elle fait des choix en fonction de ses valeurs et de sa conception du développement humain.

L'intervention éducative est définie intentionnellement par l'éducatrice. Néanmoins, nul ne peut nier que les différentes façons d'être et de faire d'une éducatrice, même si celle-ci n'en a pas toujours conscience, influencent aussi l'éducation des enfants. Par exemple, une éducatrice généralement très souriante et de bonne humeur établit dans le groupe un climat de gaieté qui se répercute sur les enfants. Bien que l'on ne doive pas sous-estimer l'effet des interventions inconscientes, le présent chapitre traite uniquement de l'intervention voulue et planifiée par l'éducatrice pour favoriser le développement des enfants.

5.2 FORMES D'INTERVENTIONS ÉDUCATIVES

Outre les interventions éducatives quotidiennes reliées aux besoins d'encadrement, de soutien et de stimulation des enfants, l'éducatrice intervient aussi de diverses autres façons lorsqu'elle procède :

– à l'aménagement de l'horaire;
– à l'établissement des règles de vie;
– au choix des ressources matérielles mises à la disposition des enfants;
– à l'aménagement du milieu physique;
– à la sélection et à l'agencement des situations d'apprentissage.

Ainsi, les différentes interventions éducatives utilisées peuvent être :
– planifiées ou spontanées;
– directes ou indirectes;
– verbales ou non verbales;
– individuelles ou collectives.

Le tableau 5.1 présente des exemples pour chacune des formes d'intervention.

L'intervention **planifiée**, comme son nom l'indique, est préparée à l'avance et résulte d'une réflexion sur les moyens à prendre pour agir sur le développement de l'enfant.

L'intervention **directe** est celle où l'éducatrice pose elle-même un geste ou prononce une parole, avec une intention précise, sans intermédiaire entre elle et l'enfant.

Lorsque l'éducatrice utilise la parole pour agir sur le développement des enfants, il s'agit d'une intervention **verbale.**

L'intervention **spontanée** est celle qui surgit de la réalité du moment. Son choix précède immédiatement l'action, mais vise quand même à agir sur le développement de l'enfant.

L'intervention **indirecte** est celle où l'éducatrice a recours à un intermédiaire, tel qu'un élément matériel, l'aménagement de l'espace ou un personnage, pour agir sur le développement de l'enfant.

On peut parler d'intervention **non verbale** lorsque l'éducatrice utilise uniquement des gestes, des mouvements, des expressions faciales ou des attitudes consciemment choisis pour agir sur le développement des enfants.

L'intervention est dite **individuelle** lorsque l'éducatrice s'adresse à un seul enfant du groupe dans le but d'agir sur son développement.

L'intervention est appelée **collective** lorsque l'éducatrice s'adresse à l'ensemble des enfants ou à un sous-groupe dans le but d'agir sur leur développement.

Tableau 5.1   Exemples illustrant les différentes formes d'interventions éducatives

Exemples d'interventions	Formes d'interventions							
	Planifiée	Spontanée	Directe	Indirecte	Verbale	Non verbale	Individuelle	Collective
Raconter une histoire à tout le groupe en guise de mise en situation pour une activité-projet	*		*		*			*
Expliquer à un enfant comment attacher la robe de nuit de sa poupée		*	*		*		*	
Caresser les cheveux d'un enfant pour l'encourager		*	*			*	*	
Placer une affiche sur le mur avant l'arrivée des enfants	*			*		*		*
Dire aux enfants qu'ils peuvent prendre un jeu de leur choix après une activité qui a demandé beaucoup de concentration	*		*		*			*
Utiliser une marionnette pour expliquer les consignes au groupe	*			*	*			*
Mettre le doigt sur sa bouche pour que les enfants se taisent avant de prendre la parole		*	*			*		*
Regrouper tous les jeux de construction dans le même coin	*			*		*		*
Placer une barrière à l'entrée du couloir pour empêcher les enfants d'y courir	*			*		*		*
Raconter une histoire au groupe à la demande d'un enfant		*	*		*			*

5.3 Critères de base de l'intervention éducative

Dans le contexte d'une approche globale du développement, le choix des interventions éducatives repose sur cinq critères. En effet, toute intervention devrait, autant que possible :

1. Respecter chaque enfant dans toute sa globalité et son unicité.
2. Être utile au développement des enfants.
3. Offrir des défis stimulants, mais non insurmontables.
4. Être personnalisée.
5. Offrir des choix aux enfants.

1. Respecter chaque enfant dans toute sa globalité et son unicité

Il est important de se demander quelle portée aura une intervention éducative sur chaque aspect du développement de l'enfant. Par exemple, il peut s'avérer utile d'accorder du temps à un enfant en particulier pour l'aider à développer son habileté à découper, mais cette intervention n'est peut-être pas indiquée si elle risque de nuire à l'estime de soi ou au développement social de l'enfant. Il faut savoir doser les effets positifs et négatifs d'une intervention si on veut qu'elle soit réellement utile à l'enfant. Par exemple, il est rarement utile d'expliquer devant tout le groupe les conséquences négatives d'un geste posé par un enfant. Pour ne pas nuire à l'estime de soi de l'enfant, il est préférable de se retirer avec lui pour lui signifier notre désaccord.

2. Être utile au développement des enfants

Tout choix d'intervention éducative doit être fait dans le but d'aider l'enfant à se développer. Il est donc important de s'interroger sur les possibilités qu'offre une intervention et de pouvoir la justifier par des intentions claires et réalistes. Par exemple, le visionnement d'une émission télévisée comporte-t-il des possibilités de développement ou sert-il uniquement à occuper les enfants ? Telle règle de vie favorise-t-elle le bien-être et le développement social ou correspond-elle uniquement à des habitudes propres à l'éducatrice ?

3. Offrir des défis stimulants, mais non insurmontables

Une intervention qui place un enfant devant un défi insurmontable provoque le découragement et nuit à l'estime de soi. Certes, il faut offrir des défis stimulants, mais ils doivent surtout être mesurés en fonction des capacités de chaque enfant. Par exemple, une éducatrice peut souhaiter que tous les enfants rangent le matériel qu'ils utilisent, mais il ne faut pas qu'elle s'attende à ce qu'ils en soient capables immédiatement. Ils ont besoin d'aide pour monter les marches une à une et ils ont besoin de remporter des succès pour continuer à progresser.

4. Être personnalisée

Personnaliser ses interventions ne signifie pas qu'il faille s'abstenir de faire des interventions collectives. Celles-ci sont utiles au développement social des enfants si elles correspondent aux capacités de chacun. Par exemple, si l'aménagement de l'horaire ne correspond pas aux besoins particuliers d'un enfant qui a davantage besoin de sommeil que les autres, il est possible de trouver un compromis qui satisfera chacun, comme de permettre à cet enfant de faire sa sieste dans un coin à l'écart et de la poursuivre plus longtemps que les autres. Les enfants sont capables d'accepter que l'on fasse des exceptions pourvu qu'il ne s'agisse pas de favoritisme injustifié.

5. Offrir des choix aux enfants

Même dans les moments où les enfants n'ont pas vraiment le choix de suivre une consigne, il est important qu'ils puissent choisir au moins les moyens à prendre pour atteindre le but visé. Par exemple, lorsqu'une éducatrice demande à un enfant de ranger son jouet pour la période du dîner, elle peut lui offrir de choisir lui-même l'endroit où cet objet l'attendra. Il est plus facile pour un enfant de respecter une consigne si on lui offre quelques choix; de plus, cela évite plusieurs affrontements.

5.4 De l'intention pédagogique à l'intervention éducative

Comme il a été dit précédemment, l'intervention éducative est choisie intentionnellement par l'éducatrice. Les choix qu'elle fait sont guidés par ses intentions pédagogiques. Par exemple, certaines règles de vie, comme l'interdiction de courir dans le local, sont établies pour assurer la sécurité des enfants.

> L'**intention pédagogique** est le but que l'on vise et que l'on tente d'atteindre par les moyens choisis ou plus précisément par les diverses interventions éducatives.

Différents facteurs guident le choix des intentions pédagogiques à privilégier, par exemple :
– le stade de développement des enfants;
– les orientations pédagogiques de l'éducatrice;
– les besoins ou les intérêts ponctuels des enfants;
– les ressources humaines et matérielles disponibles;
– le sujet à traiter.

Une bonne compréhension du développement de l'enfant et de ses modes d'apprentissage permet de définir des intentions pédagogiques réalistes. Par exemple, il serait inadéquat de viser l'entraide et le partage chez des enfants de deux ans. L'information contenue principalement dans le chapitre 3 sert de base au choix des intentions pédagogiques, et la planification d'interventions éducatives est l'occasion d'utiliser la théorie pour la mettre en application dans des situations concrètes.

Les orientations pédagogiques de l'éducatrice, c'est-à-dire ses croyances et ses valeurs en matière d'éducation, orientent, même sans qu'elle le veuille, les intentions pédagogiques qu'elle privilégie. Par exemple, si elle croit que chaque enfant est différent et évolue à son propre rythme, elle individualisera davantage ses intentions pédagogiques.

De plus, certains besoins ou certains intérêts ponctuels d'un enfant ou du groupe déterminent parfois le choix des intentions pédagogiques. Par exemple, l'intérêt des enfants pour les types d'habitations amène l'éducatrice à chercher des moyens pour explorer ce sujet. Ainsi, de la documentation et des situations d'apprentissage particulières pourront être offertes aux enfants.

Dans certains cas, le choix des intentions pédagogiques peut être limité par le sujet à traiter ou par l'inaccessibilité de ressources humaines ou matérielles appropriées. Par exemple, il est plus difficile pour un service de garde situé au centre d'une ville de favoriser l'exploration des éléments de la nature.

Des intentions pédagogiques à privilégier

Certaines intentions pédagogiques sont à privilégier dans le contexte d'une approche globale du développement. Tout en faisant état de différents moyens, les exemples du tableau 5.2 (*voir p. 70*) facilitent la compréhension du lien qui existe entre l'intervention éducative et son intention pédagogique.

Tableau 5.2 Intentions pédagogiques et interventions éducatives

Intentions pédagogiques	Interventions éducatives	
Favoriser l'expression des idées :	– poser des questions ouvertes pour amorcer les discussions; – se mettre à leur hauteur pour pouvoir les regarder attentivement;	– bien écouter les enfants quand ils parlent; – reformuler ce qu'ils disent pour vérifier la compréhension.
Soutenir le développement des enfants :	– les encourager à poursuivre leur but; – consolider leur expérience en verbalisant ce qu'ils font; – les aider à s'organiser, au besoin; – proposer des choix ou différentes façons de résoudre les problèmes qu'ils rencontrent; – fournir l'information dont ils ont besoin;	– leur demander de décrire ce qu'ils font; – offrir les outils dont ils ont besoin pour réaliser ce qu'ils veulent; – les aider à maîtriser les tâches qu'ils ont choisies; – accomplir pour eux certaines tâches trop difficiles, afin qu'ils puissent poursuivre leur projet; – les amener à décrire leurs découvertes.
Stimuler le développement des enfants :	– proposer de nouvelles voies à explorer; – proposer des défis adaptés à chacun; – fournir de l'information variée, nouvelle et stimulante; – offrir des activités sur des sujets variés et nouveaux;	– piquer leur curiosité en mettant à leur disposition de la documentation et du matériel variés. – leur proposer d'expérimenter de nouvelles techniques.
Placer l'enfant devant de nouveaux défis :	– traiter de sujets variés; – l'encourager à prendre des risques; – demander à l'enfant de tenter de résoudre seul un problème avant de l'aider; – proposer des situations d'apprentissage diversifiées; – demander à l'enfant de justifier ses choix; – inciter l'enfant à respecter les règles;	– exprimer son désaccord; – refuser de faire à sa place quelque chose qu'il est capable de faire; – prendre le temps de terminer une intervention avant d'aider un autre enfant, sauf en cas d'urgence; – faire respecter les tours de parole.
Favoriser la participation :	– présenter les activités avec enthousiasme; – choisir des mises en situation appropriées; – adapter l'intervention aux besoins du groupe en modifiant ce qui a été prévu;	– demander à l'enfant qui reste à l'écart les raisons qui le portent à agir ainsi; – aménager le local de façon stimulante; – offrir des choix.

5.5 Intervenir par le choix et l'organisation des activités

Les activités sont des interventions éducatives utilisées pour influer sur le développement des enfants. Même si certaines d'entre elles, comme les activités de routine, sont essentielles au bien-être physique des enfants, le choix et l'organisation des activités doivent être conçus de manière à favoriser l'apprentissage. Par exemple, le repas du midi vise en premier lieu à répondre à des besoins physiologiques, mais il constitue aussi une excellente occasion de favoriser le développement social de même que diverses habiletés liées à la communication.

Lors de l'élaboration du programme, l'éducatrice planifie différentes activités en fonction des besoins des enfants tout comme de ses propres intentions pédagogiques. Puisque l'organisation d'activités occupe une place importante dans le quotidien des services de garde, il s'avère essentiel de définir les différents types d'activités, d'en préciser l'utilité et de proposer quelques façons de les mettre en œuvre dans le contexte d'une approche globale du développement.

Activités-projets

Dans le contexte d'une approche globale du développement, l'activité-projet est le type de situation d'apprentissage à privilégier pour favoriser le développement global des enfants. La définition et le rôle de cette dernière ont fait l'objet du chapitre 2. C'est pourquoi le présent chapitre s'attarde davantage aux autres types de situations d'apprentissage, qui complètent le programme d'activités.

Activités de routine

Les activités de routine sont des situations d'apprentissage qui répondent à certains besoins fondamentaux des enfants. Elles reviennent généralement chaque jour, à heures fixes et constituent le cadre qui sert à structurer la journée.

Utilité

Les activités de routine, telles que la sieste, le dîner, la collation et les actions liées à l'hygiène, servent à répondre à des besoins fondamentaux. Plus les enfants sont jeunes, plus les activités de routine occupent une place importante dans l'organisation de la journée. Ces moments sont primordiaux, car, en plus de répondre aux besoins de base des enfants, ils les aident à se situer dans le temps. Pour se sentir en sécurité, les enfants ont besoin de prévoir ce qui va se passer. Pour s'en convaincre, il suffit de penser aux multiples questions qu'ils posent pour savoir ce qui arrivera après telle activité ou telle autre.

La façon de vivre ces activités est donc très importante, car elles servent de toile de fond au déroulement des journées. Une bonne organisation et des interventions adéquates transforment ces moments de vie en de véritables situations d'apprentissage. De plus, si les enfants assument certaines tâches, l'éducatrice a plus de liberté pour répondre aux besoins de tous et chacun. Elle peut donc profiter de ces moments privilégiés pour échanger avec eux.

Suggestions

Faire participer les enfants à l'organisation Établir les consignes et le partage des tâches avec les enfants encourage leur participation active. De plus, c'est là une belle occasion de développer leur sens de l'organisation, de les responsabiliser et de favoriser l'entraide et l'autonomie. Quand l'éducatrice assume la majorité des tâches liées à une activité de routine, les enfants doivent attendre. C'est souvent dans ces moments d'inactivité que des conflits surgissent.

Ajouter des éléments nouveaux Même si les activités de routine servent surtout à répondre aux besoins de base des enfants et qu'une certaine régularité s'impose, il est possible d'enrichir ces moments en ajoutant différents éléments; par exemple, faire semblant d'être au restaurant pendant le repas du midi. De plus, pour permettre aux enfants d'intégrer certaines règles d'hygiène, on peut associer ces dernières à de petits jeux.

Varier les formes de regroupement Certaines activités de routine sont d'excellentes occasions de développement social. Comme à la maison, les repas et les collations sont souvent des moments propices aux échanges et aux relations humaines. Dans ce sens, il est important d'être ouvert à différentes formes de regroupement. Il n'est pas nécessaire que tout le groupe soit toujours ensemble. Permettre à quelques amis de prendre leur collation dans un coin favorise l'établissement de relations plus étroites.

Jeux libres

L'expression « jeux libres » sert à définir les périodes où les enfants choisissent à la fois leur matériel de jeu, leurs partenaires, le lieu et le déroulement de l'activité.

Par l'aménagement des lieux et le choix du matériel mis à la disposition des enfants, l'éducatrice oriente les activités des enfants. Par exemple, une période de jeux libres à l'extérieur offre des possibilités bien différentes de celles qui existent dans le local.

Utilité

Les périodes de jeux libres sont essentielles à l'équilibre d'une programmation parce qu'elles offrent aux enfants la possibilité de vaquer aux activités qu'ils désirent ou d'observer les autres. Ces périodes sont d'ailleurs très fréquentes dans la plupart des services de garde.

L'organisation de jeux libres en début et en fin de journée facilite les choses au moment de l'arrivée et du départ des enfants. De cette façon, ils n'ont pas à s'intégrer au groupe au milieu d'une activité ou à le quitter durant le déroulement d'une autre.

Durant les jeux libres, l'éducatrice n'a pas à intervenir. Toutefois, si un enfant réclame son aide, elle peut lui accorder une attention individuelle pour le soutenir dans son apprentissage.

Ces périodes sont des moments privilégiés pour travailler à l'établissement d'une relation riche et stimulante avec chaque enfant. C'est souvent lors de jeux libres que l'éducatrice peut se mettre à l'écoute d'un enfant ou l'aider à régler un conflit.

De plus, les périodes de jeux libres offrent à l'éducatrice l'occasion de mieux connaître son groupe en observant la façon dont les enfants entrent en relation les uns avec les autres. Elle peut profiter de ces moments pour observer l'activité des enfants afin de dégager les intérêts qui s'y manifestent et d'identifier des pistes pour la planification de futurs programmes d'activités.

Ces périodes offrent aussi aux enfants qui le désirent la possibilité de reprendre ou de poursuivre une activité amorcée antérieurement. Un enfant accepte plus facilement d'interrompre une activité s'il sait qu'il pourra la poursuivre à un autre moment.

Suggestions

Offrir un environnement physique varié et stimulant L'éducatrice a la responsabilité de créer un environnement qui stimule les enfants et les incite à explorer à leur guise. Une organisation et un aménagement bien pensés ainsi que du matériel de jeu abondant offrent de véritables choix aux enfants et réduisent la fréquence des interventions disciplinaires. L'exemple qui suit met en évidence l'importance qu'il faut accorder à l'environnement physique du lieu où se déroulent les jeux libres. Un matin, en entrant dans son local, un enfant de quatre ans jette un coup d'œil et dit à haute voix : « Je n'ai plus rien à faire ici ! » Ayant fréquenté la même garderie pendant trois ans, il avait tout exploré et rien de ce qui l'entourait ne pouvait stimuler ses activités libres.

Permettre aux enfants de changer d'activité Pendant la période de jeux libres, les enfants doivent aussi être en mesure de se déplacer d'une aire de jeu à une autre, sinon on ne peut véritablement parler de période de jeux libres. Seules de réelles contraintes fonctionnelles devraient limiter le nombre d'enfants ayant accès à un coin ou à du matériel. De plus, il serait souhaitable de leur permettre de modifier l'environnement, dans la mesure du possible, pour qu'il réponde davantage aux besoins déterminés par leurs jeux. Par ailleurs, il est important de demander aux enfants de ranger le matériel utilisé avant de changer d'activité.

Déterminer correctement la durée et la fréquence de l'activité Les aspects dont on doit tenir compte pour déterminer la fréquence et la durée des jeux libres sont multiples. Selon l'âge des enfants et les particularités du groupe, ces périodes peuvent être plus ou moins prolongées. Elles devraient, dans la mesure du possible, être assez longues pour que les enfants puissent terminer le jeu commencé. D'un autre côté, même si les périodes de temps libres sont essentielles à l'intérieur de la programmation quotidienne, abuser de cette formule peut susciter de l'ennui. Il n'est donc pas souhaitable de planifier plusieurs périodes courtes d'activités libres durant une même journée.

Activités dirigées

De façon générale, les activités dirigées sont prévues et amorcées par l'éducatrice qui en supervise directement le déroulement. Vécues par tous les enfants en même temps, elles visent habituellement des objectifs assez précis.

Utilité

C'est généralement l'éducatrice qui amorce les périodes d'activités en grand groupe et elle en dirige le déroulement. À l'occasion, il peut arriver que des enfants prennent de telles initiatives; par exemple, dans les services de garde en milieu familial, un enfant plus âgé invite parfois tout le groupe à participer à un jeu.

Les activités de groupe sont celles où l'on diffuse de l'information, où l'on échange, où l'on consulte les enfants sur des sujets variés; ce sont aussi celles où tout le groupe s'adonne au même jeu. Elles favorisent le développement d'un sentiment d'appartenance au groupe et l'apprentissage de la vie en société.

À certains moments, l'éducatrice souhaite que tous les enfants du groupe maîtrisent certaines habiletés ou connaissent certains modes de fonctionnement. Il s'agit souvent d'habiletés liées à des aspects d'ordre fonctionnel ou organisationnel en ce qui a trait à la vie de groupe. Par exemple, la mise en place d'activités de routine,

l'apprentissage des consignes à respecter dans la cour ou des règles de sécurité en vigueur lors de promenades nécessitent une intervention directe auprès de tout le groupe. Dans de telles circonstances, l'activité dirigée est la solution la plus adaptée.

Les moments d'échange comme les causeries développent les habiletés langagières et sociales des enfants. Durant ces moments de vie, ils se familiarisent avec les règles de la communication; ils apprennent à écouter les autres et à s'exprimer devant un groupe.

Les activités dirigées peuvent aussi répondre à des besoins spécifiques exprimés par les enfants. Par exemple, cette forme d'animation peut être utile pour enseigner certaines techniques en arts plastiques, comme la façon de faire des flocons de neige en papier.

De plus, puisque l'intérêt des enfants pour les jeux régis par des règles apparaît vers l'âge de quatre ans, il devient alors opportun d'inscrire de tels jeux dans le programme d'activités. C'est généralement l'éducatrice qui dirige ou anime le déroulement de ces jeux. À l'âge scolaire, ce rôle peut aussi être assumé par un enfant. Dans les groupes multiâges, il arrive que les plus vieux entreprennent ce type de jeu et animent leurs cadets.

Suggestions

Déterminer la durée en fonction de l'âge des enfants L'activité dirigée demande aux enfants de prêter attention à l'éducatrice, de suivre des consignes et de s'adapter au rythme du groupe. La capacité d'attention et de concentration des enfants étant limitée, particulièrement chez les tout-petits, les activités dirigées devraient être de courte durée. Il faut être réaliste et bien doser le temps que l'on consacre à ce type d'activité dans l'organisation d'une journée.

De plus, il est très difficile pour les enfants d'âge préscolaire de s'adapter au rythme d'un groupe. Souvent, les plus rapides doivent attendre et ils s'impatientent, tandis que d'autres sentent qu'ils doivent se dépêcher. Cette pression est bien inutile et ne favorise en rien un apprentissage significatif. Il faut éviter d'abuser de ce modèle d'activité et ne l'utiliser que s'il s'agit vraiment du meilleur moyen de répondre à un besoin particulier.

Être à l'écoute des enfants   Même si l'éducatrice a un rôle prédominant dans ce type d'activité, il est important de laisser de la place aux enfants en leur offrant la possibilité de faire des choix. Une bonne animatrice est sensible aux besoins du groupe et adapte son intervention en conséquence. Elle devrait mettre un terme à une activité dirigée dès que les enfants démontrent une certaine agitation. En effet, il est inutile de poursuivre une activité qui ne suscite plus l'intérêt de la majorité, sans compter qu'une telle situation amène l'éducatrice à multiplier les interventions disciplinaires.

Activités de transition

Les activités de transition sont des « activités simples et courtes, souvent dirigées, qui regroupent tous les enfants. Elles servent de " tampons " entre deux activités importantes. » (Québec, ministère de l'Éducation, 1982)

Pour compléter cette définition du MEQ, il convient de préciser que les activités servant à agrémenter un déplacement ou un moment d'attente sont aussi des activités de transition.

Utilité

Les activités de transition sont très utiles au déroulement harmonieux de la journée, parce qu'elles permettent d'agrémenter les périodes d'attente et les déplacements, tout en évitant la surexcitation et le désordre. Par exemple, lorsque les enfants doivent circuler sans faire de bruit dans un couloir ou une pièce pour éviter de réveiller les plus jeunes, il est beaucoup plus drôle pour eux de traverser le couloir « comme des petites souris » que de le faire en silence et l'un derrière l'autre. Transformer ainsi une consigne en un petit jeu allège le climat et procure du plaisir aux enfants.

Les activités de transition permettent aussi de répondre à des besoins très ponctuels. Après une activité très excitante, une brève détente favorise le retour au calme; inversement, après une activité qui demande beaucoup de concentration, quelques exercices moteurs renouvellent l'énergie des enfants.

Différentes activités de transition sont à prévoir lors de la planification du programme d'activités. Cependant, il n'est pas toujours nécessaire de les inscrire à l'horaire : on peut se contenter de les proposer au moment opportun. L'ajout d'activités de transition variées et adaptées à l'âge des enfants apporte de la nouveauté et enrichit le quotidien, tout en permettant de gérer l'horaire avec plus de souplesse.

Suggestions

Préparer une banque d'activités de transition
L'éducatrice d'expérience a souvent en mémoire une variété d'activités de transition qu'elle utilise spontanément pour répondre aux besoins du moment. L'étudiante-stagiaire possède rarement cet atout. C'est pourquoi chacune a intérêt à constituer, pour ses propres besoins, une banque d'activités de transition pouvant être utilisées en tout temps. Dans les services de garde en milieu scolaire, cette banque peut même être préparée en collaboration avec les enfants.

Activités déversoirs

Les activités déversoirs sont des « activités simples que l'enfant peut faire seul, sans aide ni supervision et qui lui permettent d'attendre activement que les autres aient fini; c'est aussi une activité qui régularise le rythme des routines ». (Québec, ministère de l'Éducation, 1982)

Utilité

Ces activités permettent de respecter le rythme de chacun. Les enfants qui ont besoin de plus de temps pour terminer une activité peuvent le faire sans se sentir bousculés, tandis que les autres occupent activement ce temps d'attente.

Suggestions

Choisir du matériel connu, qui s'utilise facilement et se range rapidement   Les choix d'activités déversoirs sont multiples. Du matériel que les enfants connaissent bien, placé dans un coin du local, suffira à agrémenter les moments d'attente de ceux qui terminent une activité de groupe avant les autres. Le matériel offert aux enfants lors de ces périodes ne doit pas être trop nouveau ou attrayant, car plusieurs enfants auront tendance à délaisser trop tôt l'activité principale.

Diversifier les activités déversoirs   En outre, il est important de varier les activités déversoirs. Demander aux enfants de prendre un livre chaque fois qu'ils doivent attendre les autres peut devenir ennuyeux. Une autre solution, plus

intéressante, consisterait à préparer des bacs contenant du matériel adapté à ce type de situation et à les offrir en alternance. Par exemple, un bac peut contenir différents petits jeux individuels, un autre, une collection de coquillages et quelques livres sur le sujet, etc. De plus, cette façon de faire facilite le rangement.

Activités en atelier

Les activités en atelier réunissent des enfants qui s'adonnent à la même activité ou utilisent le même matériel, peu importe que les choix aient été faits par eux ou par l'éducatrice. Dans certains cas, c'est l'adulte qui en anime le déroulement et dans d'autres, les enfants sont libres d'agir à leur guise.

Il est très important de bien comprendre qu'il ne s'agit pas à proprement parler d'un type d'activité, mais plutôt d'une façon d'organiser le jeu des enfants. On peut varier à l'infini la nature des activités à présenter en atelier, les principales limites de cette méthode de travail étant liées à des facteurs comme l'âge des enfants, leur nombre, le matériel disponible et la grandeur du local.

Utilité

Pour faciliter l'organisation du travail   Le regroupement en atelier est utile quand une partie d'un projet ou d'une activité requiert un soutien précis ou une surveillance constante de la part de l'éducatrice. Ce mode de regroupement permet à cette dernière d'apporter une attention particulière à un petit groupe lorsqu'il s'agit, par exemple, de rédiger les messages des cartes de souhaits qui ont été fabriquées lors d'une activité précédente. Pendant ce temps, les autres enfants du groupe participent à d'autres ateliers qui ne nécessitent pas la supervision directe de l'éducatrice.

L'organisation matérielle du local et la quantité d'objets dont on dispose, les chevalets pour la peinture, par exemple, limitent quelquefois l'accès d'une activité à un nombre maximal d'enfants. Dans de tels cas, l'organisation d'ateliers donne à chaque enfant qui le désire la possibilité de s'adonner à cette activité, quand viendra son tour.

Lorsque les enfants peuvent choisir parmi quelques situations d'apprentissage, le regroupement en ateliers facilite l'aménagement de l'espace. Par exemple, l'éducatrice peut proposer aux enfants de choisir parmi trois activités et délimiter des aires de jeu en conséquence.

Lors d'activités-projets, l'organisation d'ateliers permet à tous les enfants de résoudre le même problème en utilisant des moyens ou des matériaux différents. Par exemple, à partir de l'idée de construire des bateaux, on peut demander aux enfants comment ils désirent faire ces constructions ou encore leur offrir quelques possibilités. Les uns choisiront d'utiliser les blocs Lego, les autres, les gros blocs, d'autres encore préféreront bricoler dans le bac à eau; l'éducatrice aménage alors différents ateliers et regroupe les enfants en fonction du mode d'expression choisi.

De plus, la formation d'ateliers convient parfaitement à la réalisation d'activités-projets en équipe. À partir des besoins des équipes et avec leur collaboration, différents ateliers peuvent être aménagés pour faciliter l'accomplissement des tâches liées à leurs projets.

D'autres activités-projets invitent à une répartition des tâches. Par exemple, pour l'organisation d'une fête, une équipe s'occupe de la fabrication des cartes d'invitation, une autre, de la préparation d'une collation, une autre encore, de la décoration du local, et ainsi de suite. Dans de tels cas, la mise en place d'ateliers simultanés facilite beaucoup l'organisation du travail.

Pour créer un climat favorable à l'apprentissage
La répartition des enfants dans divers ateliers comporte un autre avantage : elle favorise la réduction des tensions au sein du groupe. On a constaté que les activités en atelier étaient souvent plus calmes que celles qui s'adressent à l'ensemble du groupe. En effet, il est très exigeant pour un enfant en bas âge de devoir négocier et interagir avec plusieurs enfants. Il doit faire face à une grande diversité de situations, ce qui a pour effet d'accroître son stress et par conséquent le risque de perdre son calme. En atelier, il peut plus facilement apprendre à partager et à échanger avec d'autres enfants puisque le nombre d'interactions est restreint.

Suggestions
Recourir aux activités en atelier pour favoriser l'exploration et la résolution de problèmes Les

ateliers sont plus riches quand ils sont planifiés en fonction d'un thème ou d'un problème à résoudre. Par exemple, dans un atelier, les enfants explorent les caractéristiques des aimants, dans un autre, ils inventent une histoire en s'inspirant d'une ou plusieurs illustrations, etc. Présentées dans cette perspective, les activités en atelier offrent des défis nouveaux et stimulants.

Le matériel mis à la disposition des enfants lors des ateliers doit être assez abondant et les objets assez complémentaires pour stimuler les enfants à atteindre différents buts. Il arrive parfois que les ateliers offerts aux enfants ressemblent plutôt à des jeux libres dont le matériel est imposé : par exemple, on propose aux enfants de jouer avec les blocs Lego ou les casse-tête, ou d'aller dans le coin cuisine. Ce type d'ateliers n'apporte aucune stimulation nouvelle aux enfants. Utilisé librement, le matériel tel que les blocs Lego ou les casse-tête convient davantage aux périodes de jeux libres, car les enfants peuvent au moins le combiner avec d'autres objets pour enrichir leurs activités.

Présenter des repères visuels Des illustrations ou des symboles peuvent servir à l'identification des coins où se dérouleront les ateliers; ils sont particulièrement appropriés si les enfants ne savent pas lire. Ces mêmes illustrations sont aussi utiles pour présenter visuellement l'horaire de la journée ou l'emploi du temps de chacun.

Organiser l'espace en fonction des besoins liés à l'activité Chacun des ateliers doit être aménagé à l'endroit qui convient le mieux à ses particularités. Par exemple, les activités calmes peuvent se tenir l'une près de l'autre et celles qui sont plus bruyantes, à l'autre extrémité du local. Si des activités en atelier nécessitent l'utilisation des lavabos, elles devraient se dérouler à proximité de ces derniers.

Dans certains cas, les dimensions du local n'autorisent pas l'organisation de plusieurs ateliers en même temps. Il est alors préférable d'offrir moins de choix aux enfants, mais de s'assurer que chaque atelier ait l'espace et le matériel suffisants pour répondre aux besoins liés à l'activité. La répartition des enfants dans divers ateliers doit avant tout faciliter l'organisation du travail.

5.6 Questions d'intégration

1. Vous animez une activité-projet où des enfants de deux ans font des routes dans le sable pour les petites autos.

   a) Rédigez une intervention éducative directe, verbale et collective pour favoriser la participation.

   b) Décrivez une intervention éducative indirecte, non verbale et collective pour inciter les enfants à utiliser les gros tracteurs-jouets.

   c) Rédigez une intervention éducative directe, verbale et individuelle pour placer l'enfant face à un nouveau défi.

2. Vous animez une activité-projet où des enfants de quatre ans lavent les vêtements des poupées.

   a) Rédigez une intervention éducative directe, verbale et individuelle pour inciter un enfant à expérimenter.

   b) Décrivez une intervention éducative directe, non verbale et individuelle pour soutenir un enfant qui éprouve de la difficulté à utiliser une épingle à linge.

   c) Décrivez une intervention éducative indirecte, non verbale et collective pour favoriser la participation.

3. Vous animez une activité-projet où un groupe d'enfants de six à huit ans invente une bande dessinée.

   a) Rédigez une intervention éducative directe, verbale et collective pour placer les enfants face à de nouveaux défis.

   b) Décrivez une intervention éducative directe, non verbale et individuelle pour encourager un enfant à poursuivre son but.

   c) Décrivez une intervention éducative indirecte, non verbale et collective pour stimuler la créativité des enfants.

4. Vous animez une activité-projet où un groupe d'enfants de 9 à 12 ans organise une sortie culturelle.

   a) Décrivez une intervention éducative indirecte, non verbale et collective pour stimuler l'émergence d'idées nouvelles.

   b) Décrivez une intervention éducative directe, verbale et collective pour encourager la collaboration.

   c) Rédigez une intervention éducative directe, verbale et individuelle pour soutenir un enfant qui éprouve de la difficulté à prendre sa place.

5. Décrivez brièvement cinq activités de transition adaptées à un groupe d'âge de votre choix.

6. Vous êtes éducatrice d'un groupe d'enfants de deux ans. Lors d'une réunion de parents, l'un d'entre eux vous demande de lui expliquer pourquoi vous accordez autant d'importance aux activités de routine. Rédigez la réponse que vous lui donneriez.

7. Décrivez brièvement cinq activités déversoirs adaptées à un groupe d'âge de votre choix.

Partie 2

À LA DÉCOUVERTE DE LA PLANIFICATION D'ACTIVITÉS-PROJETS

La deuxième partie de ce livre vise à fournir des outils aux éducatrices afin de les aider à planifier des activités-projets riches et stimulantes. Bien qu'il ne soit ni possible ni souhaitable de prévoir tout ce qui se passera pendant le déroulement d'une activité, la préparation n'en demeure pas moins importante. Comme l'activité-projet vise particulièrement le développement global des enfants, l'éducatrice doit choisir les conditions à mettre en place pour y parvenir.

Cette partie du livre aborde une à une les différentes composantes de l'activité-projet et tente de répondre à plusieurs questions. Comment trouver des problèmes à résoudre stimulants pour les enfants ? Comment les leur présenter ? Comment organiser l'activité pour en faciliter le déroulement ? Quel matériel choisir ? Comment et pourquoi évaluer les activités avec les enfants ?

Planifier

Ce chapitre répond principalement à deux questions :
pourquoi planifier et quoi planifier ? De plus, il met à la
disposition de l'éducatrice et de la stagiaire quelques
moyens pour entreprendre l'animation d'activités-projets
de façon à augmenter leurs chances de succès.

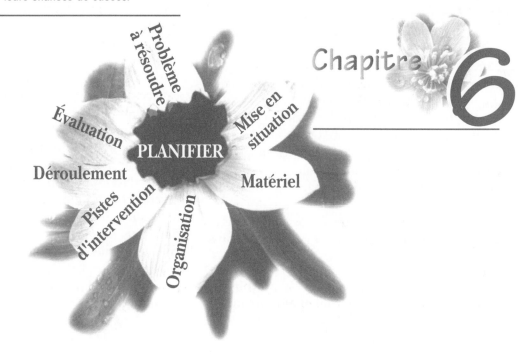

Chapitre 6

Problème à résoudre

Évaluation

PLANIFIER

Mise en situation

Déroulement

Matériel

Pistes d'intervention

Organisation

6.1 Rôle de l'éducatrice

Il appartient à l'éducatrice d'utiliser les multiples interactions quotidiennes pour favoriser le développement des enfants. De plus, il lui incombe de planifier des situations d'apprentissage riches, équilibrées et variées, qui offrent aux enfants de son groupe des défis stimulants et adaptés à leurs besoins. On se rend compte de plus en plus que les causes du décrochage scolaire sont souvent reliées à des expériences vécues en très bas âge et que de bons programmes préscolaires favorisent la réussite et l'intégration sociales.

Pour choisir les interventions éducatives les plus appropriées, il est essentiel de bien cerner les intentions pédagogiques correspondant aux situations d'apprentissage que l'on veut offrir aux enfants. Dans le contexte d'une approche centrée sur l'enfant, la planification doit être conçue de manière à laisser une grande place aux choix des enfants et à respecter leur rythme d'apprentissage.

Un programme d'activités riche et stimulant ne s'improvise pas, il se planifie avec soin; c'est l'éducatrice qui a la responsabilité de définir les situations d'apprentissage adaptées aux besoins de son groupe et d'aménager l'environnement en conséquence.

6.2 Pourquoi planifier ?

Lorsqu'on décide de partir en voyage, on prend généralement le temps de s'asseoir pour planifier et prendre les meilleures décisions. Vers quelle destination désire-t-on aller ? Quels sont les différents moyens pour s'y rendre ? Que faut-il apporter dans ses bagages ? Quels sont les sites intéressants à visiter ? Pour décider, on se procure l'information pertinente selon les choix à faire. Une bonne planification permet de profiter davantage des différentes occasions qui pourraient se présenter au cours du voyage, de réagir adéquatement aux imprévus et de s'adapter aux besoins du moment.

Planifier des activités-projets, c'est prévoir les grandes étapes de leur déroulement, organiser l'environnement matériel et élaborer les principales interventions éducatives qui stimuleront les enfants et favoriseront leur développement global.

Planifier des activités-projets ne veut surtout pas dire qu'il faille décider de ce que les enfants feront durant le déroulement de l'activité. Il ne s'agit pas de préparer un voyage organisé où tout est prévu et donc immuable. Bien au contraire, la planification doit être souple, ouverte et laisser de la place pour les imprévus. L'éducatrice planifie ce qu'elle fera et non ce que les enfants feront. En se préparant, elle choisit les principales interventions à mettre en œuvre en rapport avec ses intentions pédagogiques.

Mais pourquoi faut-il planifier ? Cinq grandes raisons justifient une bonne planification. Ainsi, celle-ci permet à l'éducatrice :

■ de cerner tout le potentiel d'une activité;

■ d'être plus disponible lors de la réalisation de l'activité;

■ de se développer professionnellement;

■ de poursuivre ses intentions pédagogiques;

■ de faciliter l'encadrement.

Cerner tout le potentiel d'une activité

C'est en réfléchissant à chacune des étapes de son action qu'on perçoit diverses possibilités offertes par telle ou telle activité. Ainsi, on peut mieux en exploiter les différentes facettes ou mieux choisir les défis adaptés au niveau de développement des enfants. Par exemple, lors d'une causerie, un enfant propose de faire un panier de Noël pour une famille en difficulté. Pour profiter au maximum d'un tel projet, l'éducatrice doit déterminer les défis que les enfants, selon leur âge, seront en mesure de surmonter et le soutien dont ils auront besoin. Elle doit aussi définir les moyens qui lui permettront d'utiliser cette situation d'apprentissage pour favoriser le développement cognitif, social, affectif, psychomoteur et moral des enfants. Si on prend bien soin de prendre en compte les diverses occasions de développement qu'offre une activité, on augmente le potentiel d'exploitation de cette dernière. Par exemple, la confection d'un panier de Noël fournit l'occasion de sensibiliser les enfants à la pauvreté, à la saine alimentation, au plaisir d'aider les autres ou de développer leur propre créativité. En réfléchissant sur son action, l'éducatrice enrichit l'activité-projet d'éléments nouveaux. De plus, en prenant le temps de penser au matériel nécessaire à l'activité, elle trouvera sûrement de nouveaux objets pouvant susciter l'intérêt des enfants et enrichir l'exploration. La planification prépare l'intervention éducative.

Être plus disponible lors de la réalisation de l'activité

Une bonne planification sécurise l'éducatrice et la prépare à assurer une meilleure animation. Quand elle a pris le temps de penser à l'activité sous tous ses angles et que l'organisation a été planifiée de telle manière que les enfants puissent agir de façon autonome, elle vit l'activité de façon plus détendue. Étant plus disponible, elle peut mieux soutenir les enfants tout au long de leur projet et utiliser les événements spontanés pour favoriser l'apprentissage de chacun. Même s'il est vrai que l'action compte plusieurs impondérables et que les enfants sont les acteurs principaux de l'activité-projet, une bonne planification prépare l'éducatrice à agir avec plus d'efficacité et augmente sa capacité de s'adapter rapidement aux besoins des enfants en modifiant certains éléments à la dernière minute, le cas échéant.

Se développer professionnellement

L'exercice de planification amène l'éducatrice à visualiser l'action et à structurer sa pensée. Peu importe son expérience, toute personne peut améliorer la qualité de ses interventions. En planifiant, on met à profit les succès déjà obtenus et on évite de répéter les erreurs du passé. On examine différentes façons de donner forme à une idée pour offrir aux enfants une activité riche, attrayante et adaptée à leurs besoins. On réfléchit à différents scénarios, on visualise les grandes étapes de l'activité et on fait des choix.

Puis vient le moment de vivre avec les enfants l'activité proprement dite. C'est le moment crucial où la pensée se transforme en action. Tout

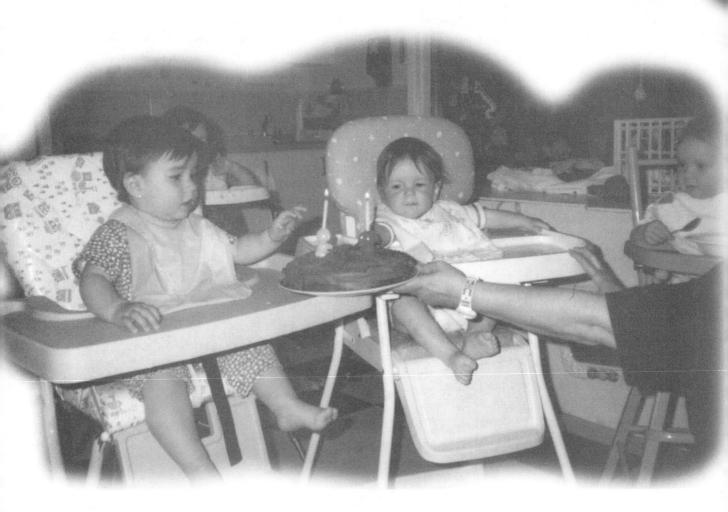

au long du déroulement, on observe la réaction des enfants et on jette un regard critique pour mieux apprécier si les interventions choisies correspondent aux intentions de départ. Cette appréciation influence la planification des activités ultérieures. La prochaine fois, on utilisera les résultats de cette expérience pour modifier son action au besoin et, d'une fois à l'autre, on améliorera la qualité de ses interventions éducatives. C'est ainsi que chaque planification d'activité-projet est influencée par les expériences précédentes et que l'éducatrice emmagasine un répertoire de connaissances pratiques. En augmentant son degré de compétence, elle devient plus habile à s'adapter rapidement aux besoins des enfants et aux situations nouvelles.

De plus, en préparant une activité sur un thème nouveau, l'éducatrice enrichit ses connaissances et même ses habiletés, que ce soit par ses recherches, ses lectures ou ses contacts avec des personnes-ressources.

Poursuivre ses intentions pédagogiques

En planifiant, on augmente les chances que les gestes posés orientent l'action dans le sens désiré. Cette étape amène autant la stagiaire que l'éducatrice d'expérience à s'interroger sur ce qu'elle désire et à faire des choix en conséquence. En planifiant une activité-projet, on précise ses intentions pédagogiques et on adapte les interventions éducatives en fonction de ces dernières.

Faciliter l'encadrement

Une bonne planification facilite grandement la gestion d'un groupe. Il y a peu de risques que l'agitation, la déception (de part et d'autre), le désintéressement ou le désordre s'installent lorsque l'éducatrice est disponible, que le matériel est prêt et en quantité suffisante, que l'espace est aménagé de façon à minimiser les conflits, que les consignes sont claires et que les défis sont adaptés aux enfants.

6.3 Quoi planifier ?

La planification de chacune des composantes de l'activité-projet permet de prévoir les interventions les plus importantes de l'activité et prépare l'éducatrice à intervenir spontanément lors du déroulement. Certaines composantes correspondent à des intentions pédagogiques déjà définies; par exemple, la mise en situation vise à donner le goût aux enfants de réaliser l'activité et l'évaluation les amène à mettre en commun leurs découvertes. Par contre, lors de la planification du déroulement, du choix du matériel ou des pistes d'intervention, une variété d'intentions pédagogiques influent sur le choix des moyens à prendre. Dans les prochains chapitres, tous ces aspects seront expliqués en détail. Le tableau 6.1 donne une vue d'ensemble de ce qu'il est essentiel de planifier.

Tableau 6.1   La planification des composantes de l'activité-projet

Composantes de l'activité-projet	Quoi planifier ?	Information complémentaire
La tâche à accomplir ou le problème à résoudre	L'angle sous lequel le problème à résoudre sera présenté aux enfants.	Chapitre 7
La mise en situation	Les différents éléments déclencheurs qui donneront le goût aux enfants de réaliser l'activité proposée.	Chapitre 8
Le choix du matériel	Le matériel et la documentation nécessaires pour présenter une activité riche et augmenter les occasions d'exploration et de découverte.	Chapitre 9
Les pistes d'intervention	Divers moyens à utiliser pour favoriser le développement de chaque aspect de la personnalité de l'enfant tout au long du déroulement de l'activité.	Chapitre 10
L'évaluation	Les moyens à utiliser pour amener les enfants à mettre en commun leurs découvertes, à jeter un regard critique sur l'activité et à trouver des pistes pour aller plus loin.	Chapitre 11
L'organisation	Où, quand et comment se déroulera l'activité ? Et quels en seront les différentes étapes ?	Chapitre 12
Le déroulement	L'enchaînement des grandes étapes de l'activité ainsi que le rôle et les intentions pédagogiques de l'éducatrice tout au long de la réalisation.	Chapitre 13

6.4 LA STAGIAIRE ET LA PLANIFICATION D'ACTIVITÉS-PROJETS

Les besoins de planification ne sont pas les mêmes pour tous, ils dépendent souvent de l'expérience acquise et des compétences des éducatrices. Celle qui a beaucoup d'expérience maîtrise sans doute très bien certains aspects de l'animation, elle n'a alors pas besoin de tout prévoir jusque dans les moindres détails. Par contre, il est très utile à une stagiaire de planifier le mieux possible sa façon d'intervenir. Il est fort probable que le déroulement ne se passera pas exactement comme prévu, mais la planification détaillée de son action lui évitera d'être prise au dépourvu. Généralement, les aspects de l'activité exigeant des habiletés qu'elle ne maîtrise pas très bien méritent d'être planifiés par écrit et de façon très détaillée. Par exemple, il est

courant qu'une stagiaire ait de la difficulté à énoncer clairement les consignes lors de la présentation de l'activité. Pour développer cette compétence, elle devrait rédiger ces consignes mot à mot et dans l'ordre où elle les donnera aux enfants.

L'abondance des éléments à considérer lors de la planification d'activités-projets peut faire naître un sentiment d'insécurité chez la stagiaire débutante. Mais, le stage étant une expérience pratique d'apprentissage de la profession, la préparation, l'animation et l'évaluation d'activités permettent à la stagiaire d'enrichir son bagage de connaissances et de développer les habiletés et les attitudes qui l'amèneront peu à peu à améliorer la qualité de ses interventions. « En effet, l'apprentissage dans le stage se produit principalement dans les moments d'élaboration et de réflexion sur les expériences et les pratiques. » (Fortin, 1984.) D'où l'importance particulière de la planification des activités.

La planification d'activités-projets donne l'occasion de se rendre compte des liens qui existent entre la théorie et la pratique. Pour la stagiaire, cette étape est fondamentale parce qu'elle favorise l'intégration des connaissances et des habiletés acquises dans le cadre des cours théoriques et qu'elle l'amène à mieux comprendre les différents concepts en les appliquant à des situations concrètes. C'est en cherchant les meilleurs moyens de présenter une activité-projet qu'elle en évalue tout le potentiel et parvient à choisir les interventions adaptées au niveau de développement des enfants du groupe. Par exemple, la stagiaire peut très bien savoir que l'enfant de deux ans n'est pas encore capable de partager avec les autres, mais cette connaissance a peu de valeur si elle n'est pas mise en pratique.

Pour s'éviter des échecs, les stagiaires devraient s'initier progressivement en commençant par animer des activités plus faciles et augmenter graduellement le niveau de difficulté. À l'intention de celles qui font leurs premiers pas dans l'animation d'activités-projets, voici quelques suggestions.

– Choisir un sujet d'activité connu ou se documenter en conséquence.

– Se familiariser avec le matériel avant d'entreprendre l'activité.

– Expérimenter certaines étapes de l'activité avant de la présenter.

– Éviter les activités trop salissantes, car elles demandent plus d'encadrement.

– Éviter les activités qui exigent des mesures de sécurité particulières, comme la menuiserie.

– Remettre à l'éducatrice du groupe une copie du plan de réalisation de l'activité pour qu'elle puisse, au besoin, apporter son soutien.

– Préparer des fiches aide-mémoire et les garder à la portée de la main.

– Décrire verbalement à quelqu'un tout le déroulement de l'activité.

– Rédiger les consignes en employant le même vocabulaire qu'avec les enfants et en suivant le même ordre.

– Ne pas hésiter à incarner un personnage pour atténuer la gêne.

6.5 Questions d'intégration

1. Décrivez comment la planification détaillée d'activités-projets permet de développer les compétences professionnelles des éducatrices.

2. Josiane est éducatrice dans un service de garde. Elle vous dit que la planification nuit au libre choix et au respect du rythme des enfants. Que lui répondez-vous ?

Résoudre des problèmes stimulants

Par définition, l'activité-projet a comme point de départ la proposition d'un projet adapté à l'âge des enfants et formulé comme un problème à résoudre. Le choix du problème à résoudre est donc une des conditions du succès de l'activité-projet. Le problème doit être significatif et faire réagir les enfants pour que ceux-ci s'engagent pleinement dans la recherche de solutions. Le présent chapitre propose une démarche, différents outils et plusieurs suggestions pour définir des problèmes à résoudre adaptés aux enfants de chaque groupe d'âge.

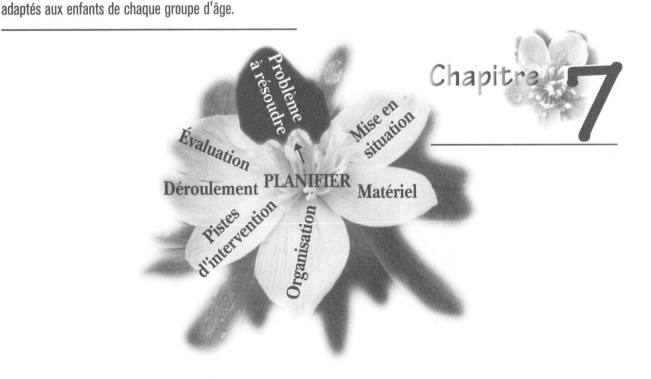

Chapitre 7

Problème à résoudre
Mise en situation
Évaluation
Déroulement PLANIFIER Matériel
Pistes d'intervention
Organisation

7.1 RÔLE DE L'ÉDUCATRICE

Il appartient à l'éducatrice de choisir des problèmes à résoudre qui favoriseront l'engagement des enfants dans des actions concrètes. C'est à cette condition que les activités-projets offertes seront utiles à leur développement. La meilleure façon de faire le bon choix, c'est de définir des problèmes en fonction de leurs intérêts. Ceci exige un bon sens de l'observation, de l'écoute, de l'intuition et beaucoup de créativité. À partir d'un sujet susceptible d'intéresser les enfants, l'éducatrice doit concevoir, analyser, adapter et formuler des problèmes à résoudre qui soient significatifs. Par exemple, l'éducatrice peut très bien avoir remarqué l'intérêt des enfants pour les fleurs, mais cela ne suffit pas toujours à susciter de nouvelles idées d'activités-projets. Les divers outils présentés dans ce chapitre aideront sûrement à enrichir le programme d'activités de défis nouveaux, adaptés à chaque groupe d'âge.

Plusieurs services de garde définissent à l'avance les thèmes à exploiter chaque semaine ou chaque mois de l'année. Véritables fils conducteurs, ces thèmes relient les unes aux autres les différentes situations d'apprentissage et influent sur le choix des activités-projets. Même lorsque le sujet de la semaine est déjà choisi, l'éducatrice doit déterminer sous quels angles elle le traitera et sélectionner les problèmes à résoudre les plus adaptés à son groupe d'enfants. À partir des thèmes les plus ordinaires, il est possible d'organiser des activités très stimulantes; la démarche exposée dans les pages qui suivent permet d'ailleurs de découvrir de nouvelles façons de le faire.

Lors de la présentation du problème à résoudre, l'éducatrice doit en outre veiller à ce que les enfants s'approprient ce problème. Le choix d'une mise en situation stimulante et la définition précise d'un problème ne peuvent, à eux seuls, assurer l'engagement immédiat des enfants. L'éducatrice doit s'attendre à modifier son idée pour l'adapter aux besoins du moment. À cette fin, lors de la présentation de l'activité-projet, elle doit :

– écouter les vrais désirs des enfants;
– animer les discussions en donnant la parole aux enfants à tour de rôle et en reformulant leurs propos;

– favoriser les débats en posant des questions ouvertes.

Avant l'âge de deux ou trois ans, les enfants ne discutent pas le choix du problème à résoudre. C'est donc en les observant en pleine action que l'éducatrice peut vérifier leur degré de motivation. Par exemple, si elle leur propose de construire des tours avec des boîtes vides et que les enfants se mettent à les remplir de jouets, elle peut relancer son idée en faisant elle-même des tours ou modifier la proposition de départ pour l'adapter à leurs intérêts.

Au fur et à mesure que les enfants maîtrisent le langage parlé, ils en viennent à **proposer** des modifications au projet. À trois ans, ils peuvent enrichir le problème à résoudre en proposant l'ajout d'éléments; par exemple, ils peuvent suggérer de montrer les réalisations à un autre groupe. Il est rare que les enfants rejettent complètement un problème qui leur est présenté; généralement, ils proposent des modifications qui ne peuvent qu'améliorer la qualité de leur participation.

7.2 DÉMARCHE POUR FAIRE LE CHOIX DES PROBLÈMES À RÉSOUDRE

La démarche proposée dans le tableau 7.1 facilite le choix de problèmes à résoudre. Elle se divise en quatre étapes qui seront présentées une à une. Cette démarche, qui se réalise individuellement ou en équipe de travail, peut servir à déterminer un seul problème à résoudre en lien avec un thème précis ou à élaborer tout un programme d'activités.

Étape 1 : Inventorier des idées

La première étape consiste à dresser la liste des idées qui serviront au choix du problème à résoudre. Un thème, une action, un mot clé ou du matériel susceptible de captiver les enfants suffit parfois à générer plusieurs activités-projets. Pour s'inspirer, l'éducatrice peut examiner divers aspects :

– les besoins liés au développement des enfants;

– les intérêts des enfants;

– l'environnement;

– les intérêts de l'éducatrice.

Des idées qui émergent des besoins liés au développement des enfants

L'importance de partir des besoins et des intérêts des enfants a été soulignée à plusieurs reprises dans les chapitres précédents. Il est très fréquent que les intérêts manifestés par les enfants aient un lien direct avec leurs besoins de développement. Par exemple, vers l'âge de deux ans, ils nomment spontanément les objets qui les entourent. C'est à cet âge que le développement du langage est en plein essor, et les comportements des enfants illustrent ce phénomène. Par contre, il arrive, surtout dans des milieux pauvres en stimulation, que l'éducatrice reconnaisse des besoins de développement qui ne se sont pas encore manifestés. Par exemple, si un groupe d'enfants de deux ans se montre peu intéressé à utiliser le langage parlé pour communiquer, il

Tableau 7.1   Démarche menant au choix de problèmes à résoudre

Étapes	Outils
1. Inventorier des idées ou des mots clés susceptibles d'intéresser les enfants.	Sources d'inspiration : – les besoins liés au développement des enfants; – les intérêts des enfants; – l'environnement; – les intérêts de l'éducatrice.
2. Utiliser des techniques de créativité pour produire plusieurs idées de problèmes à résoudre autour du thème choisi.	Techniques de créativité : – remue-méninges; – association simple; – carte d'exploration; – bi-sociation; – recherche d'amélioration; – concassage; – technique sensoriperceptuelle; – analogie fantastique ou symbolique.
3. À l'aide de critères, évaluer les idées produites pour déterminer les problèmes à résoudre qui seront proposés aux enfants.	Critères d'évaluation : – conditions de réussite des activités-projets; – disponibilité des ressources humaines et matérielles; – particularités du groupe; – intérêt de l'éducatrice.
4. Formuler clairement le problème à résoudre.	Formulation des problèmes : – un verbe d'action pour guider l'enfant vers le type de projet à réaliser; – l'objet de la réalisation pour préciser l'action à poser; – le contexte de réalisation.

appartient à l'éducatrice de créer l'environnement éducatif qui favorisera cet aspect du développement. Il est important de respecter le rythme d'apprentissage des enfants, mais il est fondamental de leur donner toutes les chances de se développer et de les stimuler en leur offrant des défis nouveaux.

Une bonne connaissance des caractéristiques générales du développement des enfants est essentielle pour identifier les besoins adaptés à chaque groupe d'âge.

L'information contenue dans le chapitre 3 sert de guide pour faciliter le choix des idées à privilégier.

Des idées qui émergent des intérêts des enfants

Il est essentiel de tenir compte des intérêts des enfants lors du choix des problèmes à résoudre. Les caractéristiques particulières d'un groupe d'enfants et les habiletés que ceux-ci mettent en œuvre quotidiennement sont de précieuses sources de renseignements. L'observation est sans aucun doute le meilleur moyen d'identifier les intérêts des enfants. Parfois, il faut planifier ou guider ces observations pour recueillir des informations précises. Pour déceler leurs intérêts, on peut porter attention aux aspects suivants :

– le matériel que les enfants aiment utiliser;
– les sujets qui les préoccupent;
– les personnages qui alimentent leurs discussions;
– les problèmes qui les touchent particulièrement;
– les activités qu'ils aiment faire;
– les événements qui influent sur leur quotidien.

Chaque donnée recueillie peut servir de point de départ à la création d'activités-projets. Par exemple, une éducatrice remarque que les enfants de son groupe, âgés de 18 mois à 3 ans, aiment empiler des objets et bâtir des tours; elle peut alors partir de cet intérêt et puiser parmi les techniques de créativité décrites plus loin pour définir des problèmes à résoudre qui soient stimulants et adaptés.

De plus, les problèmes à résoudre ou les tâches à accomplir peuvent aussi être identifiés à partir de préoccupations ponctuelles des enfants. Par exemple, l'arrivée dans le groupe d'un enfant d'origine chinoise est un événement qui peut susciter la curiosité générale et faire émerger plusieurs questions. Pourquoi ne parle-t-il pas bien le français ? Où est son pays d'origine ? Pourquoi vient-il ici ? Tout ce questionnement mérite qu'on s'y attarde et peut être à l'origine d'une nouvelle activité-projet.

Des idées qui émergent de l'environnement

Quelquefois, les problèmes à résoudre apparaissent spontanément et leur choix est évident. D'autres fois, malgré l'identification des intérêts des enfants ou des besoins liés à leur développement, aucune idée ne semble satisfaisante. Il s'avère alors utile de chercher d'autres sources d'inspiration. L'éducatrice soucieuse d'offrir aux enfants des situations d'apprentissage variées et stimulantes est à l'affût d'événements susceptibles d'enrichir son programme d'activités avec de nouveaux défis.

Plusieurs idées de projets peuvent être suggérées de façon plus ou moins directe par des événements ou des personnes provenant de l'environnement. Par exemple, la présentation d'une pièce de théâtre dans un service de garde, une école ou un organisme municipal est une occasion qui mérite d'être exploitée.

De plus, diverses tâches font partie intégrante de la vie dans un milieu éducatif : réorganiser un coin de jeu ou mettre de l'ordre dans les casiers en sont des exemples. Ces tâches peuvent être présentées comme autant de problèmes à résoudre et devenir de belles occasions d'apprentissage. Par exemple, un groupe d'enfants de trois ans a décoré quelques fenêtres du service de garde pour souligner la fête de la Saint-Valentin. Cette période étant passée, il faut maintenant tout nettoyer. Bien sûr, l'éducatrice peut assumer seule cette tâche ou simplement demander aux enfants d'essuyer les fenêtres, mais il est relativement facile d'enrichir cette idée de manière à créer une activité-projet stimulante et à donner un caractère ludique à ce travail. « Nettoyer les fenêtres » est donc une idée de départ qui peut être transformée en véritable problème à résoudre, soit « changer la décoration des fenêtres pour accueillir le printemps ».

Plusieurs éléments peuvent être à l'origine d'activités-projets originales. On peut en effet s'inspirer :

– de la disponibilité de matériaux de récupération;

– d'une activité organisée par l'école ou la municipalité;

– d'une proposition provenant d'un parent;

– de la présentation d'un spectacle dans la région;

– d'un article de revue ou de journal;

– de certaines tâches à réaliser.

Des idées qui émergent des intérêts de l'éducatrice

Les compétences et les intérêts personnels de l'éducatrice peuvent aussi influer sur le choix des problèmes à résoudre. En abordant des sujets qui la passionnent, il est fort probable qu'elle communiquera son enthousiasme aux enfants et créera ainsi un climat qui leur procurera beaucoup de plaisir. De plus, elle peut se remémorer les jeux et les activités qu'elle aimait dans son enfance. Certains classiques sont toujours très appréciés. Par exemple, quel enfant n'a pas eu, un jour, un plaisir fou à construire des cabanes avec des couvertures ?

Étape 2 : Utiliser des techniques de créativité

Ce n'est pas parce qu'une idée émerge que le problème à résoudre est d'emblée défini. On peut alors se demander comment, à partir de cette idée, de ce besoin ou de ce sujet, formuler un problème stimulant et original à résoudre. Par exemple, une éducatrice remarque que plusieurs enfants de son groupe s'intéressent aux dinosaures. Comment peut-elle, à partir de cet intérêt, proposer un projet ? Les techniques de créativité fournissent des outils fort utiles pour produire des idées nouvelles, originales et variées. Par ailleurs, pour accroître l'efficacité de ces méthodes, il est essentiel de respecter les règles suivantes :

– produire, dans un premier temps, le plus grand nombre d'idées possible sans se préoccuper de leur qualité;

– ne pas se laisser arrêter par la première panne d'idée et se donner le temps qu'il faut pour voir éclore des idées différentes et originales;

– adopter une attitude d'ouverture et d'encouragement mutuel pour favoriser la production d'idées nouvelles; ne pas juger, évaluer ou critiquer durant la période de production d'idées;

– exprimer les idées les plus farfelues et ne pas s'autocensurer. Les idées les plus folles peuvent être transformées et conduire à des solutions réalistes et originales;

– jouer avec les idées des autres, les modifier, les transformer, les enrichir, les associer à d'autres idées;

– faire référence aux expériences passées et s'appuyer sur une documentation variée.

Habituellement, le désir de trouver rapidement une solution constitue le principal obstacle que rencontrent les personnes ayant recours à ces techniques. La période de production d'idées se termine trop souvent aussitôt qu'une idée, plus ou moins valable, est formulée. Ce problème peut être contourné si l'on détermine à l'avance le temps qui sera consacré à l'étape de production d'idées.

Les techniques de créativité peuvent être utilisées par une seule personne, mais le travail en petites équipes augmente considérablement le nombre d'idées produites. Une multitude d'activités-projets peuvent émerger d'une seule séance de créativité. Par exemple, une réunion d'équipe peut être consacrée à la recherche d'activités-projets sur des thèmes déjà déterminés. Si tel est le cas, il est intéressant de préparer ces rencontres en confiant à chacune le soin de se documenter sur un sujet différent.

Quelques techniques de créativité

Le *brainstorming* ou **remue-méninges** est de loin la technique de créativité la plus connue. Mise au point par l'Américain Alex Osborn, elle sert de base à toutes les autres techniques. Cette méthode consiste à énumérer le plus de solutions possible à un problème donné sans se soucier de savoir si l'idée est bonne ou réalisable. Par exemple, on peut avoir recours à cette méthode pour trouver des moyens de satisfaire la curiosité des enfants devant l'arrivée d'un enfant d'origine chinoise. Toutes les idées sont notées, sans aucune censure. Elles seront évaluées ultérieurement, puis adaptées aux capacités des enfants.

L'**association simple,** à partir d'un mot ou d'une idée, est la technique associative la plus élémen-

taire. Il suffit de choisir un objet, une situation, un lieu, un personnage... et de laisser venir toutes les associations possibles. Par exemple, le thème de Pâques peut susciter les idées suivantes : chocolat, lapin, fête, cuisine, décorations, rubans, mauve, jaune, poussins, œufs, omelette, cadeaux, spectacle, réjouissances, musique, chanson, résurrection... Par la suite, les mots qui attirent l'attention sont associés pour formuler des idées de problèmes à résoudre, par exemple :

– décorer le local en jaune et mauve;

– cuisiner des chocolats pour les parents;

– préparer un spectacle mettant en scène des lapins...

La **carte d'exploration,** proposée par Claude Paquette (1976), est une technique d'association qui s'élabore tel un réseau d'idées associées. À partir d'un mot placé au centre d'une feuille, il s'agit d'énumérer différentes idées et de compléter la carte en associant librement des mots les uns aux autres. Le maximum d'associations est souhaitable. Par la suite, on regroupe certaines idées en fonction des liens logiques qui les unissent pour formuler différents problèmes à résoudre. Ainsi, à l'aide de la carte d'exploration ci-contre, l'éducatrice pourrait proposer aux enfants :

– de faire une maquette en pâte à modeler pour une famille de serpents;

– de modeler leur visage;

– de préparer différentes recettes de pâte à modeler;

– d'organiser une exposition de statuettes.

La **bi-sociation à partir de deux ou trois mots** est principalement utile quand plus d'un élément influe sur le choix d'une activité-projet. Ainsi, le thème de la semaine, un intérêt des enfants et un besoin lié à leur développement peuvent être combinés pour choisir des activités-projets pertinentes. Par exemple, les enfants ont démontré de l'intérêt pour les jeux de construction, ils aimeraient comprendre pourquoi les tulipes sortent de terre au printemps, et le Centre de la petite enfance fête l'anniversaire de son ouverture. Cette technique demande de laisser aller toutes les associations qui intègrent ces mots pour formuler des problèmes à résoudre. Par exemple, à partir des mots « construction », « fête » et « tulipe », on peut :

– construire une maison fleurie pour la fête du Centre de la petite enfance;

– fabriquer du papier peint à l'aide de pétales de tulipes pour décorer un coin du local;

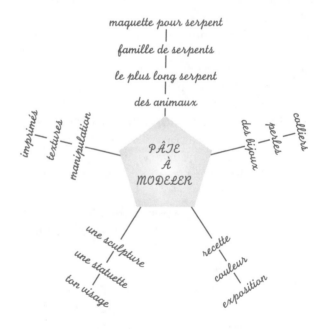

Figure 7.1   Carte d'exploration

– déterrer quelques tulipes et les mettre en pots pour le repas de fête;

– décorer des boîtes de carton avec des motifs de tulipes pour organiser un jeu de construction pour la fête;

– construire une tulipe géante pour la responsable du Centre de la petite enfance.

La **recherche d'amélioration** est une technique utile pour améliorer une situation incomplète ou jugée comme étant plutôt banale. Par exemple, une activité peut être enrichie au lieu d'être mise de côté. Dans un premier temps, il s'agit de déterminer ce qui semble ne pas convenir et de supprimer les insatisfactions en recherchant une amélioration pour chacune d'elles. La technique du **concassage** est très utile pour modifier ou transformer idée. Il s'agit d'agrandir, de réduire, de combiner, d'inverser, d'élargir, d'éliminer ou de modifier certains éléments du problème à résoudre. Les résultats sont souvent surprenants. Par exemple, l'idée de fabriquer des flocons de neige en papier pour décorer le local peut être transformée et devenir l'un des projets suivants :

– concevoir le royaume des flocons de neige;

– fabriquer un immense flocon de neige pour la cour extérieure;

– demander la collaboration de tous les groupes pour fabriquer des flocons de neige et ainsi décorer tout le Centre de la petite enfance;

– fabriquer des flocons de neige avec différents matériaux : une feuille de styromousse, du papier d'aluminium, du papier d'emballage, etc.;

– peindre avec de l'aérosol d'immenses flocons sur la neige;

– inventer l'histoire du flocon de neige;

– organiser une journée sur le thème de la neige;

– se déguiser en flocon de neige.

La **technique sensoriperceptuelle,** proposée par Samuel Amégan (1996), invite à recourir à chacun des sens comme moyen d'inspiration. Ainsi, la recherche d'idées en lien avec un thème peut être effectuée tour à tour sous l'angle de la vue, de l'ouïe, du goût, de l'odorat et du toucher. Par exemple, à partir du thème des insectes, on peut se poser les questions suivantes.

– Comment exploiter cette idée en pensant à des choses qui se voient ou se regardent ? (Ob-server des insectes dans leur habitat naturel, dans un habitat artificiel créé pour eux, au microscope, avec des loupes, etc.)

– Comment exploiter cette idée en pensant à des choses qui se sentent ? (Rechercher les odeurs qui les attirent, qui les font fuir, etc.)

– Comment exploiter cette idée en pensant à des choses qui s'écoutent ? (Enregistrer des chants d'insectes, observer leurs réactions à différents sons, danser sur de la musique provenant de chants d'insectes, monter une chorégraphie dont les personnages sont des insectes, inventer une chanson, etc.)

– Comment exploiter cette idée en pensant à des choses que l'on peut goûter ? (Identifier les repas préférés de certains insectes, préparer une collation d'insectes comestibles, rendre visite à un apiculteur, observer les réactions de certaines espèces si on les place sur des fleurs, sur une montagne de sucre, etc.)

– Comment exploiter cette idée en pensant à des choses qui se touchent ou qui procurent des sensations tactiles ? (Fabriquer pour eux un tapis tactile, explorer différentes textures en lien avec certains insectes, etc.)

Toutes ces idées ne sont pas encore formulées comme de véritables problèmes à résoudre, mais elles peuvent être facilement associées et transformées pour en devenir.

L'**analogie fantastique ou symbolique** adaptée à la création de l'activité-projet est une technique qui consiste à substituer un ou des éléments du réel en faisant appel à l'imaginaire ou au fantastique. Ainsi, on peut enrichir considérablement une activité et lui donner de nouvelles possibilités d'exploitation. En ayant recours à l'imaginaire, on peut :

– inviter l'enfant à se métamorphoser en un animal, un objet, un robot, un personnage fantastique, etc., pour résoudre un problème;

– transformer un objet en d'autres objets réels ou irréels, en personnages, en éléments de la nature, etc.;

– métamorphoser un lieu : le local se transforme en bord de mer, la cour en jungle, le coin tapis représente la lune, etc.;

– inventer une situation : on nage dans la piscine, on mange au restaurant, on marche sur la Lune, etc.

Étape 3 : Évaluer les idées de problèmes à résoudre

Peu importe la technique utilisée, les principales idées retenues doivent être analysées, évaluées et modifiées en fonction du groupe auquel les activités sont destinées. Même si la recherche d'idées s'est faite en équipe, l'étape de l'évaluation peut se réaliser individuellement, car les critères diffèrent souvent d'un contexte à l'autre et d'un groupe à l'autre. La première série de critères servant à évaluer les idées de problèmes à résoudre se rapporte aux conditions de réussite des activités-projets, telles qu'expliquées au chapitre 2.

Dans un premier temps, l'éducatrice se demande si le problème à résoudre :

– suscite l'intérêt des enfants de son groupe;

– a un caractère ludique et est susceptible de procurer du plaisir;

– permet aux enfants d'être les acteurs principaux;

– est une occasion d'apprentissage adaptée au stade de développement des enfants;

– offre une variété de solutions;

– permet aux enfants de choisir différents moyens pour le résoudre;

– dirige les enfants vers la recherche de solutions concrètes et la manipulation d'objets réels;

– permet à tous les enfants qui s'y adonnent de réussir;

– offre la possibilité d'utiliser de la documentation et du matériel variés.

Pour s'assurer que le choix du problème à résoudre est bien adapté au stade de développement des enfants, les conditions particulières de réussite décrites au chapitre 3 complètent celles décrites ci-dessus. Durant l'étape d'évaluation, il est toujours approprié de modifier des éléments pour mieux adapter l'activité-projet.

Dans un deuxième temps, le choix du problème à résoudre se fera en fonction :

– de l'accessibilité des ressources humaines et matérielles;

– des particularités des enfants du groupe;

– de l'intérêt de l'éducatrice pour l'animation de l'activité-projet.

Tous les problèmes à résoudre répondant aux critères mentionnés ci-dessus devraient être conservés pour constituer une banque d'activités-projets.

Étape 4 : Formuler clairement les problèmes à résoudre

Le problème à résoudre doit être formulé clairement pour être bien compris des enfants et favoriser leur engagement dans l'activité proposée. Trois éléments permettent de le clarifier, soit le verbe d'action, l'objet de la réalisation et le contexte de réalisation. Le tableau 7.2 présente des exemples pour chacun de ces éléments.

Le **verbe d'action** guide l'enfant vers le type de projet à réaliser. Le choix du verbe revêt une grande importance et l'action proposée doit être adaptée aux capacités des enfants du groupe. Par exemple, on sait que les enfants n'ont pas la capacité « d'organiser » avant l'âge de quatre ans. Ce verbe sera donc à éviter dans la formulation des problèmes que les enfants de moins de quatre ans seront appelés à résoudre.

Tableau 7.2 Éléments servant à clarifier le problème à résoudre

Verbe d'action	Objet de la réalisation	Contexte de réalisation
Fabriquer	des cartes de souhaits	pour la campagne de financement du Centre de la petite enfance
Inventer	les paroles et la musique d'une chanson	pour présenter au spectacle de fin d'année

L'**objet de la réalisation** précise l'action à poser. Il renseigne l'enfant sur ce qui doit être réalisé. Pour un même verbe d'action, les objets de réalisation peuvent varier considérablement d'un groupe à l'autre. Par exemple, le verbe « construire » peut s'adapter à tous les groupes d'âge, mais si les enfants de un an peuvent construire une tour, ceux de neuf ans sont capables de construire une cabane à oiseaux. Le choix de l'objet de la réalisation doit donc aussi être analysé en fonction des capacités des enfants.

Le **contexte de réalisation** identifie les circonstances dans lesquelles se réalise le projet. À partir de trois ans, les enfants aiment bien faire plaisir et le contexte de réalisation les motive à agir. Par exemple, ils apprécieront fabriquer une carte de souhaits pour envoyer à un ami malade. Le contexte de réalisation dépend considérablement de la réalité propre à chaque milieu. Pour cette raison, plusieurs des activités-projets proposées dans ce manuel ne font pas référence à un contexte particulier. Par exemple, on peut proposer aux enfants de préparer une exposition de peinture pour la fête de fin d'année, pour contribuer à une campagne de financement, ou encore pour la présenter au musée municipal. Il appartient à chaque éducatrice de définir le contexte de réalisation qui convient le mieux aux enfants.

De plus, lors de la présentation de l'activité-projet, une mise en situation est utilisée pour inciter les enfants à s'investir dans le projet. Cet aspect sera traité dans le prochain chapitre.

7.3 Problèmes à résoudre selon les différents groupes

Les pages qui suivent présentent quelques idées de problèmes à résoudre selon les différents groupes d'âge. Ces exemples peuvent devenir des sources d'inspiration pour inventer une foule de nouvelles activités-projets adaptées aux intérêts des enfants. Une bonne connaissance du stade de développement des enfants de son groupe et l'identification de leurs intérêts permettent à l'éducatrice de déterminer quels pro-

blèmes à résoudre correspondent le plus à leurs besoins.

Quelques contextes de réalisation font aussi partie de la description; on pourra toutefois les modifier selon la réalité propre à chaque milieu. De plus, pour bien situer le lecteur, il est important de rappeler les conditions particulières qui favorisent la réussite des activités-projets selon chaque groupe d'âge.

Les enfants de un an à deux ans

Les activités les plus simples présentent souvent des défis impressionnants pour des enfants de un an à deux ans. Le problème à résoudre est plus que jamais un prétexte pour favoriser l'exploration. Par exemple, une éducatrice travaillant auprès d'enfants de 18 mois à 2 ans leur propose de préparer leur bagage pour aller faire la sieste dans le local d'un autre groupe. Elle remet à chacun un sac à dos et leur demande d'y mettre ce qu'ils désirent apporter. Ce petit problème comporte de nombreux défis à relever. Ouvrir le sac à dos, mettre leur couverture et leur drap à l'intérieur, choisir des objets personnels, les insérer dans le sac, le refermer et le transporter jusqu'à l'autre local. Ensuite, tout recommencer dans l'ordre inverse : ouvrir le sac, sortir les objets et s'installer. Cette activité en apparence fort simple représente un véritable projet pour des enfants de cet âge.

Au moment de définir les problèmes à résoudre, l'éducatrice doit tenir compte des **conditions particulières de réussite des activités-projets** destinées aux enfants de ce groupe d'âge. Ainsi, elle doit :

– offrir des problèmes à résoudre simples ou limités à une seule tâche;
– offrir des activités-projets qui se réalisent individuellement;
– offrir des activités-projets qui permettent aux enfants de bouger;
– s'attendre à ce que l'enfant interprète à sa façon la tâche à accomplir.

Le contexte de réalisation a peu d'importance pour les enfants de cet âge puisqu'ils n'agissent pas nécessairement en fonction d'un but précis. Le besoin d'explorer et d'exercer leurs habiletés psychomotrices est suffisant pour les motiver à agir.

Tableau 7.3 Problèmes à résoudre axés sur l'exploration et la découverte adaptés aux enfants de un à deux ans

Verbe d'action	Objet de la réalisation	Contexte de réalisation
Construire	des tours avec toutes sortes de boîtes vides, des blocs, des coussins, etc.	
Faire danser	des foulards au son d'une musique entraînante	
Laver	les jouets roulants, les tables, etc.	
Remplir	des bouteilles d'eau colorée	
Transporter	tous les coussins dans l'autre local	pour aider l'éducatrice
Vider	de grosses boîtes remplies d'objets en rapport avec un thème	

Les enfants de deux à quatre ans

De deux à quatre ans, les enfants aiment particulièrement se mettre dans la peau d'un personnage pour accomplir toutes sortes d'actions. Même s'ils ne sont pas encore capables à cet âge de poursuivre un but très longtemps, ils prennent plaisir à faire semblant et à imaginer toutes sortes d'événements (*voir les tableaux 7.4 et 7.5*).

Les **conditions particulières de réussite des activités-projets** pour les enfants de cet âge sont les suivantes :

– proposer des activités-projets qui donnent aux enfants l'occasion de reproduire des situations familières ;

– offrir des activités-projets que les enfants peuvent réaliser seuls, mais qui leur donnent aussi la possibilité de coopérer ;

– privilégier les activités-projets qui ne visent pas de résultats précis ;

– offrir du matériel de base qui serve de support à la réalisation de l'activité.

Tableau 7.4 Problèmes à résoudre axés sur l'exploration et la découverte adaptés aux enfants de deux à quatre ans

Verbe d'action	Objet de la réalisation	Contexte de réalisation
Plier	des vêtements (bas, mitaines, débarbouillettes, etc.)	pour aider...
Construire	des routes	pour se rendre à la maison de poupées
Laver	les vêtements de poupées, les jouets, les fenêtres, etc.	pour qu'ils soient bien propres
Cuisiner	de la pizza, de la salade de fruits, des biscuits, etc.	pour le dîner
Habiller	des poupées, des animaux en peluche, etc.	pour aller faire une promenade au parc
Réparer	de vieux souliers, des livres, etc.	pour installer un magasin
Coiffer	un ami ou une poupée	pour la séance de photographie

Tableau 7.5 Problèmes à résoudre axés sur l'expression et la création adaptés aux enfants de deux à quatre ans

Verbe d'action	Objet de la réalisation	Contexte de réalisation
Décorer	des branches, un coin du local, un rideau de douche, une citrouille, etc.	pour une occasion spéciale
Fabriquer	des napperons, des bijoux, des cartes de souhaits, etc.	pour offrir en cadeau à...
Inventer	une danse	pour se faire filmer et se regarder
Peindre	des œuvres	pour une exposition
Confectionner	des décorations	pour le sapin de Noël
Imaginer	les aventures de différents personnages	
Transformer	une pomme de terre	en personnage

Les enfants de quatre à six ans

Les enfants de quatre à six ans aiment agir en fonction d'un but, et les activités-projets peuvent se dérouler en deux ou trois étapes distinctes qui se réaliseront à différents moments de la semaine. À cet âge, le contexte de réalisation revêt plus d'importance (*voir les tableaux 7.6, 7.7 et 7.8*). Par exemple, ils sont généralement enthousiastes à l'idée de présenter leurs réalisations à leurs amis. D'ailleurs, une activité-projet appelée « La boîte à moi[1] » intéresse particulièrement les enfants de plus de quatre ans. Le projet consiste à demander à chaque enfant d'amasser dans une boîte, qu'il décore à sa façon, des photos et des objets qui témoignent du temps où il était bébé, pour les présenter au groupe. Cette activité a l'avantage de devoir se réaliser en collaboration avec la famille et entraîne souvent des répercussions bien au-delà du milieu éducatif.

---

1. Activité proposée aux enfants de l'école Atelier, à Montréal.

Voici les **conditions particulières de réussite des activités-projets** pour les enfants de cet âge :
– proposer des activités-projets où les enfants deviennent des personnages;
– proposer des activités-projets qui ont un but;
– offrir du matériel nouveau en grande quantité;
– proposer des activités-projets qu'ils peuvent réaliser en équipes de deux.

Tableau 7.6 Problèmes à résoudre axés sur l'exploration et la découverte adaptés aux enfants de quatre à six ans

Verbe d'action	Objet de la réalisation	Contexte de réalisation
Cultiver	un jardin	pour la cuisinière
Aménager	un camping, une forêt... dans le bac à sable	pour des figurines
Laver	l'automobile de l'éducatrice	pour faire comme les grandes personnes
Poster	une lettre à la maison	pour faire une surprise à ses parents
Concevoir	un jeu avec deux ballons et un foulard	et le faire vivre aux autres
Imaginer	l'histoire d'un enfant d'une autre origine ethnique	pour découvrir ses us et coutumes
Préparer	« la boîte à moi »	pour présenter au groupe ses souvenirs d'enfance
Dessiner	l'intérieur de son corps	pour l'expo-sciences
Fabriquer	des bateaux	pour le bac à eau
Construire	un moyen de transport	pour se rendre sur la Lune
Inventer	une potion magique	pour guérir la sorcière

Tableau 7.7 Problèmes à résoudre axés sur l'organisation adaptés aux enfants de quatre à six ans

Verbe d'action	Objet de la réalisation	Contexte de réalisation
Organiser	une exposition et concevoir les invitations	pour les groupes plus jeunes ou les parents
Mettre sur pied	une épicerie, un magasin de souliers ou d'articles de plein air, etc.	et inviter un autre groupe à le visiter
Préparer	un pique-nique, une collation, etc.	pour une sortie
Planifier	les activités d'une journée	pour la visite des grands-parents à la garderie
Organiser	un repas	pour la visite des extraterrestres

Tableau 7.8 Problèmes à résoudre axés sur l'expression et la création adaptés aux enfants de quatre à six ans

Verbe d'action	Objet de la réalisation	Contexte de réalisation
Fabriquer	un cadeau, une carte de souhaits et du papier d'emballage	pour l'anniversaire de...
Peindre	à la manière de Picasso, de Gauguin, etc.	pour une exposition
Modeler	différents objets	pour le bazar
Décorer	des chandails	pour un défilé de mode
Inventer	un animal fantastique	pour l'utiliser comme personnage principal d'un conte
Composer	la musique d'une chanson ou d'une comptine	pour l'enregistrer

Les enfants de six à neuf ans

Les enfants de six à neuf ans apprécient particulièrement les activités-projets à long terme (*voir les tableaux 7.9, 7.10 et 7.11*). Ils sont maintenant capables d'interrompre leur travail pour le poursuivre le lendemain. Par exemple, ils peuvent préparer un spectacle qui se déroulera dans quelques semaines. Leur maîtrise de l'écriture ouvre la porte à la création littéraire de même qu'à des activités-projets qui font appel à la recherche documentaire.

De plus, ils sont capables de travailler en équipe et de se partager différentes tâches. Ainsi, un groupe peut fabriquer des marionnettes, tandis qu'un autre élabore le scénario et qu'un dernier construit les décors. Le tout peut même être supervisé par une équipe de coordination. Un seul projet peut ainsi faire appel à des compétences variées.

Rappelons les **conditions particulières de réussite des activités-projets** destinées aux enfants de six à neuf ans :

– proposer des activités-projets qui les amènent à résoudre des problèmes réels;
– les laisser choisir parmi une variété d'activités-projets;
– proposer des problèmes à résoudre qui permettent de développer des compétences très variées;
– proposer des activités-projets à réaliser en équipe.

Tableau 7.9 Problèmes à résoudre axés sur l'exploration et la découverte adaptés aux enfants de six à neuf ans

Verbe d'action	Objet de la réalisation	Contexte de réalisation
Bâtir	son arbre généalogique	pour le présenter au groupe
Réaliser	des expériences scientifiques	pour l'expo-sciences
Assembler	une collection de roches, de minéraux, de papillons, de timbres, etc.	pour l'expo-sciences
Fabriquer	des parfums, des crèmes, des huiles de bain, etc.	pour la fête des Mères
Filtrer	de l'eau	pour découvrir les polluants
Cuisiner	des pâtisseries	pour une fête

Tableau 7.10 Problèmes à résoudre axés sur l'expression et la création adaptés aux enfants de six à neuf ans

Verbe d'action	Objet de la réalisation	Contexte de réalisation
Fabriquer	des décors	pour une pièce de théâtre
Créer	une histoire où l'enfant est le personnage principal	pour présenter à l'occasion de...
Confectionner	des cartes de souhaits, des porte-clés ou des objets divers	pour une campagne de financement
Inventer	le scénario d'un spectacle de marionnettes	pour la fête de...
Rédiger	un poème	pour le journal
Créer	une chorégraphie	pour le spectacle de...
Inventer	la chanson thème	du carnaval

Tableau 7.11 Problèmes à résoudre axés sur l'organisation adaptés aux enfants de six à neuf ans

Verbe d'action	Objet de la réalisation	Contexte de réalisation
Organiser	un repas de fête, une foire (kiosques de jeu)	pour la fin de l'année
Préparer	les activités	pour une fête sur le thème d'un pays
Mettre sur pied	un journal	pour le Service de garde
Planifier	des jeux	pour les olympiades
Organiser	une exposition	pour la journée portes ouvertes

Les jeunes de neuf ans et plus

Les enfants de cet âge ont besoin de relever des défis à leur mesure; ils sont capables de s'imaginer ce qu'ils doivent faire pour atteindre leur but et de planifier les différentes étapes d'un projet de grande envergure. Par exemple, ils prendront plaisir à réaliser une vidéocassette sur un thème de leur choix. Des projets qui se répètent à intervalles réguliers, comme la publication d'un journal, leur permettront de par-

faire leurs connaissances et leurs habiletés (*voir les tableaux 7.12, 7.13 et 7.14*).

Les **conditions particulières de réussite des activités-projets** destinées à ces jeunes sont les suivantes :

– proposer uniquement de grandes idées ou de grands thèmes;
– partir des problèmes que les enfants veulent résoudre;
– agir comme personne-ressource.

Tableau 7.12 Problèmes à résoudre axés sur l'exploration et la découverte adaptés aux jeunes de neuf ans et plus

Verbe d'action	Objet de la réalisation	Contexte de réalisation
Construire	une cabane à oiseaux	pour la fête des Pères
Correspondre	avec des enfants d'une autre école, d'un autre pays, etc.	en vue d'organiser un voyage
Rédiger	le compte rendu d'une visite	pour le journal local
Dessiner	la carte géographique de la région	pour afficher dans le corridor de l'école
Concevoir	son portrait à l'âge adulte ou un masque de soi	pour une exposition
Préparer	des pochettes d'information	sur les us et coutumes d'autres pays
Concevoir	un jeu de devinettes	pour les groupes d'enfants plus jeunes

Tableau 7.13 Problèmes à résoudre axés sur l'expression et la création adaptés aux jeunes de neuf ans et plus

Verbe d'action	Objet de la réalisation	Contexte de réalisation
Concevoir	une bande dessinée	pour la bibliothèque de l'école
Créer	des affiches à l'aide de l'ordinateur ou de techniques d'imprimerie	pour une occasion spéciale
Inventer	les paroles et la musique de chansons	pour un spectacle
Inventer	un conte	pour les enfants de la maternelle
Écrire	des poèmes	pour la soirée de la poésie
Réaliser	une vidéocassette sur les activités du Service de garde	pour la soirée des parents

Tableau 7.14   Problèmes à résoudre axés sur l'organisation adaptés aux jeunes de neuf ans et plus

Verbe d'action	Objet de la réalisation	Contexte de réalisation
Organiser	une sortie, un séjour en plein air, des olympiades, une expo-sciences, etc.	pour une journée pédagogique
Mettre sur pied	un service d'aide aux devoirs	pour les plus jeunes
Organiser	un spectacle, une campagne de financement, un marché aux puces, etc.	pour venir en aide aux plus démunis
Aménager	un local	pour le club des 9-12
Organiser	des conférences ou des ateliers	pour les enfants du Service de garde
Réaliser	une maquette	de la cour extérieure idéale
Construire	les plans de la maison de ses rêves	pour une exposition

Les groupes multiâges

Même si plusieurs des problèmes présentés ci-dessus peuvent facilement être résolus par des groupes d'enfants de un an à 12 ans, l'éducatrice pourra s'inspirer des quelques exemples qui suivent pour élaborer des activités-projets adaptées aux groupes multiâges (*voir les tableaux 7.15, 7.16 et 7.17*).

Rappelons les **conditions particulières de réussite des activités-projets** pour les groupes multiâges :

– proposer des activités-projets qui intègrent les événements de la vie quotidienne;

– proposer des activités-projets où les tâches peuvent être réparties en fonction du degré d'habileté de chacun;

– offrir des activités-projets qui invitent les enfants plus âgés à s'occuper des plus jeunes;

– choisir des activités-projets qui se réalisent avec des niveaux d'habileté variables;

– proposer des activités-projets qui utilisent les ressources du quartier.

Tableau 7.15 Problèmes à résoudre axés sur l'exploration et la découverte adaptés aux groupes multiâges

Verbe d'action	Objet de la réalisation	Contexte de réalisation
Préparer	la salade	pour le dîner
Mettre	la table de façon originale	pour la collation
Décorer	des biscuits	pour une occasion spéciale
Choisir	(à la bibliothèque du quartier) des livres	à emprunter pour la semaine
Aller cueillir	un bouquet de fleurs sauvages	pour offrir aux parents
Construire	toutes sortes de maisons	pour aménager une ville
Fabriquer	des casse-tête	pour les enfants plus jeunes

Tableau 7.16 Problèmes à résoudre axés sur l'expression et la création adaptés aux groupes multiâges

Verbe d'action	Objet de la réalisation	Contexte de réalisation
Inventer	une histoire	pour les enfants plus jeunes
Décorer	un mur	pour faire une surprise aux parents
Fabriquer	des animaux en pâte à modeler	pour la maquette du zoo
Confectionner	un cadeau	pour un anniversaire

Tableau 7.17 Problèmes à résoudre axés sur l'organisation adaptés aux groupes multiâges

Verbe d'action	Objet de la réalisation	Contexte de réalisation
Organiser	une fête	pour l'anniversaire du poupon
Aménager	un coin	pour jouer avec les poupées
Organiser	un défilé de mode	et inviter quelques enfants du quartier
Concevoir	l'album des enfants du Service de garde	pour garder en souvenir

7.4 QUESTIONS D'INTÉGRATION

1. Vous faites partie de l'équipe de cinq éducatrices du centre de la petite enfance *L'hirondelle*. Pour souligner le cinquième anniversaire de l'ouverture, le comité pédagogique a décidé que le thème de la semaine serait « l'hirondelle ». Vous décidez de former un groupe de travail pour choisir des problèmes à résoudre adaptés à chaque groupe d'âge (de 18 mois à 2 ans, de 2 à 3 ans et de 3 à 4 ans). Utilisez la démarche proposée dans ce chapitre pour formuler deux problèmes à résoudre adaptés à chacun des groupes.

2. Un parent travaillant dans une filature vous apporte une caisse de grosses bobines de fil vides (cônes de carton de 5 cm de diamètre à la base et de 10 cm de hauteur). Vous vous demandez comment utiliser ce matériel avec les enfants.

   Utilisez la technique de créativité de votre choix pour définir cinq problèmes à résoudre, adaptés à des enfants de moins de trois ans, à partir de ces cônes de carton. Tout autre matériel peut être ajouté pour enrichir l'activité-projet.

3. Vous êtes éducatrice dans un service de garde en milieu scolaire. Votre groupe d'enfants de six à neuf ans manifeste beaucoup d'intérêt pour les bandes dessinées. En vous inspirant de cet intérêt, utilisez la démarche exposée dans ce chapitre pour formuler cinq projets différents à leur proposer.

4. Vous êtes éducatrice d'un groupe de quatre ans. Vous avez une idée de problème à résoudre que vous ne trouvez pas très originale : cuisiner des biscuits pour la collation. Utilisez les techniques de recherche d'améliorations et de concassage pour enrichir cette idée.

5. Vous êtes éducatrice d'un groupe de jeunes de 9 à 12 ans. Le journal local annonce que ce sera bientôt la semaine de la sécurité routière. Vous êtes convaincue que les jeunes seront intéressés à y participer et vous désirez leur présenter un choix de problèmes à résoudre qui stimuleront leur créativité.

   Utilisez la technique sensoriperceptuelle pour créer cinq problèmes à résoudre originaux et stimulants en rapport avec cet événement.

6. Vous êtes responsable d'un service de garde en milieu familial et un des enfants est hospitalisé pour subir une opération mineure. Utilisez la technique de créativité de votre choix pour définir, en rapport avec cet événement, trois problèmes à résoudre qui seront présentés aux enfants du groupe.

Les mises en situation

Lorsque le problème à résoudre est choisi, il faut trouver une façon stimulante de le présenter aux enfants. C'est par la mise en situation que les enfants entrent pour la première fois en contact avec l'activité-projet proposée. Cette composante influe grandement sur la façon dont les enfants s'engageront dans la démarche de résolution de problèmes. Le présent chapitre propose différents outils et quelques suggestions pour créer des mises en situation qui contribueront à déclencher la motivation nécessaire à la réalisation de l'activité-projet proposée.

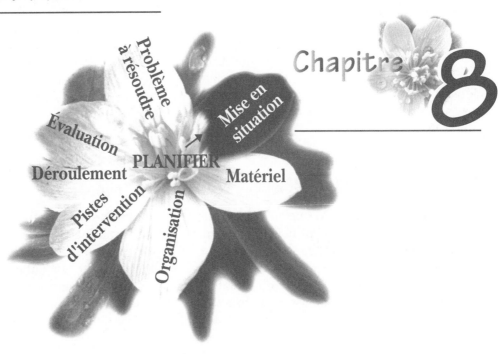

Chapitre **8**

Problème à résoudre

Mise en situation

Évaluation

PLANIFIER

Déroulement

Matériel

Pistes d'intervention

Organisation

8.1 Rôle des mises en situation

La **mise en situation** est un ensemble d'interventions éducatives utilisées au tout début de l'activité. Elle sert à présenter le thème du problème à résoudre et vise à capter l'attention des enfants pour susciter leur désir de participer. Les interventions utilisées sont généralement collectives, planifiées et de courte durée.

La mise en situation étant un ensemble d'interventions éducatives, plusieurs éléments peuvent être employés pour éveiller l'intérêt des enfants. Par exemple, lorsque l'éducatrice dépose dans le local un gros sac visiblement rempli d'objets et qu'elle demande aux enfants de deviner ce qui s'y trouve, elle utilise à la fois l'intervention directe et l'intervention indirecte.

La mise en situation est présentée au tout début de l'activité. C'est à la suite de ce premier contact avec le sujet de l'activité que les enfants décideront ou non d'investir leur énergie dans la résolution du problème proposé. À la façon d'un déclencheur, elle incite les enfants à se mettre en mouvement vers la recherche de solutions.

Habituellement, la mise en situation est une intervention éducative collective, c'est-à-dire qu'elle est utilisée pour présenter à un sous-groupe ou à l'ensemble du groupe un problème à résoudre ou une tâche à accomplir. En ce sens, elle se doit d'être de courte durée afin de ne pas mobiliser l'attention des enfants trop longtemps.

Pour être bien adaptée au contexte de l'activité et à l'âge des enfants, la mise en situation doit être planifiée à l'avance. Par ailleurs, certains éléments peuvent être ajoutés à la dernière minute afin de l'enrichir ou de l'adapter aux premières réactions des enfants.

8.2 Rôle de l'éducatrice

Lors de la planification d'une activité-projet, l'éducatrice a comme rôle principal de réunir les éléments qui éveilleront immédiatement l'intérêt des enfants. C'est le moment idéal pour exercer sa créativité et mettre à profit ses talents de comédienne. D'ailleurs, les techniques de créativité exposées au chapitre précédent peuvent être très utiles pour trouver des mises en situation nouvelles et originales. Même si les enfants sont curieux et qu'il est généralement assez facile de les intéresser, il faut innover et oser les surprendre. Durant ce court moment, l'éducatrice est l'actrice principale; par la suite, ce rôle reviendra aux enfants. Elle devra alors écouter leurs vrais désirs pour s'assurer que le problème à résoudre correspond à leurs intérêts.

L'éducatrice est celle qui connaît le mieux les enfants de son groupe. En faisant le lien entre leurs intérêts ou ce qui retient habituellement leur attention et le sujet de l'activité, elle pourra planifier des mises en situation stimulantes. De plus, lors de la présentation, si le groupe est trop agité ou démontre peu d'intérêt, elle doit faire confiance à son intuition et adapter son action à la réalité du moment en modifiant ou en abrégeant ce qui était prévu. Parfois, avec des enfants présentant des caractéristiques particulières qui les empêchent de fournir une attention soutenue, il est nécessaire de plonger rapidement dans l'activité.

De plus, au moment de la présentation, l'attitude de l'éducatrice a une portée considérable sur l'intérêt des enfants. Si elle-même démontre de l'enthousiasme et du plaisir, les enfants se laisseront plus facilement prendre au jeu.

8.3 Interventions éducatives et mises en situation

Les mises en situation peuvent être très diversifiées et comporter plusieurs éléments. Avoir à l'esprit les différentes formes d'interventions éducatives peut contribuer à l'élaboration de mises en situation riches et stimulantes.

Mises en situation par l'intervention directe

La mise en situation requiert presque toujours une certaine forme d'intervention directe de la part de l'éducatrice. En général, celle-ci présente l'activité aux enfants, même si, pour **amorcer** ou compléter son intervention, elle utilise d'autres éléments.

Tableau 8.1 Exemples de mises en situation par l'intervention directe et verbale

Idées	Exemples
Raconter une histoire ou un petit scénario	Raconter l'histoire des *Trois petits cochons* (pour introduire l'idée de construire des maisons comme celles des petits cochons).
Décrire un problème réel aux enfants	« Je trouve que le local est triste et dégarni. »
Lire un article de journal, une publicité...	« La Caisse populaire organise une campagne pour venir en aide aux enfants défavorisés du quartier »; poursuivre par la lecture de la publicité.
Réciter une comptine ou chanter une chanson	*J'ai deux yeux, tant mieux...* (pour amener l'idée de faire son autoportrait).
Proposer aux enfants de se représenter qu'ils sont dans un autre lieu, qu'ils se transforment en personnages imaginaires ou que certains objets se métamorphosent.	« Imaginons que chacun d'entre vous se transforme en un animal de son choix... »

Intervention directe et verbale

L'intervention directe et verbale est sans aucun doute la plus courante. Elle permet de présenter clairement aux enfants le sujet de l'activité. Le tableau 8.1 regroupe quelques idées et exemples de ce type d'intervention.

Intervention directe et non verbale

L'intervention directe et non verbale est un excellent moyen de piquer la curiosité des enfants et de provoquer des réactions. Par exemple, pour introduire l'idée de mettre sur pied un magasin de souliers, une éducatrice chausse deux souliers différents. Les enfants sont vite intrigués et interrogent l'éducatrice : « Pourquoi as-tu mis des souliers différents ? » De plus, si elle a l'air étonné, elle augmente considérablement leur intérêt et crée un climat de plaisir.

Comme on l'a déjà dit, les très jeunes enfants imitent spontanément ce qu'ils voient. Avec des enfants de moins de trois ans, il est souvent très efficace d'entreprendre soi-même une activité au lieu de tout expliquer. Par exemple, l'éducatrice qui aligne des blocs pour construire une route et y fait rouler un véhicule sera rapidement imitée par plusieurs enfants.

Tableau 8.2 Exemples de mises en situation par l'intervention directe et non verbale

Idées	Exemples
Modifier un ou quelques éléments de son habillement ou en ajouter	Se mettre un chapeau de paille et des gants pour présenter une activité de jardinage.
Commencer l'activité	Lors d'une promenade au parc, cueillir des fleurs sauvages qui serviront à réaliser l'activité-projet prévue au retour.
Exagérer une attitude de surprise, de mécontentement...	Faire semblant d'être très surprise de voir un amas de roches sur une table.
Mimer des actions et laisser les enfants deviner	Faire semblant qu'une mouche se promène dans le local et qu'elle dérange beaucoup, pour introduire une activité sur les insectes.

Mises en situation par l'intervention indirecte

L'intervention indirecte a comme principal avantage d'éveiller rapidement la curiosité des enfants. En introduisant un élément nouveau, comme une autre personne ou des objets peu familiers, on déclenche généralement plusieurs questions et on attire instantanément l'attention.

Intervention indirecte et verbale

L'intervention indirecte et verbale consiste à utiliser un personnage ou à inviter une autre personne à présenter l'activité-projet. Par exemple, en modifiant simplement sa voix et en utilisant une marionnette, l'éducatrice intrigue considérablement les enfants. Elle peut même retrouver sa voix réelle pour interroger le personnage qui présente l'activité. Elle devient alors complice des enfants pour discuter du problème à

Tableau 8.3 Exemples de mises en situation par l'intervention indirecte et verbale

Idées	Exemples
Se transformer en personnage (des éléments de costume rendent plus crédible la transformation).	« Je suis devenue la fée et avec ma baguette magique je vous amène en... »
Utiliser une marionnette ou une mascotte	Une marionnette représentant un lapin demande aux enfants de lui préparer une bonne salade, car elle a très faim.
Utiliser un personnage de conte, de bande dessinée...	« Tintin vous demande de l'aider à trouver... »
Inviter un parent, une personne-ressource	Demander au directeur de l'école de venir présenter le projet qu'il a entrepris.
Utiliser une cassette audio ou une vidéocassette	Enregistrer un message qui propose une activité-projet et le faire écouter aux enfants.
Demander à un enfant d'être complice	Demander à un enfant d'apporter sa collection de roches pour amorcer une activité sur ce thème.
Lire une lettre, un message...	Écrire sur un parchemin ou dans une lettre le problème à résoudre et dire aux enfants qu'un message important vient d'arriver.

résoudre. Un simple détail transporte immédiatement les enfants de deux à cinq ans dans le monde de l'imaginaire.

Intervention indirecte et non verbale

L'intervention indirecte et non verbale, même si elle n'a pas le mérite d'être explicite, attire rapidement l'attention et suscite généralement de nombreuses questions. Elle est particulièrement efficace lorsqu'elle précède l'intervention directe de l'éducatrice.

8.4 Critères pour une mise en situation efficace

Une mise en situation doit inciter les enfants à s'impliquer dans l'activité-projet proposée. La combinaison de différentes formes d'interventions a de fortes chances de produire un effet intéressant. Une mise en situation est considérée efficace lorsqu'elle :

– attire immédiatement l'attention des enfants;
– fait le lien entre les préoccupations des enfants et le sujet de l'activité;
– fait appel à plusieurs sens;
– crée un climat de plaisir;

– est adaptée à l'âge des enfants du groupe;
– suscite des questions;
– est en lien avec le problème proposé.

Attirer immédiatement l'attention des enfants

La mise en situation doit surprendre les enfants en leur présentant des éléments nouveaux, intrigants et même un peu mystérieux. D'où l'importance de préparer des mises en situation assez courtes qui les fascineront instantanément. Il faut garder à l'esprit que la mise en situation n'est pas l'activité principale : elle n'a pour but que d'introduire cette dernière.

Faire le lien entre les préoccupations des enfants et le sujet de l'activité

S'il est conseillé de partir des intérêts des enfants pour introduire des éléments nouveaux, il est tout aussi fructueux de piquer d'abord leur curiosité avec des sujets inconnus et d'établir ensuite un lien avec leurs préoccupations actuelles. Par exemple, pour introduire une activité qui propose d'imaginer les aventures d'un enfant en voyage dans le Grand Nord, une éducatrice apporte une pièce de viande crue. Les enfants sont étonnés et se demandent à quoi cette mise en scène peut bien servir. Elle leur rappelle que, la semaine précédente, ils ont été

Tableau 8.4 Exemples de mises en situation par l'intervention indirecte et non verbale

Idées	Exemples
Déposer à la vue des enfants un objet nouveau, inhabituel	Mettre sur la table des poissons rouges dans un sac de plastique pour introduire l'idée d'aménager un aquarium.
Mettre au mur des affiches, des reproductions...	Afficher une reproduction de Picasso pour susciter l'idée de préparer une exposition.
Créer un effet de surprise en mettant des objets dans un sac ou dans une valise	Mettre une partie du matériel nécessaire à une activité-projet dans une valise et laisser les enfants deviner ce qu'elle contient. Ensuite, les laisser explorer le matériel.
Apporter un livre, un conte, une coupure de journal ou une publicité...	Laisser à la vue des enfants un livre sur les voitures anciennes pour amorcer une activité de construction de véhicules.
Utiliser des éléments de décoration	Suspendre au plafond plusieurs étoiles pour susciter l'idée d'organiser un « pyjama party ».
Faire entendre une œuvre musicale	Utiliser une musique futuriste pour introduire l'idée d'un voyage sur la Lune.
Aménager le local pour l'activité	Disposer tout le matériel nécessaire à l'activité sur les tables et laisser les enfants deviner le sujet de l'activité.

surpris d'apprendre que les Inuits mangent de la viande crue. En faisant le lien avec leur intérêt, il devient facile de leur proposer de découvrir d'autres aspects de la culture de ce peuple.

Faire appel à plusieurs sens

Une mise en situation qui fait appel à plusieurs sens est plus susceptible d'attirer l'attention des différents types d'enfants. Certains sont plus attirés par ce qu'ils voient, d'autres, par ce qu'ils entendent et d'autres, par ce qu'ils peuvent manipuler. Une mise en situation qui combine différents éléments produit un maximum d'effets. D'ailleurs, la technique sensoriperceptuelle est particulièrement adaptée à la création de mises en situation originales. Il s'agit de se demander quels éléments visuels, sonores, olfactifs, tactiles et gustatifs susciteront l'attention des enfants et les amèneront à s'intéresser au sujet proposé. Par exemple, pour présenter une activité sur le thème de la boulangerie, on peut apporter un bon pain chaud. Les enfants en sentiront l'arôme, le manipuleront et y goûteront. L'odorat est un sens souvent oublié, mais que l'on peut stimuler pour attirer l'attention des enfants comme celle des adultes.

Créer un climat de plaisir

Une bonne dose d'humour et de légèreté est essentielle pour créer un climat de plaisir. Il ne faut pas avoir peur de plaisanter avec les enfants, de les faire rire ou d'avoir recours à des devinettes. Par exemple, l'éducatrice qui confond soudainement tous les noms des enfants déclenche un moment de folie qui allège l'atmosphère et attire immédiatement l'attention de tous.

Adapter les mises en situation à l'âge des enfants du groupe

Les mises en situation doivent correspondre au niveau de développement des enfants et à leur compréhension du monde. Par exemple, l'éducatrice qui se déguise au point de ne plus être reconnaissable peut créer un climat d'insécurité chez les enfants de moins de trois ans, tandis que les plus âgés trouveront cela très drôle et se laisseront immédiatement transporter dans le monde de la fantaisie. Les pages qui suivent et le tableau 8.5 proposent quelques suggestions en ce sens.

Susciter des questions

Les mises en situation doivent intriguer les enfants et piquer leur curiosité. Par exemple, l'éducatrice d'un groupe de quatre ans qui fait semblant de parler une langue étrangère se fait demander immédiatement ce qu'elle dit. Les enfants essaient de deviner et lui accordent ainsi toute leur attention. En misant sur la curiosité des enfants et en mettant simplement à leur disposition de la documentation qui se rapporte au sujet traité, l'éducatrice est pratiquement assurée de faire naître plusieurs interrogations qui donneront l'élan de départ à l'activité. De plus, leurs questions permettent de connaître leurs préoccupations du moment et de mettre ces dernières à profit durant la réalisation.

Avoir un lien avec le problème proposé

La mise en situation peut orienter l'intérêt des enfants vers un tout autre sujet si elle n'est pas en lien avec le problème proposé. En effet, il peut arriver que le moyen utilisé, même s'il attire instantanément l'attention, ne contribue pas à intéresser les enfants à l'activité choisie. Cette composante de l'activité-projet doit conduire directement à une proposition de problème à résoudre. Par exemple, pour introduire l'idée d'une exposition de sculptures, il est approprié de présenter quelques œuvres aux enfants ou d'apporter des livres d'art.

8.5 Quelques suggestions

Les pages qui suivent présentent des suggestions en fonction des différents groupes d'âge. L'éducatrice pourra s'en inspirer pour proposer à son groupe des mises en situation appropriées.

Les enfants de moins de deux ans

Aménager le local pour l'activité   Les enfants de moins de deux ans sont très attirés par ce qu'ils voient; avec eux, les explications verbales ne sont pas toujours efficaces. Un simple aménagement du local suffit parfois pour amorcer des activités-projets. Par exemple, une montagne de coussins, au centre de la pièce, déclenche instantanément un mouvement d'exploration de la part des enfants.

Commencer l'activité   L'action de l'éducatrice incite les enfants à l'imiter. Par exemple, si elle lance des balles dans un panier, en peu de temps quelques-uns feront de même.

Il ne faut pas oublier que les enfants de cet âge ne sont pas encore capables de se mettre dans la peau d'un personnage, qu'ils ne peuvent se représenter une situation passée ou comprendre l'utilisation de symboles. Pour ces raisons, il n'est pas approprié d'utiliser des mises en situation qui font appel à leur imaginaire.

Les enfants de deux à quatre ans

Utiliser le merveilleux et l'imaginaire   À cet âge, les enfants commencent à jouer à faire semblant et leur imagination est très fertile. Les mises en situation qui les transportent dans le monde de l'imaginaire sont de très bons déclencheurs. Par exemple, il est très facile de leur proposer de devenir des animaux ou des personnages connus. De plus, ils sont fascinés par les personnages fabuleux. L'éducatrice qui fait parler une marionnette est pratiquement assurée d'une écoute attentive.

Aménager le local pour l'activité   Aménager le local de façon spéciale est un excellent moyen de présenter une activité. Il est facile de piquer la curiosité des enfants avec un objet inusité ou particulièrement attrayant. Ils remarquent rapidement la moindre modification apportée à l'environnement et ils exploreront avec enthousiasme les objets qu'on leur présente.

Les enfants de quatre à six ans

Exploiter les jeux de rôles   Les enfants de ce groupe d'âge aiment faire des jeux de rôles et se mettre dans la peau de personnages. Il suffit de leur dire « Imaginez-vous que... » pour qu'ils s'envolent dans un autre monde, bien qu'ils soient un peu plus en mesure de distinguer le possible de l'impossible. Ils aiment bien se laisser transporter dans la fantaisie, même si, en général, ils savent que c'est l'éducatrice qui fait parler la marionnette. Utiliser l'imaginaire, partir d'une histoire ou même se déguiser pour déclencher une activité est particulièrement approprié aux enfants de cet âge.

Piquer leur curiosité par des éléments nouveaux   À cet âge, les enfants aiment la nouveauté et un objet inconnu déclenche rapidement plusieurs questions. De plus en plus réalistes, ils veulent expérimenter et comprendre le comment et le pourquoi de ce qui les entoure. La venue de personnes-ressources excite facilement leur curiosité.

Les enfants de six à neuf ans

Se servir d'événements réels Les enfants d'âge scolaire aiment organiser des activités et résoudre des problèmes concrets. Les mises en situation qui commencent par la lecture d'une publicité ou d'un article de journal, ou la simple description d'un contexte suffisent souvent à éveiller leur intérêt. Par exemple, leur proposer d'organiser une sortie pour célébrer la fin de l'année scolaire provoque immédiatement l'émergence de plusieurs idées.

Exploiter leur intérêt pour la mise en scène À cet âge, les enfants aiment mettre en scène des personnages. Leur présenter une mascotte ou un personnage farfelu et leur demander d'imaginer ses aventures suscitent habituellement beaucoup d'intérêt.

Tirer parti de leur attachement à des vedettes, des chansons ou des activités populaires Les enfants de six à neuf ans affectionnent particulièrement certaines activités, chansons ou vedettes populaires. Les mises en situation qui font référence à ce qui est à la mode ont de fortes chances d'attirer immédiatement leur attention.

Les jeunes de neuf à douze ans

Fournir de l'information Les jeunes de neuf à douze ans participent souvent à l'élaboration du programme d'activités. Il est donc moins nécessaire d'avoir recours à des mises en situation quand les activités-projets sont choisies par eux, mais il est très stimulant de leur procurer de la documentation en rapport avec leurs projets. Pour stimuler l'émergence d'idées nouvelles, l'éducatrice peut fournir de l'information sur des sujets variés et susceptibles de les intéresser. De plus, la visite de personnes-ressources et la présentation d'affiches ou d'objets rarement accessibles stimuleront leur curiosité et pourront même être à l'origine de nouveaux projets.

Planifier les mises en situation avec quelques enfants De petits scénarios, réalisés en collaboration avec quelques enfants, peuvent aussi déclencher leur réflexion et introduire de nouveaux thèmes. En négociant des sujets d'activités avec des sous-groupes, on peut par la même occasion planifier la façon de les présenter.

Pour compléter l'information qui précède, le tableau 8.5 présente des mises en situation appropriées à chaque groupe d'âge. Bien entendu, ces quelques suggestions doivent être adaptées aux particularités des enfants et au thème de l'activité. Par exemple, l'affiche utilisée avec un groupe de quatre ans est différente de celle qui convient à celui des neuf ans.

Tableau 8.5 Exemples de mises en situation adaptées aux différents groupes d'âge

Interventions directes et verbales	1-2 ans	2-4 ans	4-6 ans	6-9 ans	9-12 ans
Raconter une histoire ou un petit scénario	*	•	•	•	*
Décrire un problème réel		*	•	•	•
Lire un article de journal, une publicité...			•	•	•
Réciter une comptine ou chanter une chanson	•	•	•	*	
Proposer aux enfants de se représenter qu'ils sont dans un autre lieu, qu'ils deviennent des personnages ou que certains objets en représentent d'autres.		•	•	•	*
Interventions directes et non verbales					
Modifier un ou quelques éléments à son habillement ou en ajouter	*	•	•	•	*
Commencer l'activité	•	•	*	*	
Exagérer une attitude de surprise, de mécontentement...	*	•	•	*	
Mimer des actions et laisser les enfants deviner		*	•	•	*
Interventions indirectes et verbales					
Se transformer en personnage (des éléments de costume rendent plus crédible la transformation).		•	•	*	
Utiliser une marionnette ou une mascotte	*	•	•	*	
Utiliser un personnage de conte, de bande dessinée...		•	•	•	*
Inviter un parent ou une personne-ressource		•	•	•	•
Utiliser une cassette audio ou une vidéocassette		•	•	•	•
Demander à un enfant d'être complice		*	•	•	•
Lire une lettre, un message...		*	•	•	•
Interventions indirectes et non verbales					
Mettre à la vue des enfants un objet nouveau, inusité	*	•	•	•	*
Mettre au mur des affiches, des reproductions...	*	•	•	•	•
Créer un effet de surprise en mettant des objets dans un sac ou dans une valise	*	•	•	•	*
Apporter un livre, un conte, une coupure de journal ou une publicité...		•	•	•	•
Utiliser des éléments de décoration	*	•	•	•	
Faire entendre une œuvre musicale	•	•	•	•	•
Aménager le local pour l'activité	•	•	•	*	

• Convient en général très bien à ce groupe.   * Peut convenir à ce groupe.

8.6 Questions d'intégration

1. Rédigez des mises en situation stimulantes et appropriées à l'âge des enfants en fonction des problèmes à résoudre suivants.

   a) Groupe des un an: laver les petites autos.

   b) Groupe des trois ans : préparer une omelette.

   c) Groupe des cinq ans : préparer « la boîte à moi » pour la présenter aux enfants de son groupe. (Le projet consiste à rassembler dans une boîte, que l'enfant décore à sa façon, différents objets qui lui sont précieux pour les présenter au groupe.)

2. L'éducatrice du groupe des quatre ans vous a raconté une activité que les enfants de son groupe ont entreprise. En mettant de l'ordre dans l'armoire, elle a sorti une boîte remplie de balles de laine et de cordes variées. Au moyen de ces dernières, les enfants ont fabriqué toutes sortes de toiles d'araignée en utilisant certains meubles. Elle décrit que les interactions étaient nombreuses, que les enfants devaient continuellement tenir compte de la présence des toiles des autres et qu'ils ont eu un plaisir fou à rendre la circulation pratiquement impossible dans le local. Elle vous suggère d'expérimenter cette activité-projet avec votre groupe de trois ans. Trouvez une mise en situation pour susciter l'intérêt des enfants pour cette activité-projet.

3. Vous êtes éducatrice dans un service de garde en milieu scolaire. Vous avez le goût de proposer aux enfants deux nouvelles activités-projets. Rédigez une mise en situation stimulante et appropriée à chacune d'elles.

   a) Pour le groupe des six à neuf ans : concevoir une bande dessinée où l'enfant est le héros principal.

   b) Pour le groupe des 9 à 12 ans : publier le journal du Service de garde.

Le choix du matériel

La réussite d'une activité-projet dépend pour une part de la documentation et du matériel qui seront offerts aux enfants, puisque c'est en agissant sur les objets, c'est-à-dire en les utilisant ou en les transformant, qu'ils feront des découvertes sur le sujet proposé. Le matériel varié, nouveau, intrigant et stimulant permet donc de multiplier les occasions de développement en offrant des défis nouveaux. Les ressources matérielles disponibles dans le milieu facilitent la sélection des articles nécessaires à la réalisation d'une activité-projet. Il s'avère donc important de préciser quelques critères pouvant guider les achats ou les recherches.

Vient ensuite une proposition de démarche pour choisir adéquatement le matériel à offrir aux enfants lors d'une activité-projet. De plus, à titre complémentaire, trois outils pédagogiques sont suggérés pour la mise en commun des ressources matérielles utiles à la réalisation d'une multitude d'activités-projets.

Tout au long du présent chapitre, une attention particulière est accordée aux articles qui ne sont pas commercialisés à des fins éducatives et que l'on retrouve plus rarement dans les services de garde.

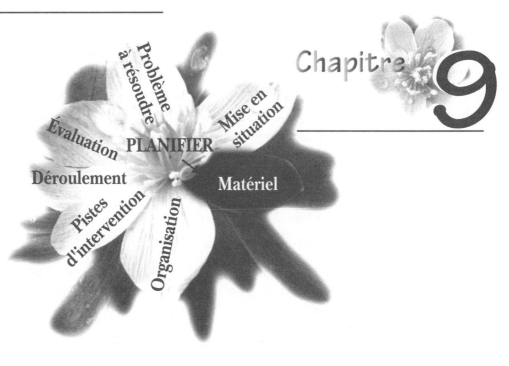

Problème à résoudre

Évaluation

PLANIFIER

Mise en situation

Déroulement

Matériel

Pistes d'intervention

Organisation

Chapitre 9

9.1 Rôle de l'éducatrice

Mis à part l'ameublement et l'équipement de base, souvent achetés à l'ouverture du Service de garde, la sélection du matériel nécessaire aux activités quotidiennes est habituellement du ressort des éducatrices. Par les choix qu'elles font, elles orientent les occasions d'exploration et de découverte des enfants, ce qui traduit leur philosophie éducative. Par exemple, celles qui investissent beaucoup dans l'aménagement de coins d'activités consacrés aux jeux de rôles démontrent l'importance qu'elles accordent à ces jeux comme moyens de développement.

Dans le contexte d'une approche globale du développement, l'éducatrice doit créer un environnement physique favorisant l'acquisition de connaissances, la maîtrise d'habiletés et le développement d'attitudes sur les plans cognitif, psychomoteur, social, affectif et moral. Dans ce sens, son rôle consiste à :

– se procurer du matériel et de la documentation pouvant offrir aux enfants des défis diversifiés;

– travailler en collaboration avec les différents intervenants du milieu;

– inculquer aux enfants le respect du matériel;

– cerner le potentiel du matériel de jeu en ce qui a trait au développement des enfants.

Se procurer du matériel et de la documentation pouvant offrir aux enfants des défis diversifiés

On ne peut nier l'attrait que les objets exercent sur les enfants et l'intérêt qu'ils manifestent à les explorer. Ils ont soif de découvrir et c'est en explorant les objets que la connaissance se construit. Selon Piaget, la manipulation est plus qu'un simple exercice moteur, elle provoque une activité mentale essentielle à un apprentissage significatif. L'action de l'enfant sur les objets lui permet certes d'exercer ses habiletés motrices, mais cela l'amène également à identifier leurs caractéristiques, à les comparer, à les transformer et à les combiner avec d'autres. Par ces activités, il fait des liens et pose des hypothèses qu'il tentera tôt ou tard de vérifier. En lui donnant la possibilité d'agir sur plusieurs objets, on multiplie donc les occasions d'apprentissage.

La réalisation d'activités-projets est une belle occasion pour se mettre à la recherche des objets et de la documentation susceptibles de piquer la curiosité des enfants. Ainsi, petit à petit, l'éducatrice se procure du matériel et des accessoires en rapport avec de nouveaux thèmes et enrichit le milieu de ressources matérielles additionnelles. Par exemple, lors de la construction de cabanes à oiseaux, on peut se procurer des livres expliquant les habitudes de vie des oiseaux, différentes affiches qui facilitent l'identification des espèces ou tout autre objet lié de près ou de loin à ce thème.

De plus, l'éducatrice doit être continuellement à l'affût de la nouveauté et en mesure de repérer tout objet, article de revue, illustration ou matériel pouvant être d'un quelconque intérêt pour les enfants. Cette attitude de recherche devrait se manifester dès le début de la formation de la future éducatrice. C'est ainsi qu'elle développe son esprit créateur et accumule du matériel et de la documentation qui serviront au moment opportun. En classant ses trouvailles par thèmes, elle constitue des dossiers qui s'enrichissent au fil des ans.

Il est essentiel de souligner ici que les avantages que procure aux enfants du matériel riche et stimulant prennent leur pleine valeur uniquement quand ce matériel est organisé et agencé de façon logique. Il faut éviter d'offrir simultanément une trop grande quantité de matériel nouveau. La surabondance amène souvent les enfants à papillonner d'un objet à l'autre sans vraiment les explorer.

Travailler en collaboration avec les différents intervenants du milieu

Beaucoup d'énergie et de temps peuvent être économisés lorsqu'on travaille en collaboration avec d'autres intervenants. La variété du matériel offert aux enfants peut être considérablement augmentée lorsque les éducatrices d'un même service de garde unissent leurs efforts pour enrichir le milieu de nouvelles ressources. Il n'est pas nécessaire, ni même souhaitable, que du matériel relié à plusieurs thèmes soit offert simultanément aux enfants. Par exemple, différents aménagements pour les jeux symboliques, comme un magasin, un salon de coiffure, un bureau de poste ou un coin de marionnettes, peuvent être conçus en collaboration et être utilisés en alternance par les différents groupes tout au long de l'année. Il est aussi avantageux de partager d'autres outils pédagogiques, comme la documentation, l'ordinateur et les « valises pédagogiques ».

Inculquer aux enfants le respect du matériel

Le respect du matériel est une attitude à développer dès le plus jeune âge. C'est le premier pas vers le respect de la nature, de l'environnement et du bien d'autrui. En apprenant à l'enfant à éviter le gaspillage et à manipuler les objets avec soin, on lui inculque des valeurs qui lui seront utiles toute sa vie. Voici quelques idées pour communiquer aux enfants l'importance du respect du matériel :

– aménager soigneusement le milieu de vie;

– organiser un système de rangement adéquat;

– les faire participer à la sélection, au rangement et à l'entretien du matériel;

– utiliser des matériaux de récupération;

– envoyer au recyclage les matériaux qui ne sont plus utiles;

– proposer des activités-projets qui soient en rapport avec la conservation des ressources naturelles et le respect de l'environnement.

Cerner le potentiel du matériel en ce qui a trait au développement des enfants

L'éducatrice doit bien connaître toutes les possibilités et les limites du matériel avant de le proposer dans le cadre d'une activité. En plus de lui éviter des surprises désagréables, cela lui permettra de mieux soutenir l'exploration des enfants. Par exemple, certaines substances à modeler se travaillent mieux avec des outils ou conviennent uniquement à certaines réalisations.

9.2 Critères guidant le choix de matériel

Plusieurs critères guident le choix de matériel : certains sont d'ordre physique, d'autres font référence à des aspects psychologiques. Avant d'acheter ou de mettre à la disposition des enfants différents objets de jeu, il importe de bien

les évaluer. Les critères exposés ci-dessous peuvent servir à la confection d'une grille d'analyse.

La sécurité

Les services de garde ont la responsabilité d'offrir un environnement qui minimise les risques d'accidents. Ainsi, tous les objets mis à la disposition des enfants doivent être sécuritaires. C'est un critère de base dans le choix du matériel de jeu. Rachel Guénette, dans *Des enfants gardés... en sécurité* (1988), donne des conseils fort utiles pour prévenir les accidents et aménager un environnement sécuritaire.

Même s'il est impossible d'éliminer toutes les sources de danger, il faut constamment évaluer les risques et prendre les précautions qui s'imposent. Par exemple, la manipulation de certains objets nécessite une surveillance attentive et l'établissement de consignes claires. Les très jeunes enfants sont souvent intrépides parce qu'ils ne connaissent pas encore toutes les conséquences de leurs actions. En dosant progressivement les obstacles et les difficultés, on leur permettra peu à peu d'évaluer par eux-mêmes certains risques et de développer ainsi une attitude plus prudente. Par ailleurs, l'éducatrice devrait proposer uniquement du matériel qui lui inspire confiance. Autrement, l'insécurité engendrée par la présence de certains objets l'amènerait à limiter l'exploration ou à vivre un stress inutile.

De plus, il est important de souligner que du matériel jugé sécuritaire pour un enfant de trois ans ne l'est pas nécessairement pour un tout-petit. Ainsi, la dimension de chaque pièce d'un jeu doit être appropriée à l'âge de l'enfant. Des objets trop petits, trop gros ou trop lourds peuvent présenter des risques. En général, les jouets vendus chez les commerçants sont censés être conformes aux normes de sécurité énoncées dans les *Règlements sur les produits dangereux,* mais une grande vigilance s'impose lorsque du matériel d'un autre genre est utilisé.

Le rapport qualité-prix

Tout achat doit être analysé du point de vue du rapport entre la qualité de l'objet et son prix. On doit s'assurer que la durabilité et la solidité du matériel que l'on achète sont appropriées à l'usage que l'on en fera. Par exemple, le matériel de base devrait toujours être de très bonne qualité; il est préférable de payer un peu plus et de pouvoir l'utiliser pendant plusieurs années. Les outils, comme les ciseaux, doivent être d'excellente qualité pour faciliter le travail de l'enfant. De plus, le matériel d'entretien facile conserve son apparence plus longtemps, ce qui prolonge sa durabilité.

La polyvalence

Le critère de polyvalence prend toute son importance dans le contexte des services de garde, compte tenu que les budgets alloués à l'achat du matériel sont plutôt restreints. Le matériel polyvalent, que l'on appelle souvent « matériel ouvert », stimule la créativité parce qu'il peut être utilisé ou se transformer de multiples façons. D'ailleurs, le présent chapitre traitera peu du matériel de jeu qui vise des apprentissages très précis ou le développement d'habiletés particulières. Ce type de jeu, comme les casse-tête ou les jeux de loto, est communément nommé « matériel fermé ». Bien que celui-ci puisse présenter un certain intérêt, il est rarement utile dans le cadre d'activités-projets. Son usage étant prédéterminé par le fabricant, il offre peu de choix à l'enfant. De plus, il est généralement très coûteux et ne correspond qu'à un niveau de développement spécifique.

Les blocs ou les matériaux à modeler offrent plusieurs possibilités et peuvent être utilisés par des enfants d'âges différents. Les costumes et les accessoires incitant aux jeux symboliques sont propices au développement du langage, stimulent la créativité et favorisent l'expression des émotions. Le matériel ouvert et polyvalent suscite des occasions de développement souvent imprévisibles. De plus, certains outils peuvent être considérés comme du matériel polyvalent, même s'ils ont quelquefois des fonctions assez précises, car ils peuvent servir à la réalisation d'une variété d'activités.

La complémentarité

À quoi sert une planche à repasser, s'il n'y a pas de fer ? À quoi sert un costume de pompier, si aucun accessoire ne permet de jouer ce rôle ?

Les objets liés à un thème doivent être suffisamment nombreux pour alimenter l'activité des enfants. Par exemple, un coin menuiserie qui comporte un marteau, quelques tournevis et deux ou trois morceaux de bois représente un potentiel assez limité. Par contre, si on y trouve des vis de tailles et de formes variées, un bloc à sabler et divers outils et matériaux, plusieurs possibilités s'offrent indirectement aux enfants.

La présence de plusieurs objets complémentaires liés à une même activité aide les enfants dans leur effort de réalisation et les amène à se concentrer plus longtemps sur une même tâche. Par contre, en présence d'une grande quantité d'objets n'ayant aucun lien entre eux, les enfants papillonnent d'une activité à l'autre et les découvertes qu'ils font sont plus superficielles. Par exemple, plusieurs jeux de construction ne contenant que quelques pièces permettent des réalisations peu élaborées, tandis qu'un ensemble de construction comportant une bonne quantité et une variété de pièces compatibles favorise la création d'œuvres des plus intéressantes.

L'authenticité ou la vraisemblance

Bien que les enfants soient capables de prendre un bloc et de s'imaginer qu'il s'agit d'une petite voiture, ils préfèrent généralement les objets réels ou ceux qui leur ressemblent. Les supports concrets inspirent et stimulent davantage leur imagination.

De plus, lorsqu'on permet aux enfants de manipuler des objets de la vie courante, ils en découvrent les véritables caractéristiques. Ainsi, à partir de trois ou quatre ans, les enfants sont capables d'utiliser de véritables vis et tournevis. Il est avantageux d'offrir les objets réels aux enfants, à moins que ceux-ci présentent un risque pour leur sécurité (fer à repasser) ou qu'ils soient inaccessibles (caisse enregistreuse) à cause de leur coût, de leur format ou pour toute autre raison. Dans de tels cas, on utilise des objets vraisemblables, comme les fers à repasser-jouets, ou des objets miniatures comme des figurines ou de petits véhicules. Dès que les vrais objets ne présentent plus de danger pour les enfants, ils peuvent déloger les objets de substitution. Par exemple, lorsque les enfants ont environ trois ans, le téléphone-jouet peut être remplacé par un téléphone défectueux.

Les matériaux naturels, tels que le sable, la terre et l'eau, sont des sources de plaisir inépuisables. Les enfants devraient avoir accès à ces éléments le plus souvent possible. De grands bacs, habituellement utilisés pour le rangement, sont très appropriés aux jeux de ce genre et facilitent l'entreposage. L'eau est un matériau très accessible qui peut servir à une foule d'activités. Par exemple, en essuyant de la vaisselle qui a vraiment été mouillée, le plaisir des enfants est doublé. De plus, ils s'attardent plus longtemps à la tâche et font alors de véritables apprentissages.

9.3 Démarche pour faire le choix de matériel

Souvent les services de garde utilisent les catalogues de matériel éducatif pour faire le choix de matériel. Ces catalogues répondent assez bien aux besoins quand il s'agit de choisir le mobilier et le matériel de base, mais sont moins utiles pour répertorier le matériel complémentaire qui sert à l'exploitation de divers thèmes. On remarque que les articles de jeu y sont souvent regroupés en fonction des différentes disciplines. Par exemple, on trouve dans une même section tout le matériel utile pour les arts plastiques, la musique ou la psychomotricité. Ce mode de classement ne favorise pas vraiment une approche globale du développement. Une démarche thématique facilite le repérage de matériel nouveau et suffisamment complet pour alimenter l'activité des enfants et favoriser leur développement global. De plus, elle permet souvent de trouver du matériel différent de celui qu'offrent les magasins de matériel éducatif.

Une fois le problème à résoudre identifié et la mise en situation définie, l'éducatrice doit prévoir tout le matériel nécessaire à la réalisation de l'activité-projet. Pour ce faire, elle peut avoir recours à la démarche suivante.

1. Identifier les actions possibles des enfants.
2. Énumérer les articles nécessaires à chacune de ces actions (matériel de base ou matériaux et outils).
3. Compléter en ajoutant des accessoires qui agrémenteront les actions des enfants.

4. Ajouter du matériel complémentaire en rapport avec le thème de l'activité.
5. Choisir de la documentation pertinente.

Le tableau 9.1 illustre bien comment tout le matériel utile à la réalisation d'une activité-projet peut être identifié et classé.

Tableau 9.1   Matériel prévu pour le thème « Le lavage des vêtements de poupées »

ÉTAPE 1	ÉTAPE 2	ÉTAPE 3	ÉTAPE 4	ÉTAPE 5
Actions des enfants	Matériel de base, matériaux et outils	Accessoires	Matériel complémentaire	Documentation
Remplir des bacs d'eau savonneuse	eau, différents types de savon à lessive, bacs	couvertures pour absorber l'eau qui tombe sur le sol	brosses à linge, meuble à tiroirs, contenants de détergent vides, vêtements décolorés par du javellisant, etc.	photographies, publicités dans les revues, symboles servant à identifier les produits dangereux, illustrations d'une machine à laver automatique et d'une ancienne machine à laver, livre de conte sur ce sujet, etc.
Mettre les vêtements dans l'eau	vêtements de poupées : bas, robes, pantalons, couvertures, couches	paniers à linge		
Les savonner et les frotter	pains de savon	planche à laver		
Les rincer	bac d'eau claire	assouplisseur		
Les tordre		serviettes		
Les transporter	paniers à linge			
Les faire sécher	corde à linge, séchoirs, pinces à linge	serviettes pour absorber l'eau, sac à pinces, ventilateur		
Les plier, les ranger ou habiller les poupées		contenant pour le rangement ou poupées		

Du matériel bien défini !

Matériel de base ou matériau   objet ou matière de base sur lesquels ou avec lesquels l'enfant agit (papier, pâte à modeler, bois, poupées, etc.).

Outil   objet qui sert à transformer les matériaux, à explorer ou à agir sur d'autres objets (ciseaux, loupe, etc.).

Note : Un même objet peut se retrouver dans l'une ou l'autre de ces catégories selon le thème de l'activité. Par exemple, des objets classés dans la catégorie « outil », comme des pinces à linge qui servent à étendre les vêtements dans une activité de lavage. Par contre, ils seront considérés comme du « matériel de base » dans une activité d'exploration des ressorts.

Accessoire   objet qui complète le matériel ou l'équipement et enrichit l'activité des enfants (perruque, signaux routiers, etc.).

Matériel complémentaire   tout autre objet en rapport avec le thème, mais moins directement relié aux actions des enfants.

Documentation   information écrite, illustrée, sonore ou audiovisuelle pouvant intéresser les enfants.

9.4 Ressources matérielles à mettre en commun

Comme il a été dit précédemment, plusieurs ressources matérielles peuvent être mises en commun et utilisées par tous les intervenants du Service de garde. Il s'agit d'outils pédagogiques qui peuvent servir à la réalisation d'une diversité d'activités-projets.

Centre de documentation

Les avantages de faire référence à de la documentation dès le plus jeune âge sont nombreux. En effet, cela permet notamment de :

– soutenir la curiosité des enfants;

– stimuler leur intérêt pour les livres;

– les familiariser avec l'utilisation de symboles;

– développer leur goût d'apprendre à lire;

– proposer de nouvelles pistes d'exploration.

La création d'un centre de documentation facilite la recherche lors de la planification d'activités-projets et stimule également l'émergence d'idées nouvelles. Pour commencer, il suffit de déterminer un lieu et un mode de classement de l'information. Par la suite, tous les intervenants du milieu peuvent y déposer leurs trouvailles. Un tel projet peut être très stimulant pour une équipe de travail et même susciter un nouvel élan de dynamisme.

Comment se procurer de la documentation ? Les bibliothèques, les magazines et les journaux fournissent de l'information très variée et on peut y trouver une multitude d'illustrations. Les parents et les enfants peuvent aussi être sollicités lorsqu'on cherche une documentation particulière; par exemple, on peut faire un « appel à tous ». Certaines entreprises et plusieurs organismes publics offrent, souvent gratuitement, de la documentation et des échantillons sur différents sujets. On peut avoir des surprises fort agréables; ainsi, une étudiante a reçu d'une entreprise papetière de la pâte, des échantillons de papier et de carton, et une documentation impressionnante.

Il ne faut pas croire que seule la documentation qui leur est destinée attire l'attention des enfants. Ils sont généralement très motivés à feuilleter des encyclopédies bien illustrées. Par exemple, une stagiaire avait eu un franc succès en apportant à son groupe d'enfants de trois ans un livre sur les volcans. Les enfants l'ont réclamé plusieurs semaines de suite. Les illustrations saisissantes ne finissaient plus de les émerveiller.

« Valises pédagogiques »

Ce concept pédagogique consiste à regrouper dans un même contenant, telle une valise, plusieurs éléments éducatifs de différentes natures en rapport avec un thème. Ces valises deviennent des outils pédagogiques qui complètent le centre de documentation et peuvent être utilisés par les différentes éducatrices d'un centre de la petite enfance ou d'un service de garde en milieu scolaire. En réunissant le matériel pédagogique en rapport avec un thème, cet outil permet aux éducatrices de trouver et de choisir rapidement le matériel nécessaire à une activité-projet sur ce thème. Sa composition n'est jamais définitive et plusieurs personnes peuvent y ajouter leurs dernières trouvailles. C'est un excellent moyen de travailler en collaboration et de mettre des ressources en commun; d'ailleurs la popularité de ce genre d'outil s'accroît sans cesse. De plus, le travail en collégialité qu'il suscite est souvent à l'origine d'échanges et de discussions pédagogiques fort stimulants.

Le contenu d'une valise pédagogique dépend souvent du thème choisi, mais certains éléments sont généralement appréciés. Voici un exemple de ce que l'on peut y trouver :

– un guide qui décrit le contenu de la valise, donne de l'information sur le sujet et propose à l'utilisateur différentes activités d'apprentissage;

– une marionnette ou une mascotte qui sert de soutien à l'animation;

– une variété d'objets en rapport avec le sujet traité;

– différents jeux en fonction du sujet traité;

– de la littérature enfantine liée au thème;

– des documents audiovisuels : cassettes sonores ou vidéocassettes, etc.;

– de la documentation de référence pouvant être utilisée par les adultes ou les enfants : des affiches, des dépliants, des brochures, des revues, des reproductions d'œuvres d'art, etc.

Il est assez facile de déterminer quels objets devrait renfermer une valise pédagogique thématique. Il s'agit de se demander ce que les enfants aimeraient utiliser, manipuler, sentir ou observer. Si l'on prend, par exemple, le thème de la fourrure, il est évident qu'une variété d'échantillons de fourrure sera très appréciée des enfants; il serait également approprié d'y joindre des illustrations des animaux qui sont associés à chacun de ces échantillons. On peut ajouter des objets fabriqués à partir de ce matériau et d'autres qui sont confectionnés avec des peaux transformées, c'est-à-dire avec du cuir ou de la babiche. Il serait intéressant d'y placer

aussi des éléments qui font des liens avec l'histoire, la culture scientifique ou tout autre aspect susceptible de captiver l'intérêt des enfants.

Le contenant peut être une valise ou une boîte conçue pour le rangement, mais il doit avant tout être facilement transportable, durable, sécuritaire et assez grand pour contenir tout le matériel. Il est aussi important que les objets à l'intérieur soient rangés de telle manière que l'utilisateur puisse les y replacer facilement. De plus, le contenant peut être décoré de façon que l'on identifie rapidement le thème.

Les valises pédagogiques peuvent tout aussi bien susciter des idées d'activités-projets que servir de ressources matérielles pour la réalisation d'une multitude de projets. Le tableau 9.2 regroupe des thèmes de valises pédagogiques susceptibles d'intéresser les enfants.

Tableau 9.2 Thèmes de valises pédagogiques

L'argent	La photographie	Les aimants	Les dinosaures	Les minéraux	Les timbres
Le bois	La vache	Les métiers	Les étampes	Les oiseaux	Les tissus
La coiffure	Le papier	Les chapeaux	Les fruits	Les pâtes alimentaires	Les tuyaux
La fourrure	Le plastique	Les cordes	Les sentiments	Les plumes	La pollution
La laine	Le savon	Les couleurs	Les grenouilles	Les roches	Le cirque
La peinture	Les arbres	Les crayons	Les marionnettes	Les rubans	Les pays

Ordinateur

Quelle place devrait-on accorder aux ordinateurs dans les services de garde ? Cette question se pose souvent. Plus précisément, on se demande si l'investissement que représente un tel achat sera compensé par l'utilisation qu'on en fera. L'ordinateur donne accès à deux types de produits, soit les logiciels-outils et les didacticiels. Ces derniers sont souvent conçus pour enseigner des concepts spécifiques ou pour développer des habiletés particulières. Bien qu'ils puissent présenter un certain intérêt, ils sont rarement utiles lors de la réalisation d'activités-projets. En revanche, il convient de se demander dans quelle mesure les logiciels-outils, tels les logiciels de traitement de texte ou de dessin, sont utiles aux projets des enfants.

En milieu scolaire, les logiciels-outils servent à la réalisation de plusieurs activités. Les enfants de cet âge utilisent le langage écrit et le traitement de texte facilite, par exemple, la réalisation d'un journal, d'un conte ou de toute autre production écrite. Les logiciels de dessin permettent la création d'affiches, d'illustrations et même de plans, dans le cadre de projets d'aménagement, par exemple. De plus, l'accès au réseau Internet offre une nouvelle avenue pour la recherche d'information sur des sujets très variés. Le courrier électronique permet de communiquer avec d'autres enfants à travers le monde. Une telle accessibilité ouvre la porte à une foule de projets. Bien que l'ordinateur augmente grandement les possibilités d'activités-projets et de réalisation, il demeure que certaines éducatrices ne se sentent pas toujours à l'aise avec cet outil. Par contre, les enfants l'utilisent souvent avec une facilité que leur envient les adultes et ils sont très fiers d'agir, à l'occasion, à titre de personnes-ressources.

Il y a quelques années, on craignait les effets de l'utilisation de l'ordinateur sur le développement social. Contrairement à ce que l'on aurait pu croire, certaines études démontrent que leur usage favorise l'entraide et les échanges mutuels.

Dans le cas des enfants d'âge préscolaire, toutefois, l'utilité de l'ordinateur est beaucoup moins évidente. Certains considèrent que c'est un instrument essentiel, d'autres ont une position plus mitigée. Dans un article paru dans la revue *Inter-action* (hiver 1995), publiée par la Fédération canadienne des services de garde à l'enfance, l'auteur, Prochner, cite un spécialiste : « L'ordinateur est considéré comme un matériel qui possède une foule d'avantages et de problèmes potentiels. Si on s'en sert judicieusement sur la base des principes du développement de la petite enfance, il peut constituer un précieux complément aux autres outils pédagogiques de la classe. » (Davidson, 1989, p. 12, traduction de Prochner) Puis il ajoute : « Bien que l'ordinateur présente beaucoup de possibilités pour la salle de classe de la petite enfance, son absence des classes ne serait pas désastreuse. [...] En fait, il est plus bénéfique de s'en passer, à moins de [l'] incorporer avec perspicacité et prudence. » (Prochner, 1995)

L'absence d'ordinateurs n'est certes pas désastreuse. Par contre, leur présence offre des occasions d'apprentissage plutôt intéressantes. C'est un autre moyen d'exploration, et l'utilisation de cet outil peut permettre à l'enfant de réaliser des apprentissages qu'il n'aurait pu faire autrement. Par exemple, à l'aide de logiciels de dessin conçus pour eux, ils peuvent illustrer un conte. La création d'un personnage peut être suivie de son insertion dans différents tableaux. L'ordinateur facilite aussi la réalisation de certaines formes qui dépassent habituellement les habiletés graphiques des enfants. De plus, cet outil permet aux enfants de travailler à leur rythme, de constater immédiatement les résultats de leurs gestes et de se familiariser avec l'utilisation des symboles.

En général, un seul ordinateur répond aux besoins de plusieurs groupes. Installé sur un chariot, il peut être déplacé facilement d'un local à l'autre. À partir de l'âge de trois ans, les enfants peuvent apprivoiser cet outil, grâce à des contacts occasionnels. Vers l'âge de quatre ans, ils pourront progressivement l'utiliser pour certaines réalisations. De plus, il n'est pas nécessaire d'investir une fortune dans l'achat d'un ordinateur. Souvent, des modèles usagés, peu coûteux, conviennent bien aux besoins d'exploration des jeunes enfants.

L'ordinateur ne remplace pas le crayon ou le pinceau; il doit être perçu comme un moyen supplémentaire à offrir aux enfants et un outil de plus pour la réalisation de certains projets.

9.5 Du matériel original à faible coût

Souvent la modicité du budget alloué pour l'achat de matériel apparaît comme le principal obstacle à l'aménagement d'un milieu riche en possibilités d'exploration. L'initiative et la créativité peuvent toutefois compenser un budget limité. Le véritable obstacle est davantage le temps que l'on doit consacrer à la recherche de matériel diversifié. Une grande variété d'objets usuels, souvent disponibles à peu de frais, méritent qu'on leur accorde une place importante. Voici donc quelques suggestions pour enrichir le milieu d'objets utiles à la réalisation d'activités diversifiées.

Visiter les commerces « bon marché » ou d'articles d'occasion   L'équipement que l'on achète chez les commerçants spécialisés en matériel éducatif est généralement très coûteux. Plusieurs objets d'usage courant, comme des tournevis, des loupes, des passoires ou des instruments de mesure, s'achètent à moindre coût dans des magasins populaires, où l'on fait parfois des trouvailles impressionnantes. Par exemple, des objets conçus pour d'autres fins, comme des ustensiles de cuisine, peuvent servir d'outils lors de jeux d'eau ou de créations artistiques.

Rechercher les matériaux de récupération   Plusieurs matériaux de récupération sont fort utiles à la réalisation d'activités. Par exemple, les boîtes d'aliments vides garnissent bien le coin cuisine et sont très adéquates pour la mise sur pied d'une épicerie. En demandant la collaboration des parents, on peut aussi se procurer une variété d'objets de récupération en provenance de leurs milieux de travail. Par exemple, des bobines de fil électrique vides peuvent être utilisées de diverses façons par les enfants.

En outre, les commerces ou les industries de la région sont généralement disposés à collaborer avec les services de garde. La fleuriste peut donner des fleurs un peu trop défraîchies pour la vente, mais très appropriées à des activités d'exploration. Un fabricant de meubles peut fournir des retailles de bois. Il vaut souvent la peine de faire un inventaire des commerces et des industries du milieu, et de contacter personnellement des personnes clés pour solliciter leur collaboration. Par exemple, des bouts de tuyaux de plomberie peuvent servir à des constructions diverses et même à la réalisation d'un théâtre de marionnettes.

9.6 Questions d'intégration

1. Vous proposez aux enfants de votre service de garde en milieu scolaire de mettre sur pied un bureau de poste pour faciliter l'échange des vœux de la Saint-Valentin.

   a) Décrivez tout le matériel qui serait utile à cette activité.

   b) Exposez quelques pistes à offrir aux enfants pour qu'ils puissent se procurer du matériel original.

2. Vous proposez à votre groupe d'enfants de trois ans de préparer une salade de fruits. Vous voulez que cette activité soit une occasion de découvertes variées. Décrivez tout le matériel qui serait utile à la réalisation de cette activité.

3. Votre garderie a décidé d'investir dans la conception de valises pédagogiques. On vous donne le mandat d'élaborer le contenu d'une valise sur le thème des oiseaux. Décrivez le contenu de cette valise pédagogique.

4. Vous êtes éducatrice d'un groupe d'enfants de cinq ans. Vous préparez l'animation de l'activité-projet intitulée *Construire un véhicule pour se déplacer dans les villes*. Énumérez la documentation qui serait utile à la réalisation de cette activité et dites comment vous pourriez vous la procurer.

Les pistes d'intervention

Dans le chapitre 5, les bases de l'intervention éducative dans le contexte d'une approche globale du développement ont été exposées. Le présent chapitre vise avant tout à habiliter l'éducatrice à profiter des possibilités de l'activité-projet pour planifier des interventions éducatives favorisant le développement de chaque aspect de la personnalité des enfants. L'information contenue dans le chapitre 5 est donc préalable à une bonne compréhension de ce chapitre.

Le présent chapitre définit donc, dans un premier temps, ce qu'est une piste d'intervention et clarifie le rôle de l'éducatrice. Par la suite, il propose une variété de pistes d'intervention pour chacune des composantes des cinq grands aspects du développement. À partir de ces nombreuses suggestions, l'éducatrice n'aura qu'à choisir et à adapter celles qui conviennent le mieux au contexte de l'activité-projet qu'elle planifie et aux besoins des enfants du groupe.

Chapitre **10**

Problème à résoudre

Mise en situation

Évaluation

PLANIFIER

Déroulement

Matériel

Pistes d'intervention

Organisation

10.1 Définition

> Une piste d'intervention est une action éducative que l'on se propose d'exécuter lors du déroulement d'une activité. Elle répond à une intention pédagogique et vise à favoriser le développement des enfants.

Il faut se rappeler que l'intervention éducative consiste à agir consciemment et volontairement dans le but de soutenir, de stimuler ou d'influencer le développement des enfants. Dans le cadre d'une activité, on planifie une piste d'intervention en identifiant une intention pédagogique et en choisissant le ou les moyens adaptés au contexte de l'activité pour matérialiser cette intention. Par exemple, favoriser le développement de la créativité en proposant aux enfants de se transformer en personnages imaginaires.

Le terme « piste » est utilisé ici pour bien signifier qu'il s'agit là de possibilités d'intervention. La planification de pistes d'intervention oriente l'organisation d'une activité et prépare ainsi l'éducatrice à réagir adéquatement durant le déroulement et lors de situations imprévisibles.

De plus, comme il a été dit précédemment, il ne s'agit pas de planifier ou de déterminer à l'avance des objectifs à atteindre, mais bien d'identifier différentes actions pouvant fournir aux enfants l'occasion d'exercer leurs habiletés et de développer leur potentiel. Par exemple, lors de certaines activités, on peut demander aux enfants de déplacer divers meubles afin de favoriser l'entraide et le développement de la motricité globale.

Il faut se rappeler que l'on peut planifier des interventions éducatives directes ou indirectes, verbales ou non verbales et individuelles ou collectives. L'intervention verbale est sans aucun doute la plus utilisée, mais il faut éviter d'en abuser et de bombarder les enfants de questions ou de commentaires. Souvent une simple mimique ou un petit geste suffit pour soutenir leur exploration. Les attitudes de l'éducatrice ont souvent plus d'influence que les paroles ou les discours. Par exemple, se mettre au niveau des enfants en observant ce qu'ils font les encourage à poursuivre et constitue une façon de leur démontrer de l'intérêt. De plus, comme les enfants ont souvent tendance à imiter les autres, on

peut facilement suggérer certaines actions en les amorçant soi-même. Faire des serpentins avec de la pâte à modeler incite les enfants à essayer par eux-mêmes.

Pour favoriser l'acquisition de connaissances, on peut également utiliser l'aménagement de l'espace, comme mettre en évidence certains objets nouveaux, ou encore mettre à leur disposition de la gouache de couleurs primaires uniquement, pour permettre aux enfants de découvrir la composition des couleurs secondaires.

10.2 Rôle de l'éducatrice

Toutes les activités offrent des occasions particulières de développement. Par exemple, certaines sont propices au développement d'habiletés logiques, tandis que d'autres offrent davantage un contexte favorable à l'expression de la créativité.

Identifier des intentions pédagogiques

Pour planifier des pistes d'intervention, on doit d'abord réfléchir et analyser les occasions de développement qu'offre le contexte d'une activité-projet. Il suffit de se demander quelles composantes du développement cognitif, social, affectif, psychomoteur et moral peuvent être stimulées par cette activité. Le tableau intitulé « Les composantes des cinq grands aspects du développement » (*voir le chapitre 2*) permet d'examiner différentes possibilités. Par la suite, il s'agit de choisir les composantes qui correspondent davantage aux besoins des enfants. De cette façon, on détermine des intentions pédagogiques qui guideront les interventions. Par exemple, une éducatrice constate que l'activité qu'elle planifie constitue une belle occasion de favoriser l'expression de sentiments. Elle choisira donc des moyens pertinents au développement de cet aspect.

Afin de favoriser le développement global, des intentions pédagogiques en lien avec chaque aspect du développement devraient être identifiées. À titre d'exemples, le recueil d'activités, au chapitre 14, en propose deux pour chaque aspect.

Planifier des moyens appropriés

Après avoir cerné certaines intentions pédagogiques, il s'agit maintenant de choisir, pour chacune d'elles, des moyens adaptés au niveau de développement des enfants. Pour ce faire, il faut bien connaître le développement des enfants ainsi que les particularités de son groupe. Stimuler l'enfant, c'est l'amener à aller un peu plus loin et lui permettre de découvrir de nouveaux horizons. C'est pourquoi l'intervention doit être adaptée au niveau de développement et les défis proposés doivent être dosés de manière à éviter que l'enfant ne se décourage. Par exemple, on favorisera le développement de la motricité globale de l'enfant de deux ans en lui proposant de courir, de sauter ou de déplacer des objets, tandis qu'à six ans, on lui offrira d'exécuter des mouvements plus précis, comme de sauter sur une seule jambe en franchissant des obstacles.

Pour être signifiante, l'intervention éducative doit aussi s'intégrer au contexte de l'activité. Par exemple, lors de l'aménagement d'un village miniature, l'éducatrice propose de classer les petits véhicules, afin de favoriser le développement d'habiletés logiques dans son groupe d'enfants de quatre ans. Et pour conserver à cette intervention un caractère ludique, elle suggère d'aménager des stationnements différents pour les automobiles, les camions et les véhicules à deux roues.

Il est aussi possible de trouver des moyens favorisant le développement des enfants avant d'avoir identifié des intentions pédagogiques. Par exemple, en faisant sa planification, l'éducatrice s'aperçoit que le nom de certains objets est probablement inconnu des enfants. Elle décide alors de favoriser le développement du langage en leur enseignant ce nouveau vocabulaire.

Utiliser les interventions au moment le plus opportun

La planification est un guide qui soutient l'intervention. Cependant, il ne faut pas que ce qui a été planifié nuise à l'interaction, à l'écoute, à la spontanéité et empêche l'éducatrice de répondre aux besoins des enfants. Il faut savoir mettre de côté ce qui a été prévu pour mieux répondre aux besoins du moment. C'est une question de jugement et de doigté.

Une règle assez simple aidera l'éducatrice à se centrer sur les enfants durant l'animation. Il s'agit d'observer et d'écouter avant d'intervenir. Trop souvent, les adultes ne laissent pas le temps aux enfants de choisir eux-mêmes les défis qu'ils

veulent se donner ou de chercher des solutions à leurs problèmes. À moins que la situation ne mette en péril la sécurité des enfants, l'éducatrice devrait attendre un peu et observer avant d'intervenir.

Observer, c'est prendre le temps d'observer et de poser un regard sur chaque enfant pour savoir comment il réagit à une situation. L'information recueillie permet à l'éducatrice de choisir l'intervention qui aidera le plus cet enfant à cheminer vers ce qu'il désire accomplir. Par l'observation, l'éducatrice diagnostique les besoins individuels ou collectifs et peut ainsi y répondre de façon appropriée.

Il faut bien écouter et comprendre les désirs ou les besoins des enfants avant d'agir. Cette écoute donne l'information nécessaire au choix d'une action. De plus, l'enfant qui est écouté sent qu'il a de l'importance aux yeux de l'éducatrice et cela augmente sa confiance en lui, et l'encourage à poursuivre sa démarche. Même si les enfants ont besoin d'être écoutés à tout moment, certaines étapes de l'activité-projet y sont plus propices. Par exemple, l'éducatrice qui prépare des questions ouvertes, pour les moments d'échange en grand groupe, crée des conditions favorables à l'expression individuelle des véritables désirs de chacun. Ainsi, il sera plus facile de bien comprendre chaque point de vue.

10.3 FAVORISER LE DÉVELOPPEMENT COGNITIF

Composantes du développement cognitif
Habiletés logiques
Créativité
Langage
Connaissances
Compréhension du monde

Favoriser le développement cognitif, c'est inciter les enfants à utiliser leurs facultés intellectuelles et à acquérir de nouvelles connaissances. Dès le très jeune âge, on peut profiter des nombreuses occasions qu'offre une activité-projet pour stimuler le développement. Par exemple, dès l'âge de un an, on peut exercer les habiletés logiques des enfants en leur demandant de mettre des ballons dans la boîte et des poupées sur la table. Le tableau 10.1 présente plusieurs verbes d'action qui sollicitent l'activité intellectuelle, tandis que le tableau 10.2 propose des exemples d'utilisation de ces verbes pour chaque composante du développement cognitif.

Tableau 10.1 Actions en rapport avec le développement cognitif

Ajouter	Composer	Décrire	Extrapoler	Nommer	Remémorer (se)
Aligner	Comprendre	Déduire	Généraliser	Observer	Repérer
Analyser	Compter	Défaire	Identifier	Ordonner	Répéter
Anticiper	Concentrer (se)	Démontrer	Imaginer	Organiser	Répondre
Apprendre	Concevoir	Écrire	Imiter	Planifier	Reproduire
Associer	Conclure	Émettre	Inclure	Prévoir	Résoudre
Calculer	Confirmer	Enlever	Induire	Quantifier	Résumer
Chercher	Connaître	Estimer	Interpréter	Raconter	Sérier
Choisir	Créer	Évaluer	Interroger	Reconnaître	Soustraire
Classer	Critiquer	Examiner	Inventer	Refaire	Traduire
Combiner	Décomposer	Expérimenter	Juger	Réfléchir	Transformer
Comparer	Découvrir	Expliquer	Mémoriser	Reformuler	Trier

Tableau 10.2 Pistes d'intervention pour favoriser le développement cognitif

1. Comment favoriser le développement des habiletés logiques

- Décrire les rapports de cause à effet.
- Expliquer les liens entre les phénomènes (2*).
- Mettre le matériel dans des contenants marqués de pictogrammes.
- Expliquer les raisons des règles et des consignes.
- Proposer aux enfants :
  - de raconter leurs expériences passées (3);
  - de comparer des objets (2);
  - de prévoir des résultats (2);
  - de décrire ce qu'ils feront (3);
  - de regrouper, de classer, d'aligner, d'associer, de trier, d'ordonner...;
  - de compter ou d'effectuer des opérations mathématiques simples (3);
  - de ranger le matériel;
  - de formuler des hypothèses et de les vérifier (4);
  - de commenter ce qu'ils font (3).

2. Comment favoriser l'expression de la créativité

- Afficher des illustrations originales.
- Laisser les enfants trouver des solutions.
- Offrir du matériel varié et inhabituel.
- Encourager l'expression d'idées ou de réponses variées.
- Recourir à l'humour.
- Utiliser diverses techniques de créativité.
- Souligner les idées ou les créations originales.
- Encourager l'expérimentation libre.
- Poser des questions ouvertes (pensée divergente).
- Émettre des commentaires absurdes, farfelus (2).
- Apprendre aux enfants de nouvelles techniques ou des façons de faire.
- Omettre de fournir aux petits certains objets apparemment essentiels, de sorte qu'ils soient obligés de trouver des solutions de rechange.
- Laisser suffisamment de temps pour qu'ils trouvent des solutions originales.
- Modifier le décor ou l'ambiance du local.
- Accepter que le résultat ne corresponde pas aux attentes des adultes.
- Proposer aux enfants :
  - de nouvelles façons d'utiliser certains objets;
  - de se déguiser et de jouer différents rôles (2);
  - d'imaginer mentalement diverses situations;
  - d'imaginer ce qui pourrait se passer à partir d'une situation fictive (2);
  - d'utiliser des matériaux variés;
  - d'illustrer des idées (3);
  - de regarder des livres;
  - d'expérimenter différentes façons de faire;
  - de modifier la fin d'une histoire;
  - de suggérer des variantes à différentes situations;
  - de combiner divers matériaux.

Tableau 10.2 (*suite*)   Pistes d'intervention pour favoriser le développement cognitif

3. Comment favoriser le développement du langage

– Écouter les enfants, en les regardant et en démontrant de l'intérêt pour ce qu'ils disent.
– Nommer les objets auxquels ils s'intéressent.
– Décrire ce qu'ils font et commenter leurs actions.
– Utiliser un langage correct.
– Exprimer des idées ou des sentiments à haute voix.
– Porter davantage attention au contenu de leur message qu'à sa forme.
– Reformuler adéquatement ce qu'ils disent.
– Utiliser des pictogrammes accompagnés du mot écrit (4).
– Utiliser un langage adapté à leur niveau de développement.
– Utiliser les termes exacts.
– Utiliser le pronom « je » pour parler de soi.
– Introduire de nouveaux mots.
– Préciser le sens des mots.
– Apprendre aux enfants des chansons et des comptines.
– Raconter des histoires et des légendes.
– Poser des questions ouvertes.

– Écrire des messages « secrets » à l'intention des enfants ou en donnant des consignes par écrit (6).
– Se placer à leur hauteur pour les écouter.
– Penser tout haut, comme le font certains enfants lorsqu'ils jouent.
– Fournir des textes de référence ou des articles de revues (6).
– Proposer aux enfants :
  • de raconter des histoires (2);
  • de jouer des rôles ou de faire semblant;
  • d'associer des sons, des mots... (2);
  • de trouver des rimes (3);
  • de fournir de l'information ou une explication à un ami (2);
  • de décrire ce qu'ils voient (2);
  • de copier leur nom sur leur œuvre (4);
  • de s'adresser au groupe;
  • de donner un nom à leur œuvre (2);
  • de donner leur opinion;
  • de composer des poèmes;
  • d'inventer des jeux de mots (5).

4. Comment favoriser l'acquisition de connaissances

– Encourager l'enfant à observer, à toucher, à explorer, etc.
– Expliquer l'origine et le déroulement de certains phénomènes.
– Donner de l'information pertinente sur la façon d'utiliser un outil, la signification de certains mots, le fonctionnement de certains appareils, etc.
– Chercher avec les enfants les réponses aux questions qu'ils se posent.
– Leur fournir de la documentation.
– Les mettre en contact avec des productions et des disciplines artistiques.
– Afficher de l'information (4).

– Raconter des faits historiques (3).
– Poser des questions stimulantes.
– Proposer aux enfants :
  • de faire des recherches dans le dictionnaire ou dans la documentation à leur disposition (3);
  • de demander de l'information à leurs parents ou à toute autre personne (4);
  • de formuler des questions (3).

5. Comment favoriser une meilleure compréhension du monde

– Informer les enfants des actualités importantes et lire à haute voix de courts articles de journaux (4).
– Inviter des représentants de la société à venir rencontrer les enfants (2).
– Afficher des illustrations se rapportant aux coutumes de divers groupes culturels (2).
– Présenter aux enfants divers objets, livres, pièces de musique, etc.
– Leur apprendre des chansons ou des comptines d'autres pays.

– Proposer aux enfants :
  • de visiter différents endroits du quartier (2);
  • d'utiliser les services publics;
  • d'échanger leurs impressions et leurs opinions (3);
  • de raconter leurs expériences personnelles (2);
  • de situer des peuples ou des lieux sur une carte géographique ou sur le globe terrestre (5);
  • de confronter leur point de vue avec celui des autres (2).

*   Le chiffre entre parenthèses désigne l'âge à partir duquel les enfants sont en mesure de s'inscrire dans la démarche proposée ou de répondre positivement au type d'intervention concerné. L'absence de chiffre indique que l'intervention éducative peut être utilisée auprès d'enfants âgés d'un an et plus.

10.4 Favoriser le développement psychomoteur

Composantes du développement psychomoteur

Motricité globale	Organisation temporelle	Schéma corporel
Motricité fine	Organisation spatiale	
Latéralisation	Organisation perceptive	

Il est relativement facile d'organiser l'environnement pour permettre aux enfants de vivre des expériences sensorimotrices riches et variées. Le choix du matériel constitue le moyen privilégié. Les enfants sont naturellement curieux, ils explorent spontanément les objets mis à leur disposition. Par exemple, lors d'une activité de menuiserie, on augmente les défis et l'intérêt en leur proposant une variété de vis et de tournevis.

Tableau 10.3   Pistes d'intervention pour favoriser le développement psychomoteur

---

1. Comment favoriser le développement de la motricité globale

- Offrir du matériel pour grimper, sauter, tirer, pousser, marcher en équilibre, etc.
- Offrir du matériel de grande dimension.
- Amener les enfants à coordonner leurs mouvements avec ceux des autres.
- Organiser un environnement sécuritaire afin que les enfants puissent prendre des risques.

- Proposer aux enfants :
  - de transporter, de pousser, de tirer, de rouler ou de déplacer des objets de dimensions variées;
  - de se déplacer de diverses façons ou à différentes vitesses;
  - de se déplacer sur des surfaces variées ou instables;
  - de franchir des obstacles;
  - de participer à l'aménagement;
  - de jouer avec des enfants plus âgés.

Tableau 10.3 (*suite*)   Pistes d'intervention pour favoriser le développement psychomoteur

2. Comment favoriser le développement de la motricité fine

– Mettre à la disposition des enfants de petits objets.
– Les encourager à essayer avant de demander de l'aide.
– Mettre à leur disposition divers jeux de construction et divers outils.
– Proposer aux enfants :
  • de lacer, d'attacher (2*);
  • de visser et de dévisser (2);

  • de remplir, de vider, de creuser, d'empiler, d'enfiler;
  • de fermer et d'ouvrir divers contenants;
  • de copier leur nom (4);
  • de dessiner, de peindre, de modeler, de coller, de plier, d'assembler (2);
  • de coudre, de tisser, de pyrograver, de clouer (6).

3. Comment favoriser le développement de la latéralisation

– Laisser les enfants utiliser librement les deux côtés de leur corps.
– Utiliser les termes « droite » et « gauche » en indiquant une direction (3).
– Offrir des ciseaux pour droitiers et gauchers (3).

– Proposer aux enfants :
  • d'expérimenter avec chaque côté du corps;
  • de dire avec quelle main ou quel pied ils préfèrent lancer, dessiner, frapper le ballon, etc. (3).

4. Comment favoriser le développement de la conscience du corps (schéma corporel)

– Prendre des photos.
– Apprendre aux enfants des chansons ou des comptines qui nomment les parties du corps.
– Mettre des miroirs à leur disposition.
– Proposer aux enfants :
  • de se maquiller;
  • d'utiliser le miroir;
  • de nommer et de montrer les différentes parties du corps;
  • de situer certains organes ou certaines parties internes de leur corps;

  • d'identifier leurs effets personnels;
  • de dessiner ou de fabriquer des bonshommes (2);
  • de s'habiller et de se déshabiller;
  • de dire lorsqu'ils ont chaud, froid ou faim;
  • de se faire grand, gros ou tout petit;
  • d'imiter des animaux ou des objets;
  • d'exprimer avec **leur** corps des sentiments ou des sensations;
  • de se cacher dans une boîte ou dans un autre espace;
  • de couvrir certaines parties de **leur** corps.

5. Comment favoriser le développement de l'organisation temporelle et du sens du rythme

– Utiliser les termes « avant, après, ensuite, hier, demain... ».
– Illustrer les étapes d'une activité par des pictogrammes (3).
– Présenter aux enfants des objets sonores.
– Écouter de la musique avec eux.
– Attirer leur attention sur les bruits de l'environnement ou des objets familiers.

– Proposer aux enfants :
  • de danser, de se déplacer au rythme de la musique;
  • de chanter, de réciter des comptines;
  • de créer des histoires, des séquences d'événements, des compositions sonores (3);
  • de créer des partitions sonores (6).

6. Comment favoriser le développement de l'organisation spatiale

– Identifier les bacs ou les endroits de rangement par des pictogrammes.
– Proposer aux enfants :
  • de se déplacer en suivant des traces;
  • de se déplacer les yeux fermés (4);
  • de trouver un lieu à partir d'indices ou de cartes (5);
  • de dessiner (2);

  • de faire des plans, des maquettes (7);
  • de se déplacer par-dessus, en dessous, à côté, etc.;
  • de franchir des obstacles;
  • de dire ou d'expliquer où ils se trouvent;
  • de ranger le matériel.

7. Comment favoriser le développement de l'organisation perceptive

– Mettre les enfants en contact avec diverses odeurs et textures.
– Proposer aux enfants :
  • de mémoriser des chansons, des comptines ou des rimettes;
  • de sentir, de goûter, de toucher, d'écouter et de regarder;

  • de comparer ou d'associer différentes sensations;
  • de reproduire des formes, des séquences ou des séries;
  • de décrire des illustrations.

* Le chiffre entre parenthèses désigne l'âge à partir duquel les enfants sont en mesure de s'inscrire dans la démarche proposée ou de répondre positivement au type d'intervention concerné. L'absence de chiffre indique que l'intervention éducative peut être utilisée auprès d'enfants âgés de un an et plus.

10.5 Favoriser le développement social

Composantes du développement social	
Conscience des autres et empathie	Relations avec l'adulte
Relations entre pairs	Sens des responsabilités

Apprendre à vivre avec les autres n'est pas une mince tâche pour les enfants. À la naissance, ils sont des êtres fondamentalement égocentriques qui, peu à peu, devront apprendre à partager et à tenir compte des besoins des autres. Ils se sentiront compétents socialement s'il sont capables d'établir de saines relations avec les enfants et les adultes qu'ils côtoient. Durant une activité-projet, plusieurs interactions offrent aux enfants des occasions de développer la maîtrise de leurs habiletés sociales. Pour se développer sainement, ils ont besoin du soutien attentif de l'éducatrice. Les quelques idées suivantes peuvent servir de guide.

Tableau 10.4 Pistes d'intervention pour favoriser le développement social

1. Comment favoriser le développement de la conscience des autres et de l'empathie	
– Verbaliser ce qu'un autre peut ressentir. – Expliquer les sentiments des autres, si les enfants n'y parviennent pas. – Illustrer différentes façons d'exprimer des émotions. – Manifester de l'appréciation pour la coopération. – Encourager les jeux de rôles. – Proposer aux enfants :	• de verbaliser ce qu'ils ressentent ou désirent (2*); • d'écouter attentivement ce que disent les autres; • de raconter des expériences vécues (2); • de partager du matériel (3); • d'imaginer différentes façons de réagir à des situations variées (3); • d'imaginer comment les autres se sentent dans diverses situations (3).

2. Comment favoriser les relations entre pairs	

– Aider les enfants isolés à prendre leur place.
– Aider les enfants à négocier et à trouver des compromis.
– Offrir à chacun la possibilité de choisir avec qui il établira des liens.
– Encourager le partage, la générosité, la coopération et l'entraide.
– Faire prendre conscience de la satisfaction qu'apporte le fait d'aider les autres.
– Faire respecter les tours de parole.
– Être juste et équitable.
– Susciter les opinions différentes.
– Encourager l'apprentissage entre pairs.
– Choisir du matériel qui favorise l'entraide (3).
– Souligner la réussite des enfants dans des situations d'entraide.
	– Respecter, dans certaines situations, leur besoin de possession.
	– Leur permettre de se retirer parfois du groupe.
	– Reconnaître les désaccords et aider les enfants à trouver une solution par eux-mêmes.
	– Proposer aux enfants :
	  • d'assumer une tâche avec un ami;
	  • de commenter les réalisations des autres;
	  • de féliciter la réussite d'un autre;
	  • de travailler en équipe (4);
	  • de prendre des décisions en groupe ou en sous-groupe (4);
	  • d'aider un ami qui éprouve des difficultés.

Tableau 10.4 (*suite*)   Pistes d'intervention pour favoriser le développement social

---

3. Comment favoriser la relation avec l'adulte

- Sourire aux enfants et les écouter attentivement.
- Décrire ses propres expériences ou faire part de ses réflexions.
- Accorder un moment privilégié à chacun.
- Exprimer des besoins et des émotions.
- Démontrer de l'affection aux enfants.

- Pratiquer l'écoute active.
- Proposer aux enfants :
  • de parler des êtres qu'ils aiment (2);
  • d'aider les adultes à réaliser différentes tâches;
  • de trouver des façons de démontrer leur affection à des adultes qu'ils apprécient.

---

4. Comment favoriser le sens des responsabilités

- Offrir un choix de tâches stimulantes.
- Encourager les enfants à assumer leurs responsabilités jusqu'au bout.
- Les féliciter.
- Se servir d'un tableau pour illustrer les responsabilités de chacun (2).
- Justifier les motifs des règles et des consignes.
- Illustrer les règles importantes par des pictogrammes (2).

- Faire respecter les droits de chacun.
- Proposer aux enfants :
  • de choisir les tâches qu'ils veulent assumer;
  • de partager certaines tâches avec d'autres (3);
  • de donner leur opinion concernant certaines règles (2);
  • de suggérer des solutions de rechange (2);
  • d'approuver certaines règles et de s'engager à les respecter (3);
  • d'expliquer aux autres une ou plusieurs règles (2);
  • d'imaginer ou d'énoncer des règles utiles au fonctionnement (3).

---

* Le chiffre entre parenthèses désigne l'âge à partir duquel les enfants sont en mesure de s'inscrire dans la démarche proposée ou de répondre positivement au type d'intervention concerné. L'absence de chiffre indique que l'intervention éducative peut être utilisée auprès d'enfants âgés de un an et plus.

10.6 Favoriser le développement affectif

Composantes du développement affectif

Confiance en soi (estime de soi)   Expression des besoins et des sentiments
Autonomie

L'estime de soi est assurément une des notions clés dans le développement affectif. Ainsi, il est important d'élaborer toute une série de pistes pour s'assurer de donner la chance à tous les enfants de connaître des réussites. De plus, les enfants doivent apprendre à vivre avec les sentiments qui les habitent et à les exprimer de façon socialement acceptable.

C'est particulièrement par ses attitudes que l'éducatrice influence le développement affectif des enfants. En étant ouverte à leurs idées et en les respectant, elle favorise le développement de la confiance. De plus, on dit souvent que l'acceptation inconditionnelle est un facteur qui contri-

bue grandement à l'épanouissement des enfants. Ainsi, par sa simple présence chaleureuse et respectueuse, elle apporte déjà une contribution significative à leur développement affectif.

Tableau 10.5   Pistes d'intervention pour favoriser le développement affectif

1. Comment favoriser le développement de la confiance en soi (estime de soi)	

– S'intéresser à ce que font les enfants.
– Éviter la compétition et la comparaison.
– Encourager les enfants, en les félicitant et en reconnaissant leurs efforts.
– Les inciter à expérimenter et à prendre des risques.
– Ne leur fournir que l'aide indispensable à la poursuite d'un projet.
– Permettre aux enfants de développer de nouvelles compétences.
– Les laisser vivre les résultats de leurs actions, qu'ils soient positifs ou négatifs.
– Leur faire confiance.
– Leur demander leur opinion.
– Leur proposer des défis à leur mesure.
– Mettre en évidence leurs réalisations.
	– Souligner les aspects positifs de chacun.
	– Suggérer de décomposer une tâche complexe en plusieurs petites tâches.
	– Mettre en évidence la réussite, même partielle.
	– Permettre aux enfants de s'affirmer.
	– Leur permettre de s'identifier comme fille ou garçon.
	– Leur témoigner de l'amour et de l'affection.
	– Proposer aux enfants :
	  • de communiquer leurs succès;
	  • de choisir entre différentes propositions;
	  • de nommer leurs qualités ou leurs difficultés;
	  • de parler de leurs rêves (2*);
	  • de verbaliser leurs besoins.

2. Comment favoriser le développement de l'autonomie	

– Disposer le matériel à la portée des enfants.
– Décider avec eux des étapes de l'activité (3).
– Les laisser se servir seuls.
– Les aider avant qu'ils ne se découragent.
– Proposer des tâches qu'ils sont en mesure de réaliser.
	– Proposer aux enfants :
	  • de donner leur opinion avant de répondre soi-même à leur question;
	  • de participer à la mise en place du matériel et au rangement;
	  • d'expérimenter leurs idées;
	  • de suggérer des alternatives (2);
	  • de planifier les étapes de leurs projets (4).

3. Comment favoriser l'expression des besoins et des sentiments	

– Faire de l'écoute active.
– Reconnaître les sentiments, en les acceptant et en en discutant.
– Reconnaître les émotions reliées aux différentes situations.
– Verbaliser simplement les besoins ou les sentiments décodés.
– Accepter le mécontentement des enfants.
– Mettre un terme aux manifestations de violence.
	– Montrer aux enfants à exprimer leur mécontentement de façon acceptable.
	– Proposer aux enfants :
	  • d'imaginer les sentiments des autres, qu'il s'agisse de personnes réelles ou imaginaires (2);
	  • de se mettre dans la peau des autres (2);
	  • d'exprimer ou de mimer différents sentiments (2).

* Le chiffre entre parenthèses désigne l'âge à partir duquel les enfants sont en mesure de s'inscrire dans la démarche proposée ou de répondre positivement au type d'intervention concerné. L'absence de chiffre indique que l'intervention éducative peut être utilisée auprès d'enfants âgés de un an et plus.

10.7 FAVORISER LE DÉVELOPPEMENT MORAL

Composantes du développement moral

Conception du bien et du mal	Intériorisation de règles et de valeurs
Acceptation des différences	

Le développement moral des enfants est étroitement lié à certaines habiletés sociales. La capacité de percevoir les désirs et les besoins d'autrui, d'y être sensible et de les prendre en considération avant d'agir sont les bases du développement moral. C'est donc davantage vers l'âge de quatre ou cinq ans que l'on peut commencer à intervenir dans le but de favoriser cet aspect du développement. Avant cet âge, les interventions qui favorisent le développement social construiront les assises du développement moral. De plus, il ne faut pas oublier que les attitudes et les façons d'agir des adultes influencent l'opinion que les enfants se font de ce qui est bien ou acceptable et de ce qui est mal ou inacceptable. C'est beaucoup par l'observation qu'ils intériorisent les normes et les valeurs établies dans le milieu.

Tableau 10.6   Pistes d'intervention pour favoriser le développement moral

1. Comment favoriser le développement d'une conception du bien et du mal

- Être juste et équitable.
- Établir clairement ce qui est permis et ce qui est interdit.
- Informer les enfants des conséquences de leurs actes.
- Amener des sujets de discussion en rapport avec l'amitié, l'amour, la famille (3*).
- Sensibiliser les enfants aux conséquences de la violence.
- Amener des sujets de discussion en rapport avec la richesse et la pauvreté (4).
- Sensibiliser les enfants aux questions écologiques telles que l'économie d'énergie, la conservation des ressources naturelles et le respect de l'environnement (4).

- Les sensibiliser aux problèmes mondiaux, tels que la faim dans le monde (4).
- Proposer aux enfants :
  • de donner leur point de vue (4);
  • de verbaliser ce qui leur plaît ou leur déplaît (2);
  • de verbaliser l'effet des actions des autres sur eux-mêmes (4);
  • de s'autoévaluer;
  • d'imaginer ce qui pourrait se passer si tout le monde agissait de telle ou telle façon (3).

2. Comment favoriser l'acceptation des différences

- Démontrer de l'ouverture aux différences.
- Exposer les enfants à différentes façons d'agir (3).
- Expliquer différents points de vue (3).

- Proposer aux enfants :
  • d'imaginer leurs réactions dans des situations hypothétiques (3).

3. Comment favoriser l'intériorisation de règles et de valeurs

- Expliquer les raisons qui justifient les règles chaque fois que c'est nécessaire.
- Proposer aux enfants :
  • de participer à l'élaboration des règles et des consignes;

  • d'expliquer aux autres les motifs qui justifient une règle;
  • de justifier leurs gestes ou leurs choix (4).

* Le chiffre entre parenthèses désigne l'âge à partir duquel les enfants sont en mesure de s'inscrire dans la démarche proposée ou de répondre positivement au type d'intervention concerné. L'absence de chiffre indique que l'intervention éducative peut être utilisée auprès d'enfants âgés de un an et plus.

10.8 QUESTIONS D'INTÉGRATION

1. Vous êtes éducatrice d'un groupe d'enfants de cinq ans. Siham, une petite fille d'origine libanaise, vient d'arriver dans votre groupe. Pour faciliter son intégration, vous proposez aux enfants d'organiser un repas libanais. Pour chaque aspect du développement, identifiez deux pistes d'intervention adaptées au contexte de cette activité.

2. Cédric fréquente votre service de garde en milieu scolaire. Il a huit ans et souffre d'un léger handicap (hypertension des membres inférieurs). Il aime participer aux activités sportives, mais il est très souvent déçu de ses performances. Votre groupe d'enfants veut organiser des olympiades pour le carnaval d'hiver.

   a) Identifiez deux pistes d'intervention qui aideraient Cédric à avoir une plus grande estime de soi.

   b) Identifiez deux pistes d'intervention pour favoriser l'acceptation des différences des enfants de votre groupe.

3. Vous planifiez une activité de déménagement pour votre groupe d'enfants de 18 mois. Ils auront à transporter des boîtes de différentes grosseurs dans le corridor.

   a) Formulez deux pistes d'intervention pour favoriser le développement du langage.

   b) Formulez deux pistes d'intervention pour favoriser le développement de la confiance en soi et de l'estime de soi.

4. Vous êtes éducatrice d'un groupe d'enfants de trois ans. L'un d'entre eux, Michaël, est hospitalisé depuis peu. Vous proposez aux enfants de lui envoyer quelque chose pour l'encourager. Les enfants exposent plusieurs idées et décident finalement de fabriquer chacun un petit cadeau personnel. Pour chaque aspect du développement, identifiez deux pistes d'intervention adaptées au contexte de cette activité.

L'évaluation

Tout naturellement, les enfants aiment montrer le résultat de leur jeu ou de leur travail. « Regarde ! » disent-ils spontanément à l'adulte. C'est leur façon d'aller chercher des commentaires. Ils veulent qu'on apprécie ce qu'ils ont fait.

Au terme de la réalisation de l'activité-projet, il est temps de l'évaluer, c'est-à-dire de porter un jugement sur son déroulement et surtout sur ses effets. Dans un premier temps, l'éducatrice recueille les commentaires des enfants, commentaires qu'elle utilisera par la suite pour mesurer de façon plus systématique la portée de l'activité réalisée.

Le présent chapitre répond principalement à trois questions. Pourquoi évaluer les activités-projets réalisées ? Que faut-il évaluer au juste ? Qui peut participer à l'évaluation ? Viennent ensuite quelques précisions concernant le rôle de l'éducatrice lors de cette étape et des suggestions pour la mise en place d'un contexte favorable à l'évaluation. Enfin, en terminant, on aborde l'utilité des commentaires des enfants, pour les planifications futures.

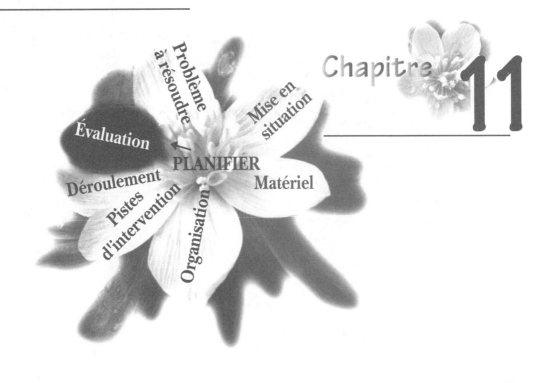

Chapitre 11

11.1 Pourquoi évaluer ?

Évaluer, c'est porter un jugement, estimer ou apprécier la valeur d'un objet, d'une démarche, d'une situation ou d'une organisation.

Évaluation. Voilà un mot qui peut faire réagir. Certaines personnes l'associent rapidement à un classement, à une obligation de réussite ou, pire encore, à une étiquette, du genre « bon » ou « mauvais », que l'on finirait par coller à l'enfant. L'évaluation est-elle utile dans le cadre de services de garde éducatifs ? Il importe de préciser dès maintenant qu'il ne s'agit pas ici d'évaluer des personnes ou de mesurer leur degré de réussite, mais bien de faire le point, le bilan ou tout simplement un retour sur l'activité qui vient de se dérouler.

Pour mieux évoluer

À la fin d'une activité-projet, il est important de disposer d'une période de temps et de créer un contexte permettant aux enfants d'apprécier leur démarche et les résultats de leur réalisation. Ce temps d'arrêt permet à l'enfant de faire le point sur l'activité à laquelle il vient de s'adonner et de prendre davantage conscience de son action. Cette réflexion, même brève, permet à chacun de mieux se connaître, de consolider les apprentissages réalisés et d'accroître ses compétences, tout en mettant en évidence les compétences qui ont été développées de même que de nouvelles pistes pour ajuster son action. De plus, les commentaires des autres enrichissent la perception de l'enfant.

Pour développer l'esprit critique

L'évaluation favorise le développement de l'esprit critique. Bien qu'il faille plusieurs années avant que les enfants soient réellement en mesure d'évaluer les différentes facettes d'une activité, ils expriment facilement, même lorsqu'ils sont très jeunes, leur insatisfaction ou leur intérêt, ne serait-ce que par une expression non verbale. En bas âge, on parle davantage d'opinion ou de jugement personnel, mais peu à peu, avec le soutien de l'éducatrice, les enfants apprendront à poser un regard de plus en plus objectif sur les différents événements. En consacrant une courte période à l'évaluation, on les familiarise graduellement avec cette démarche.

Pour développer la confiance en soi et l'estime de soi

En mettant en évidence les nouvelles compétences des enfants, on favorise le développement de l'estime de soi. Les enfants, comme tout être humain, ont souvent besoin de sentir que le travail qu'ils ont accompli est utile et apprécié.

La satisfaction personnelle, enrichie par l'approbation des autres, contribue à construire l'image qu'ils ont d'eux-mêmes et les commentaires constructifs leur permettent d'évoluer et de développer leur confiance.

11.2 QUOI ÉVALUER ?

Certes, le résultat de l'activité-projet est un objet d'évaluation incontournable, mais il ne faut surtout pas limiter les commentaires à ce seul aspect. Tous les éléments qui entrent en jeu lors de la réalisation peuvent être évalués. Par exemple, si les enfants ont préparé une salade de fruits et invité un autre groupe à la déguster, les premiers commentaires porteront probablement sur le goût ou l'apparence de ce plat. Par la suite, on peut se demander si le choix des fruits est judicieux, s'il est difficile de faire des boules de melon, ou encore quels ustensiles sont efficaces pour extraire le jus des oranges. De plus, les enfants commentent avec spontanéité les faits marquants de leur démarche et communiquent leurs découvertes, par exemple : « J'ai utilisé une pince à fraises, cela fonctionne très bien pour enlever les queues et ce n'est pas dangereux de se couper. »

Même si l'activité-projet ne vise pas l'atteinte d'objectifs spécifiques, il faut quand même reconnaître les apprentissages réalisés. Pour ce faire, il est avantageux d'amorcer la démarche évaluative en faisant appel aux commentaires spontanés des enfants. De cette façon, chacun fait référence aux aspects qui sont pour lui les plus significatifs. Lors de l'évaluation, les commentaires peuvent porter sur :

– le matériel, les techniques ou les outils utilisés;

– la démarche ou les moyens qui ont mené au résultat;

– la relation avec les pairs ou le travail d'équipe;

– les découvertes et les apprentissages réalisés;

– les efforts, les difficultés surmontées, les erreurs ou les échecs;

– l'originalité des productions;

– les contrariétés ou le plaisir vécus lors de la réalisation;

– le choix de l'activité-projet.

11.3 RÔLE DE L'ÉDUCATRICE

Le rôle de l'éducatrice durant l'étape d'évaluation est assez diversifié. Il consiste principalement à aménager un « espace-temps » propice à l'émergence de commentaires, à en animer le déroulement de façon à créer un climat constructif et respectueux ainsi qu'à commenter les efforts des enfants. De plus, cette période permet à l'éducatrice de recueillir l'information utile à l'évaluation de l'activité-projet qu'elle a présentée aux enfants et d'imaginer des suites à cette dernière.

Créer un contexte stimulant

Le premier rôle de l'éducatrice est de choisir à quel moment et dans quel contexte se déroulera l'évaluation. Ce choix dépend à la fois du type d'activité réalisée et de l'âge des enfants. Lorsque la nature de l'activité s'y prête, la présentation des réalisations est sans aucun doute la façon la plus naturelle de créer un contexte favorable à l'évaluation. À cette occasion, les enfants peuvent :

– partager leurs trouvailles;

– s'intéresser à ce que les autres enfants du groupe ont réalisé;

– montrer les résultats obtenus à d'autres personnes, comme les parents ou un autre groupe;

– échanger sur d'autres façons de parvenir à un résultat semblable;

– recevoir des appréciations et des commentaires;

– prendre conscience des apprentissages réalisés;

– identifier des suites à l'activité.

Par exemple, en proposant aux enfants de défiler avec leur déguisement, l'éducatrice les amène indirectement à faire le point sur leur activité avant de partir. De plus, il est probable que les enfants recevront des commentaires des personnes qu'ils rencontreront. Le présent chapitre fournit d'ailleurs diverses suggestions pratiques afin d'aider à faire des choix en fonction du type d'activité-projet.

Créer un climat constructif et respectueux

L'évaluation est avant tout formative, c'est-à-dire qu'elle doit informer l'enfant sur la valeur de sa démarche et sur les apprentissages réalisés. Dans ce sens, elle doit toujours se dérouler dans un climat de respect mutuel. Même si les enfants sont les premiers concernés par l'évaluation, l'éducatrice est la principale responsable du déroulement harmonieux de cette étape. Elle doit toujours veiller à ce que chaque enfant ressorte grandi de cette expérience.

Tout en reconnaissant la valeur des idées émises spontanément par les enfants, elle doit convertir les différents propos en commentaires positifs et constructifs. Par exemple : « Même si tu n'as pas réussi à faire ce que tu voulais, il est intéressant que tu aies essayé, car maintenant tu connais de nouvelles façons de faire. » ou « Mathieu trouve que tu aurais dû mieux classer les cailloux de ta collection, peut-être qu'une prochaine fois tu auras envie de tenter l'expérience. »

L'écoute active et la reformulation sont des techniques très utiles lors de l'évaluation. Par exemple, si un enfant affirme qu'il trouve sa peinture très laide et que l'éducatrice lui dit « Tu n'es pas content du résultat de ton travail », celle-ci reconnaît les sentiments de l'enfant et l'amène indirectement à préciser ce qui lui déplaît réellement. Ainsi, il peut indiquer qu'il trouve le vert de son arbre trop foncé et une discussion fort intéressante peut être amorcée sur les différents moyens de modifier une couleur. Les échecs sont des occasions d'apprentissage aussi valables que les réussites si on les présente et on les utilise dans un contexte constructif et formatif.

En tout temps, l'éducatrice doit s'efforcer d'éviter que l'étape d'évaluation ne serve à faire des comparaisons entre les enfants et ne prenne l'allure d'une compétition. Les commentaires sont utiles s'ils aident l'enfant à se développer et à progresser. Ils sont néfastes s'ils l'amènent à se sentir diminué ou inapte.

Commenter les efforts des enfants

Tout naturellement, les enfants cherchent à recevoir des commentaires de l'éducatrice sur leur réalisation. Trop souvent, la réponse se limite à : « C'est beau. » Cette réponse ne donne pas d'information à l'enfant et sa répétition lui donne peu de valeur. Il est important de dépasser les simples jugements rapides, comme « c'est beau », et de s'intéresser réellement à ce qu'ils ont fait.

On augmentera leur satisfaction en louant leurs efforts et en reconnaissant aussi bien les réussites que les difficultés rencontrées. Il s'agit principalement de faire ressortir les aspects positifs, sans toutefois leurrer les enfants sur la qualité de leur réalisation ou de leur démarche. Il est toujours possible de trouver des aspects qui valoriseront l'enfant.

L'éducatrice est un modèle pour les enfants et c'est par ses comportements et ses attitudes qu'elle les habilitera peu à peu à formuler des commentaires à la fois utiles et respectueux pour les autres.

11.4 LES PARTENAIRES DE L'ÉVALUATION

L'**enfant** est le premier concerné par l'évaluation de son activité. C'est une démarche qui doit le servir avant tout. Peu à peu, l'éducatrice l'aide à faire le bilan de ses expériences. Par des questions simples et ouvertes, elle l'amène à décrire sa démarche et à s'exprimer sur ce qu'il a fait ou voulu faire. Cette réflexion l'initie à l'autoévaluation.

De plus, les enfants aiment savoir ce que les autres pensent de ce qu'ils font. Ils vont d'ailleurs spontanément leur demander leur avis. L'opinion de l'**éducatrice** a une valeur toute particulière. Si elle est une personne significative pour eux, ils intériorisent inconsciemment ses attentes et ressentent le besoin de lui plaire. C'est pourquoi elle doit commenter franchement, mais habilement, la démarche des enfants.

Vers trois ou quatre ans, les enfants accordent beaucoup d'importance à l'opinion de leurs **pairs,** et elle est souvent capitale à l'âge scolaire. Cette acceptation des idées des autres fait intégralement partie du processus de socialisation. D'où l'importance d'y consacrer une place significative.

Les **parents** sont généralement les personnes les plus significatives pour l'enfant. Ils devraient donc être considérés comme d'importants partenaires d'évaluation. Non seulement leur participation est très valorisante pour l'enfant, mais elle les informe aussi de l'évolution de ce dernier.

De plus, il est intéressant de solliciter à l'occasion les commentaires d'autres intervenants, comme la **responsable du service de garde** éducatif ou les **autres éducatrices**.

11.5 QUELQUES SUGGESTIONS

Les suggestions présentées dans les pages qui suivent ont pour but d'aider l'éducatrice à faire des choix selon l'âge des enfants et le type d'activité-projet.

Pour les tout-petits

Les enfants de moins de deux ans parlent peu. Par contre, ils expriment spontanément leur satisfaction et leur insatisfaction par le langage non verbal. En guise d'évaluation, l'éducatrice peut tout simplement verbaliser sa perception de leurs expressions non verbales. Par exemple : « Tu sembles très content d'avoir lavé cette chaise. » ou « Tu as beaucoup de plaisir à jouer

avec ces outils. » Ainsi, elle les aide à prendre conscience peu à peu de leurs sentiments. De plus, elle peut commenter leurs efforts ou leurs actions en disant, par exemple : « Je trouve que tu fais de belles grandes tours. » Elle peut également exprimer ses propres sentiments et dire, par exemple : « Je suis très contente que vous m'aidiez à déplacer tous ces blocs. »

De plus, avant l'âge de deux ou trois ans, les enfants accordent peu d'importance au produit fini. Il est alors plus difficile de créer des contextes, comme des présentations ou des expositions, qui soient propices aux commentaires. Donc, avec les tout-petits, l'évaluation est plutôt spontanée, informelle, individuelle et de courte durée.

Vers deux ans, les enfants commencent à pouvoir exprimer verbalement leur opinion. Il est alors possible de consacrer une courte période de temps à des commentaires oraux. Mais il ne faut pas oublier que la réflexion se fait surtout dans l'action. C'est donc davantage durant le déroulement qu'ils commenteront leur jeu. Lorsque le type d'activité-projet le permet, il est aussi intéressant de leur donner l'occasion de montrer à d'autres ce qu'ils ont fait. Ainsi, on peut :

– proposer aux enfants de défiler avec des déguisements;

– exposer des créations;

– prendre des photographies et les exposer.

Pour les enfants de plus de trois ans

Avec des groupes d'enfants de trois ans et plus, et selon le type d'activité-projet, plusieurs contextes favorables à l'évaluation peuvent être aménagés. Voici quelques suggestions :

– exposer des créations, des collections ou des trouvailles;

– proposer aux enfants de défiler avec des déguisements;

– les inviter à expérimenter leur réalisation ou à jouer avec elle; par exemple, en faisant le marché après avoir mis sur pied une épicerie;

– prendre des photographies et les montrer à d'autres;

– utiliser les réalisations pour décorer un coin du local;

– suggérer aux enfants d'inviter un autre groupe à déguster les petits plats cuisinés;

– proposer d'organiser un spectacle ou une présentation;

– proposer aux enfants de donner ou d'envoyer leur réalisation à quelqu'un;

– les inviter à décrire ce qu'ils ont fait;

– reproduire des dessins ou des textes pour en faire une brochure;

– inviter les enfants à faire la démonstration des expériences ou des procédés utilisés;

– leur proposer d'interviewer un ami en simulant une émission de radio ou de télévision;

– organiser une causerie.

La causerie

Avec des enfants de plus de trois ans, il arrive souvent que la causerie serve de cadre à l'évaluation. Même si on s'est servi de l'un des moyens de la liste présentée ci-dessus, il est souvent inté-ressant de s'asseoir tous ensemble pour faire le point. Les questions utilisées pour amorcer la discussion doivent alors être choisies judicieuse-ment. La demande la plus fréquente est : « Qu'est-ce que vous avez aimé dans cette acti-vité ? » Bien que cette question ne soit pas sans intérêt, plusieurs autres aspects méritent qu'on s'y attarde. Un petit nombre de questions ouver-tes, portant sur différents aspects de l'activité, favorisent davantage la réflexion et la prise de conscience.

À titre d'exemples, voici quelques questions qui peuvent amorcer la discussion lors d'une causerie.

– Pourquoi ta réalisation te satisfait-elle ?

– Qu'est-ce que tu as trouvé de plus difficile, facile, stimulant, etc. ?

– Qu'est-ce que tu as découvert de nouveau lors de cette activité ?

– Avec quel outil ou quel matériel as-tu eu le plus de succès ?

– Si tu recommençais cette activité, que ferais-tu de différent ?

– Quels conseils donnerais-tu à quelqu'un qui veut faire la même chose que toi ?

– Qu'est-ce que cette activité t'a donné le goût de découvrir ou d'explorer ?

Il est aussi intéressant de demander aux enfants sur quels aspects de leur réalisation ils aimeraient recevoir des commentaires. Ainsi, chaque enfant formule une question qu'il pose aux autres lorsque vient son tour.

Le journal de bord

Ces questions peuvent aussi servir lorsqu'on propose aux enfants d'évaluer individuellement une activité en consignant leur réflexion dans un journal de bord ou un petit calepin. Un **pictogramme** peut identifier de quelle activité il s'agit et les enfants choisissent parmi d'autres **pictogrammes** celui qui correspond à leur niveau de satisfaction. Avec les enfants d'âge scolaire, l'évaluation peut se faire par écrit et en fonction de différents critères. Ainsi, ils peuvent

être amenés à porter un jugement sur leur degré de participation, leur satisfaction personnelle, sur la valeur du travail d'équipe ou tout autre critère jugé pertinent.

Cette technique permet de conserver les évaluations successives, qui pourront être utilisées par la suite pour une analyse plus globale.

Règle d'or

Pour éviter que le processus d'évaluation ne devienne monotone, il est souhaitable de modifier régulièrement les formes d'évaluation, la formulation des questions et les aspects à évaluer.

11.6 L'ÉVALUATION, UNE SOURCE IMPORTANTE D'INFORMATION

L'évaluation constitue une source importante d'information pour l'éducatrice. Les commentaires des enfants lui seront très utiles pour évaluer de façon plus systématique l'activité qu'elle leur a proposée et pour en planifier de nouvelles.

Évaluer l'activité-projet proposée

Le moment de l'évaluation permet à l'éducatrice d'évaluer l'activité qu'elle a proposée aux enfants. Pour ce faire, elle peut s'inspirer des conditions de réussite de l'activité-projet et utiliser les réactions et les commentaires des enfants pour répondre aux questions suivantes.

– Qu'est-ce qui a particulièrement intéressé les enfants durant cette activité ?

– Comment ont-ils démontré qu'ils ont eu du plaisir ?

– À quel moment ont-ils été le plus actifs ? Comment auraient-ils pu l'être davantage ?

– Quels apprentissages ont été réalisés ?

– Qu'est-ce qui fait dire que le problème à résoudre a mené à des résultats variés ?

– Quels choix les enfants ont-ils pu faire ?

– L'activité était-elle fondée suffisamment sur le concret et le réel ? Comment cet aspect aurait-il pu être amélioré ?

– Tous les enfants ont-ils pu réussir l'activité ? Sinon, qu'est-ce qui devrait être modifié ?

– De la documentation et du matériel supplémentaires auraient-ils pu enrichir cette activité ?

De plus, l'éducatrice peut se demander quels aspects de la planification et de son animation seraient à modifier lors d'une activité semblable. L'évaluation de chacune des activités-projets lui permet ainsi de se développer professionnellement et d'améliorer la qualité de son travail.

Déterminer des suites à l'activité

Les commentaires des enfants sont aussi une source importante d'information qui permettra à l'éducatrice de planifier de nouvelles activités-projets. En écoutant et en observant attentivement, il est assez facile de percevoir de nouveaux champs d'intérêt. Il arrive même fréquemment qu'un enfant suggère spontanément une idée à explorer ou une suite à l'activité. Par exemple, à la suite de la fabrication de cartes de souhaits, un enfant propose de confectionner du papier d'emballage. Il est même facile, lors de l'étape de l'évaluation, de leur demander s'ils aimeraient explorer davantage ce thème.

11.7 Questions d'intégration

1. À partir de chacune des activités-projets suivantes, décrivez deux contextes intéressants pour l'étape de l'évaluation.

   a) Des enfants de deux ans ont décoré leur tricycle.

   b) Des enfants de trois ans sont allés cueillir des fleurs sauvages pour faire des bouquets.

   c) Des enfants de quatre ans ont construit une ville avec les jeux de construction.

   d) Des enfants de cinq ans ont préparé des bouteilles de parfum.

   e) Des enfants de six à huit ans ont fabriqué du papier d'emballage.

   f) Des jeunes de neuf ans ont amené un groupe d'enfants de deux ans jouer au parc.

2. Pour chacune des situations décrites ci-dessus, formulez deux questions qui pourraient servir à amorcer une causerie au terme de l'activité.

3. Lors d'une causerie, un enfant de quatre ans dit : « Je trouve que l'avion de Nicolas est trop gros, il ne pourra jamais voler. » Comment réagissez-vous à ses propos ?

L'organisation

L'organisation du milieu de vie influe sur le déroulement des journées. Des aires de jeu bien aménagées, un système de rangement logique et connu des enfants, et des consignes simples et constantes sont la base d'un fonctionnement harmonieux. De plus, le bruit, l'intensité lumineuse, la température et les stimulations externes exercent un effet direct sur la capacité de concentration et peuvent stimuler ou décourager l'engagement des enfants. Il est donc important de veiller à créer un environnement propice à l'apprentissage. Le sujet est vaste et les choix à faire sont nombreux. Dans le présent chapitre, on traite principalement de la mise en place d'une organisation qui réponde aux besoins spécifiques des activités. Par contre, plusieurs principes ou recommandations peuvent facilement être transposés à l'ensemble de l'organisation du milieu de vie.

Bien qu'une bonne organisation ne garantisse pas l'intérêt des enfants ou le succès d'une activité, une mauvaise organisation menace à coup sûr sa réussite. D'où l'importance de planifier avec soin tous les aspects organisationnels de chacune des activités-projets. Ce chapitre propose donc aux éducatrices un éventail de recommandations pour adapter l'organisation d'une activité-projet aux capacités et aux besoins des enfants.

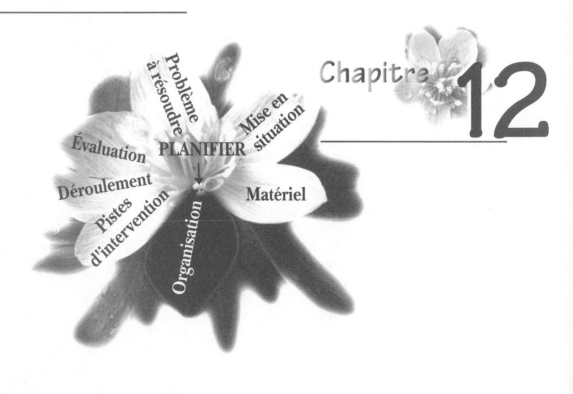

Chapitre 12

PLANIFIER

Problème à résoudre · Mise en situation · Matériel · Organisation · Pistes d'intervention · Déroulement · Évaluation

12.1 Principes guidant les choix d'organisation

Après avoir fait le choix d'une activité-projet, l'éducatrice a aussi la responsabilité de prévoir l'organisation qui favorisera son bon déroulement et créera un climat propice à l'apprentissage. Même si, selon leur âge, les enfants peuvent collaborer à cette planification, il n'en demeure pas moins que plusieurs décisions doivent être prises au regard des questions suivantes.

– Quelles modalités de travail conviennent le mieux ?
– Quel aménagement de l'espace est le plus approprié ?
– Comment subdiviser le groupe ?
– Où sera situé le matériel ?
– Quelles seront les règles et les consignes ?
– Quels sont les moments les plus appropriés à la réalisation de cette activité ?
– Combien de temps devra être consacré à cette activité ?

On peut habituellement répondre assez facilement et assez rapidement à plusieurs de ces questions. Les choix sont nombreux et dépendent à la fois du type d'activité et de l'âge des enfants. Trois orientations doivent toutefois guider l'éducatrice de façon prioritaire :

– maintenir l'intérêt des enfants;
– développer l'autonomie;
– faciliter l'encadrement.

Maintenir l'intérêt des enfants

Bien sûr, la mise en situation a pour objectif principal de piquer la curiosité des enfants, mais leur intérêt doit être maintenu tout au long de l'activité. Une bonne organisation et un aménagement attrayant agissent de façon indirecte en maintenant l'intérêt des enfants et en stimulant l'exploration. De plus, c'est une façon d'influencer le climat dans lequel se déroule l'activité. Par exemple, une stagiaire suspend au plafond des ballons bleus et propose aux enfants de fabriquer des planètes. Cet aménagement, tout en permettant de travailler debout et en délimitant l'espace réservé à chacun, crée un climat magique. Tout au long de l'activité, les enfants, émerveillés par l'effet visuel, demeurent calmes, concentrés et enthousiastes.

Développer l'autonomie

Durant le déroulement de l'activité-projet, les enfants doivent pouvoir agir de la façon la plus autonome possible. L'accessibilité du matériel et la précision des règles facilitent le jeu des enfants. De plus, leur participation à l'organisation est un excellent moyen de favoriser le développement de l'autonomie. Plusieurs tâches peuvent facilement leur être confiées. D'ailleurs, en sollicitant leur collaboration dans un climat d'entraide et de plaisir, on favorise d'autres aspects de leur développement. Par exemple, leur demander de transporter un plat d'eau ou de déplacer une table devient une belle occasion de favoriser le développement psychomoteur, le développement social et même l'estime de soi. Leur faire assumer le rangement et le nettoyage, du moins en partie, offre une autre occasion d'apprentissage. Le rangement du matériel crée un contexte qui engendre la réflexion en amenant les enfants à faire des liens et à classer. Leur développement cognitif est ainsi favorisé. L'éducatrice, soucieuse de profiter de chaque instant pour permettre aux enfants de se développer, identifie alors toutes les tâches pouvant être accomplies par eux et en fait des occasions d'apprentissage.

Faciliter l'encadrement

L'organisation doit être planifiée de manière à favoriser les interactions positives entre les enfants et ainsi faciliter l'encadrement. On diminue considérablement le nombre d'interventions disciplinaires en planifiant correctement l'aménagement et en précisant les règles et les consignes. Par exemple, l'aménagement des aires de jeu relativement isolées et la division du groupe en sous-groupes favorisent le calme et la concentration. De plus, une bonne organisation permet de minimiser les périodes d'attente, donc les moments de surexcitation.

12.2 MODALITÉS DE FONCTIONNEMENT

Un programme bien équilibré prévoit que certaines activités seront laissées au choix des enfants tandis que d'autres, pour diverses raisons, seront imposées à tous les enfants du groupe. Parfois, tous participent à une même activité, mais se répartissent les tâches à accomplir. Par exemple, lorsqu'il s'agit de faire le ménage du local, même les enfants d'un groupe de deux ans peuvent se charger de certaines tâches. Mais, à cet âge, il est essentiel que le travail des uns ne dépende pas de celui des autres. Même lorsque tous les enfants du groupe sont invités à réaliser la même activité, il est souvent possible de les laisser utiliser des objets ou des médiums différents. En tout temps, il est essentiel de prévoir une activité déversoir pour les enfants qui ne désirent pas participer ou qui terminent avant les autres.

Lorsque des activités-projets différentes sont offertes simultanément aux enfants, il est important de s'assurer de leur compatibilité. Par exemple, il n'est pas très approprié de laisser se dérouler une activité dans le coin menuiserie au moment où une autre équipe réalise l'enregistrement d'une bande sonore. Dans le contexte de petits groupes, il est intéressant d'offrir des activités-projets qui ont des liens entre elles. Par ailleurs, quand le groupe est composé d'un grand nombre d'enfants et de quelques éducatrices, il est plus facile d'offrir des activités diversifiées. Plusieurs facteurs influeront donc sur le choix de l'éducatrice, mais il importe avant tout que les modalités de fonctionnement conviennent au type d'activité, à l'organisation du milieu physique et aux capacités des enfants.

Tableau 12.1   Exemples de modalités de fonctionnement

Modalités de fonctionnement	Exemples
Tous les enfants du groupe réalisent la même activité-projet avec le même matériel ou le même médium.	Tous les enfants du groupe construisent des avions en utilisant les blocs Lego.
Tous les enfants du groupe réalisent la même activité-projet en utilisant des objets ou des médiums différents.	Tous les enfants du groupe construisent des avions. Ils ont le choix d'utiliser les blocs Lego ou le matériel de bricolage, ou encore de fabriquer des avions en papier.
Différentes activités-projets sont offertes aux enfants en même temps.	Les enfants ont le choix des activités suivantes : • construire des avions; • faire la maquette d'un aéroport; • réaliser une murale illustrant tout ce qu'on peut retrouver dans le ciel.
Tous les enfants du groupe réalisent la même activité-projet, mais se répartissent les tâches à accomplir.	L'ensemble des enfants du groupe construit la maquette d'un aéroport : • certains construisent des bâtiments; • d'autres fabriquent des avions; • une équipe aménage le terrain et les pistes d'atterrissage.

12.3 IDENTIFICATION DES ÉTAPES DE L'ACTIVITÉ-PROJET

Une fois les modalités de fonctionnement déterminées, l'éducatrice doit définir les étapes de chacune des activités qui seront présentées aux enfants. Toute activité comporte trois grandes parties, soit la présentation, la réalisation et l'évaluation. Selon l'envergure du projet, la réalisation peut se diviser en différentes étapes. Les activités-projets réalisées avec de jeunes enfants comportent généralement peu d'étapes de réalisation. Par contre, celles qui se réalisent à long terme peuvent en comporter plusieurs. Dans le tableau 12.2, la colonne de gauche identifie les différentes étapes d'une activité intitulée « L'épicerie ». Cette activité-projet, destinée à un groupe multiâge (préscolaire), consiste à mettre sur pied une épicerie pour y faire des achats (*voir la fiche n° 1*).

Tableau 12.2   L'épicerie

Étapes de l'activité-projet	Aspects organisationnels
Présentation	Modalité de travail : grand groupe
	Aménagement et regroupement : réunir les enfants près des grosses boîtes, au centre du local, pour présenter la mise en situation.
	Règle et consigne à faire observer : lever la main quand on veut avoir la parole et bien écouter ceux qui parlent.
	Gestion du temps : proposer cette activité après la collation du matin, soit vers 10 h 15.
Réalisation *Première étape :* Découvrons ce qu'il y a dans les boîtes.	Modalité de travail : équipes de trois ou quatre enfants
	Aménagement et regroupement : placer trois boîtes assez loin l'une de l'autre (trois ateliers), pour éviter les bousculades.
	Règle et consigne : jeter les petits bouts de papier à la poubelle pour éviter que les tout-petits ne les mettent dans leur bouche.
	Gestion du temps : passer à l'étape suivante aussitôt que l'intérêt diminue.
Deuxième étape : Classons les aliments et les boîtes.	Modalité de travail : grand groupe
	Aménagement et regroupement : une table sert à recueillir les produits ménagers, une autre, la nourriture solide, et une dernière, les liquides. Chaque table est identifiée par un pictogramme.
	Règle et consigne : classer les aliments selon les catégories établies ensemble.
Troisième étape : Aménageons notre comptoir d'épicerie.	Modalité de travail : équipes de trois ou quatre enfants
	Aménagement et regroupement : aménager trois tables un peu à l'écart les unes des autres pour former trois ateliers.
	Règle et consigne : aménager son comptoir comme dans une épicerie.
Évaluation Allons faire notre marché.	Modalité de travail : au choix des enfants
	Règle et consigne à faire observer lorsque l'intérêt diminue : transporter le matériel dans un coin pour qu'il puisse servir un autre jour.
	Gestion du temps : poursuivre aussi longtemps que les enfants manifestent de l'intérêt.

12.4 ASPECTS ORGANISATIONNELS

Graduellement et selon les capacités des enfants, plusieurs aspects organisationnels peuvent être définis avec eux. Il n'en demeure pas moins que, pour chacune des étapes d'une activité-projet, on doit déterminer :

– les modalités de travail;

– l'aménagement et le regroupement;

– les règles et les consignes;

– la gestion du temps.

La colonne de droite du tableau 12.2 fournit un exemple de la façon de préciser les aspects organisationnels avant de mettre sur pied une activité-projet.

Modalités de travail

Les activités-projets peuvent se réaliser, entièrement ou en partie, individuellement ou en équipe.

Travail individuel On parle de travail individuel quand l'enfant accomplit une tâche ou résout un problème seul et à son rythme.

Travail d'équipe On parle de travail d'équipe quand deux enfants ou plus collaborent ensemble pour résoudre un problème ou accomplir une tâche. La taille et la composition des équipes peuvent être établies en fonction de plusieurs critères, mais doivent toujours tenir compte des besoins et des capacités des enfants.

Afin de respecter les habiletés sociales des enfants, il convient d'introduire graduellement le travail d'équipe. Avant l'âge de trois ans, les enfants éprouvent beaucoup de difficultés à collaborer avec les autres. C'est davantage la période des jeux parallèles; à l'occasion, toutefois, l'enfant est capable de réaliser de petites tâches avec un autre. Lorsqu'ils ont trois ou quatre ans, il est possible, de temps à autre, de former des équipes de deux pour la réalisation de certaines activités de courte durée ou pour une étape particulière. Plus les enfants vieillissent, plus leur aptitude à collaborer avec les autres se développe. À partir de l'âge de quatre ans, ils sont en mesure d'accomplir certaines activités en équipe, en autant

qu'on leur laisse le choix des partenaires. Le travail en équipe répond davantage à leurs besoins et favorise leur développement social, mais il faut l'organiser pour qu'il se déroule le plus harmonieusement possible. À l'âge scolaire, ils sont habituellement heureux de se regrouper avec leurs amis pour réaliser des projets.

Travail en grand groupe On parle de travail en grand groupe quand tous les enfants sont réunis pour recevoir de l'information ou pour réaliser une étape de l'activité. Le grand groupe convient généralement à la présentation de l'activité et à la **mise en commun**, lors de l'étape de l'évaluation. On y a rarement recours pour la réalisation parce que, dans un tel cadre, il est plus difficile de permettre à chacun de travailler à son rythme. Il est presque toujours préférable que les tâches soient accomplies individuellement ou en équipe.

Le tableau 12.3 (*voir p. 150*) présente des modalités de travail adaptées aux habiletés sociales des enfants. Il faut toutefois se rappeler que ceux-ci, quel que soit leur âge, doivent avoir l'occasion de travailler seuls à certaines activités. Par ailleurs, à certains moments, l'éducatrice devra recourir à de nouvelles façons de former des équipes en vue, par exemple, de faciliter l'intégration d'enfants souvent mis à l'écart.

Tableau 12.3   Modalités de travail selon les habiletés sociales

Âge	Suggestions
1 et 2 ans	Proposer des activités-projets qui se réalisent individuellement et, dans la mesure du possible, offrir à chaque enfant un espace suffisant pour qu'il puisse agir sans être trop dérangé par les autres. À cet âge, les petits sont incapables de partager le matériel; chacun doit donc disposer de tout ce dont il a besoin.
2 à 4 ans	Proposer des activités-projets qui se réalisent individuellement, mais favoriser le jeu parallèle en formant des ateliers de deux ou trois enfants par table ou par coin d'activité. Vers trois ans, ils commencent à être capables de partager une partie du matériel.
4 à 6 ans	Occasionnellement, proposer des activités-projets à court terme qui se réalisent en équipes de deux ou trois. Laisser les enfants choisir leurs partenaires. Vers cinq ans, plusieurs préfèrent travailler avec des amis du même sexe.
6 à 9 ans	Proposer des activités-projets qui se réalisent en équipes. La formation des équipes peut se faire selon le choix des enfants ou, à l'occasion et pour des activités à court terme, être déterminée par le hasard. Habituellement, ils préfèrent se joindre à des coéquipiers du même sexe.
9 à 12 ans	Les enfants de cet âge apprécient les projets qu'ils peuvent réaliser avec leur groupe d'amis. En général, il est difficile de leur imposer un partenaire; cela demeure toutefois possible, à condition qu'il s'agisse d'activités à court terme.

Aménagement et regroupement

L'aménagement de l'espace et la façon de regrouper les enfants sont interreliés et dépendent directement des modalités de fonctionnement et de travail. Qu'il s'agisse d'activités individuelles ou par équipe, il est essentiel de planifier l'aménagement et la répartition des enfants dans l'espace. Ainsi, lorsqu'une activité se réalise en équipes, l'espace où évolue chaque équipe doit être aménagé d'une manière qui corresponde aux besoins de la réalisation. Par ailleurs, lorsqu'une activité se réalise individuel-lement, le regroupement des enfants peut se faire en fonction du matériel dont ils ont besoin.

Les éducatrices de groupes de très jeunes enfants ont souvent tendance à les réunir tous autour d'une même table. Elles veulent ainsi mieux encadrer et soutenir chacun. Cette façon de faire comporte toutefois plusieurs inconvénients. La promiscuité provoque fréquemment des conflits. De plus, la proximité de l'éducatrice amène souvent les enfants à demander de l'aide pour accomplir des gestes qu'ils auraient très bien pu faire seuls. Il est préférable de subdiviser le

groupe en sous-groupes et de former des ateliers en regroupant un petit nombre d'enfants. Par exemple, on peut réunir ceux qui s'adonnent à une même activité ou utilisent le même matériel. On accorde ainsi une plus grande intimité à chaque enfant, ce qui diminue le nombre d'interactions, minimise les distractions et lui permet d'être davantage concentré sur son jeu.

Pour répondre aux besoins spécifiques d'une activité-projet, il est parfois essentiel de modifier l'aménagement original et de l'adapter au contexte du moment. Dans certains cas, il est nécessaire de libérer au maximum le plancher; dans d'autres, il faut ajouter des plans de travail. Il est plus facile d'adapter l'espace en fonction des besoins spécifiques d'une activité si l'aménagement de base est déjà fonctionnel et offre une certaine polyvalence. L'encadré qui suit précise quelques caractéristiques d'un aménagement de base de qualité.

Un aménagement de base de qualité

Un mobilier polyvalent facilite les transformations nécessaires à la réalisation de différentes activités. Par exemple, il est préférable de disposer de quelques petites tables, qui peuvent être regroupées au besoin, plutôt que d'une seule où tous les enfants se réunissent.

De plus, un local divisé en aires de jeu distinctes et plus ou moins spécialisées facilite généralement le fonctionnement et permet aux enfants de mieux structurer leurs jeux. Si l'on dispose d'une grande superficie, les possibilités sont nombreuses; toutefois, il faut souvent faire preuve de beaucoup de créativité pour tirer profit d'un espace trop restreint. L'aménagement en permanence des aires de jeu ou des coins d'activité diminue le nombre de démarches nécessaires à la réalisation de certaines activités. Ainsi, le local devrait comprendre :

– une aire de rassemblement assez grande pour accueillir tous les enfants du groupe;

– un coin de lecture qui peut aussi être utilisé pour permettre à un enfant fatigué de se reposer;

– un coin de construction rassemblant des blocs de différentes dimensions; on peut aussi y retrouver des véhicules de toutes sortes et différentes figurines;

– un coin de bricolage qui rassemble tous les matériaux utiles à cette fin : papier, ciseaux, colle, matériaux de récupération, gouache, etc.;

– un coin pour les jeux de rôles, où se trouvent les costumes, un miroir ainsi que des meubles et du matériel permettant aux enfants d'incarner un personnage ou de créer des scénarios. Au cours de l'année, ce coin peut être aménagé tour à tour en cuisinette, en épicerie, en bureau de poste, en restaurant, en salon de coiffure, en hôpital, etc.

De plus, l'aménagement de tous ces ateliers devrait permettre des activités de grande motricité, surtout pour les journées où il n'est pas possible d'aller jouer à l'extérieur.

Enfin, il est fort judicieux d'aménager un coin polyvalent qui se transforme selon les besoins des enfants ou le thème exploité. On peut y réunir tout le matériel et la documentation spécifiques à l'exploration et à la découverte du sujet de l'activité.

Selon l'espace disponible, plusieurs autres aires de jeu peuvent être aménagées en fonction du matériel dont on dispose, ou encore des besoins et des intérêts des enfants. Voici quelques exemples de thématiques :

sciences,	théâtre,
jeux d'eau et de sable,	audition de cassettes,
musique,	imprimerie,
menuiserie,	modelage,
plantes ou animaux,	couture.
ordinateur,	

Comme il est souvent impossible d'aménager en permanence toutes ces aires de jeu, le coin polyvalent peut être utilisé pour des installations temporaires qui répondent aux besoins du programme d'activités.

En cours d'année, l'aménagement de nouveaux coins ou le réaménagement des coins permanents apporte un peu de nouveauté et offre aux enfants la chance de réaliser des apprentissages différents.

Les enfants ont besoin d'espace pour réaliser leurs activités, surtout en bas âge, alors qu'il leur est difficile de négocier constamment leur place avec d'autres. Il est important de laisser entre les coins d'activité ou entre les ateliers suffisamment d'espace pour permettre aux enfants de circuler sans déranger les autres. De plus, l'emplacement d'un atelier doit être adapté au type d'activité qui s'y tient. Si un jeu fait appel à des matériaux salissants, il est préférable de situer ce coin d'exploration près des lavabos. Par contre, d'autres ateliers peuvent nécessiter un espace dégagé et plus à l'écart. En identifiant bien les besoins reliés aux différentes formes de réalisation, on peut trouver la meilleure localisation.

Dans plusieurs cas, les aires de jeu permanentes sont idéales pour la réalisation de certaines activités. Par exemple, pour la fabrication d'avions, il est très opportun d'installer dans le coin de bricolage les enfants qui utilisent ce médium et dans le coin des blocs, ceux qui choisissent la construction. Ils auront ainsi à leur disposition le matériel nécessaire et l'on pourra mettre à leur portée du matériel complémentaire. On minimise de cette façon le nombre de réaménagements nécessaires.

Quelquefois, du matériel et des objets utilisés moins fréquemment sont nécessaires à la réalisation de certaines activités-projets. Il est alors préférable de les rassembler avant de commencer l'activité, en sollicitant la collaboration des enfants. Il est généralement conseillé de répartir le matériel nécessaire entre les différentes aires de jeu; on évite ainsi plusieurs déplacements inutiles. Mais, lorsqu'on ne dispose pas de certains objets en nombre suffisant, on peut les regrouper dans un espace central, où les enfants pourront se les procurer selon leurs besoins.

De plus, il est important de prévoir comment se fera le rangement. La participation des enfants, même des plus petits, doit être sollicitée. Il ne faut pas oublier que cette partie de l'activité offre de belles occasions d'apprentissages variés. Voici donc quelques suggestions pour faciliter le rangement du matériel à la fin d'une activité :

– pour les tout-petits, mettre le matériel de chacun dans une boîte ou un sac, où ils pourront le remettre à la fin de l'activité;

– étiqueter, au moyen de pictogrammes, les bacs contenant du matériel spécifique;

– prévoir des corbeilles ou des sacs pour recueillir les déchets;

– prévoir un endroit pour déposer les réalisations durant le rangement;

– prévoir, au besoin, des torchons, des vadrouilles ou des balais pour tous les sous-groupes;

– pour les jeux d'eau, étendre sur le sol et sur la table de vieilles couvertures qui absorberont les dégâts.

Le tableau 12.4 offre quelques suggestions concernant l'aménagement et le regroupement en fonction des modalités de fonctionnement et de travail.

Tableau 12.4 Possibilités d'aménagement et de regroupement

Modalités de fonctionnement	Modalités de travail	Aménagement et regroupement
Tous les enfants du groupe réalisent la même activité avec le même matériel.	individuel	• Chaque enfant dispose d'une aire de jeu relativement délimitée, de même que du matériel nécessaire. • Le groupe est divisé en ateliers et le matériel se trouve dans un espace central ou est réparti également entre les ateliers.
	en équipe	• Chaque équipe a une aire de jeu et le matériel nécessaire pour réaliser l'activité. Certains objets peuvent être à la disposition de l'ensemble des équipes; ils sont alors déposés dans un endroit central.
Tous les enfants du groupe participent à la même activité, qui se réalise en plusieurs étapes distinctes requérant un matériel différent.	individuel	• Le matériel nécessaire à la réalisation de chaque étape se trouve dans des ateliers différents. Les enfants circulent, selon la place disponible, d'un atelier à l'autre pour réaliser chacune des étapes (atelier en rotation)[1]. L'éducatrice peut se joindre à l'atelier qui nécessite davantage sa présence.
	en équipe	• Le matériel nécessaire à la réalisation de chaque étape se trouve dans des ateliers différents. Chaque équipe circule, selon la place disponible, d'un atelier à l'autre pour réaliser chacune des étapes (atelier en rotation).
Tous les enfants du groupe réalisent la même activité en utilisant un matériel ou un médium différent.	individuel	• Tous les enfants qui utilisent le même matériel ou le même médium se regroupent dans le même atelier.
	en équipe	• Chaque équipe utilise le coin d'activité qui convient le mieux au médium choisi.
Différentes activités-projets sont offertes aux enfants en même temps.	individuel	• Les enfants qui réalisent la même activité sont regroupés dans le même atelier et utilisent l'aire de jeu qui convient le mieux.
	en équipe	• Chaque équipe réalise son activité dans l'aire de jeu qui convient le mieux.
Tous les enfants du groupe réalisent la même activité-projet, mais se répartissent les tâches à accomplir.	individuel	• Les enfants sont regroupés en atelier dans l'aire de jeu qui convient le mieux à la tâche à accomplir.
	en équipe	• Chaque équipe utilise l'aire de jeu qui convient le mieux à la tâche à accomplir.

1. Lorsque les étapes doivent se succéder dans un ordre logique, on peut proposer aux enfants de s'occuper à autre chose pendant qu'un groupe commence la première étape; au fur et à mesure que la place se libère, ils peuvent entreprendre l'activité.

Règles et consignes

Les règles et les consignes doivent permettre d'instaurer une vie démocratique caractérisée par le respect des libertés individuelles et le partage des responsabilités. Elles ont pour but de favoriser un fonctionnement harmonieux et une utilisation adéquate du matériel ainsi que de prévenir les conflits. Il est plus facile pour les enfants de respecter les règles et les consignes si elles sont, dans la mesure du possible :

– logiques;
– simples;
– claires;
– formulées positivement;
– expliquées au moment le plus opportun;
– conçues en collaboration avec eux;
– peu nombreuses.

Il est important de prendre le temps d'expliquer clairement aux enfants la raison d'être des règles et des consignes. Cependant, il faut éviter les explications trop longues, qui risquent d'être oubliées rapidement. Certaines règles, plus importantes, peuvent être annoncées lors de la présentation de l'activité; les autres renseignements seront ajoutés par la suite au moment le plus opportun.

Gestion du temps

Quand présenter une activité ? Quel est le meilleur moment de la journée pour réaliser des activités-projets ? Bien entendu, cela dépend des besoins des enfants et de l'horaire du Service de garde. Il importe avant tout de choisir le moment qui cadre le mieux avec le type d'activité offert. Dans les centres de la petite enfance, les activités demandant davantage d'attention et de concentration ont souvent lieu après la collation du matin, car ce moment convient bien à des activités de plus grande envergure. Les enfants, reposés, disponibles, sont généralement tous présents. La période qui suit la sieste de l'après-midi peut aussi être adaptée à certaines formes d'activités-projets.

En milieu scolaire, des jeux extérieurs sont habituellement proposés à la fin des classes pour permettre aux enfants de dépenser un peu d'énergie **motrice**. La période qui suit est très adaptée à la réalisation des activités-projets. Il peut même être intéressant de la réserver pour la réalisation de projets à long terme.

Les suggestions qui suivent peuvent aider l'éducatrice à assurer une meilleure gestion du temps :

– se préparer à l'avance pour réduire le plus possible le temps d'attente;

– s'assurer du confort physique et de la disponibilité psychologique des enfants avant d'entreprendre l'activité;

– prévoir une activité déversoir pour permettre à chacun de travailler à son rythme;

– intégrer des tâches ou des activités de routine, si cela facilite le déroulement de la réalisation;

– prévenir les enfants du moment auquel on devra procéder au rangement;

– offrir la possibilité de poursuivre l'activité ultérieurement, pendant une période de jeux libres, par exemple. Il faut alors prévoir un endroit où les enfants pourront entreposer leur réalisation.

Durée d'une activité   Les activités-projets peuvent se réaliser à court, à moyen ou à long terme. Généralement, les activités-projets organisées pour les enfants en bas âge sont de courte durée et se terminent la journée même où elles sont entreprises. Il est quand même possible de diviser une activité en quelques étapes distinctes qui se réaliseront à des moments différents. Par exemple, une journée peut être consacrée au lavage des vêtements de poupées; le lendemain, on peut donner le bain aux poupées pour ensuite les habiller et, le surlendemain, les amener faire une promenade au parc. Même si cette activité est présentée globalement, il importe de rappeler, chaque jour, l'étape précise à franchir.

Avec l'âge, les enfants ont davantage la capacité de faire des liens et acceptent plus facilement d'interrompre un travail pour le poursuivre ultérieurement. Les projets à plus long terme deviennent donc possibles. Au début, ils ont besoin du soutien de l'éducatrice pour organiser leur temps. Peu à peu, ils deviennent capables de planifier leur échéancier, mais l'éducatrice doit quand même mettre en place une organisation qui leur facilite la tâche. Il est possible d'augmenter le niveau de difficulté en fonction de l'âge des enfants pour les amener, petit à petit, à réaliser des projets à long terme. Enfin, il est intéressant de réserver une période à la réalisation des projets, la période de jeux libres pouvant servir à la poursuite des travaux, pour les enfants qui le souhaitent.

En tout temps, l'éducatrice doit être attentive aux réactions des enfants et mettre un terme à une activité ou passer à une autre étape avant qu'ils ne se désintéressent complètement de ce qui se passe. À titre de suggestion, le tableau 12.5 présente quelques façons d'offrir aux enfants des activités-projets d'une durée adaptée à leur âge.

Tableau 12.5   Durée des activités-projets en fonction de l'âge

Âge	Durée d'une activité-projet
1 et 2 ans	Proposer des activités-projets de courte durée (environ 30 minutes)
2 à 4 ans	Proposer des activités-projets d'une durée de 30 à 90 minutes, pouvant être exécutées de façon continue ou se diviser en étapes distinctes et s'étaler ainsi sur quelques jours consécutifs.
4 à 6 ans	Commencer à proposer des activités-projets pouvant demander plus d'une journée de réalisation. Il n'est plus aussi nécessaire de structurer l'activité en étapes distinctes. Peu à peu, les enfants peuvent interrompre des travaux pour les poursuivre le lendemain et réaliser alors des projets qui s'étendent sur une période de une à deux semaines. À cet âge, ils peuvent se concentrer au moins une heure, et parfois deux, sur le même projet.
6 à 9 ans	Avec le soutien de l'éducatrice, les enfants sont capables de planifier les étapes de réalisation et leur échéancier. Certaines activités-projets pourraient s'échelonner sur environ un mois.
9 à 12 ans	Les enfants sont capables de planifier les étapes de réalisation et leur échéancier. Il demeure toutefois important qu'ils présentent leur planification à l'éducatrice, qui pourra les aider au besoin. Certaines activités-projets peuvent s'échelonner sur quelques mois ou être récurrentes, comme la réalisation d'un journal.

12.5 QUESTIONS D'INTÉGRATION

1. Énoncez les différentes étapes de chacune des activités-projets suivantes.

   a) Vous suggérez à votre groupe d'enfants de deux ans de se déguiser pour aller faire une promenade.

   b) Vous suggérez à votre groupe d'enfants de trois ans de construire des routes pour les autos miniatures.

   c) Vous suggérez à votre groupe d'enfants de quatre ans de fabriquer une marionnette, avec du matériel de récupération, pour la présenter aux autres enfants.

   d) Vous suggérez à un groupe d'enfants de six à neuf ans d'écrire un article pour le journal de l'école.

2. Vous proposez à votre groupe d'enfants de quatre ans d'inventer de nouveaux jouets. Identifiez les étapes de l'activité et proposez pour chacune d'elles les aspects organisationnels (modalités de travail, aménagement et regroupement, règles et consignes, gestion du temps) que vous privilégieriez.

3. Un groupe d'enfants de six ans propose de cuisiner des tartes aux poires pour une visite de parents. Comment vous y prendrez-vous pour identifier avec eux les grandes étapes de l'activité ?

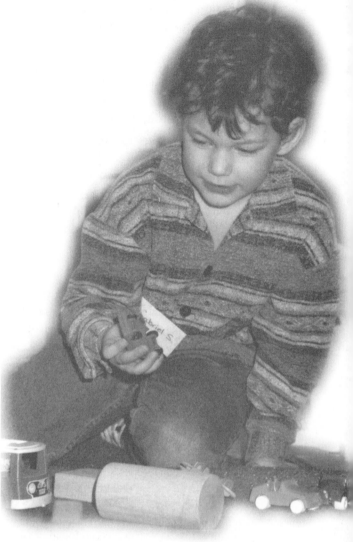

Le déroulement

Tout au long des chapitres précédents, plusieurs décisions ont été prises pour créer une activité-projet stimulante. Il ne reste plus maintenant qu'à procéder à la planification détaillée du déroulement, c'est-à-dire à bâtir le scénario de l'activité.

Selon l'expérience de l'éducatrice en animation et selon le type d'activité à mettre en œuvre, la planification du déroulement sera plus ou moins élaborée. Il est plus facile pour l'éducatrice expérimentée d'ajuster rapidement son action en fonction des réactions des enfants. Par ailleurs, comme il a été mentionné au chapitre 6, la planification écrite et détaillée est particulièrement importante pour les éducatrices en cours de formation, car elle fait partie du processus d'apprentissage qui permet de développer des compétences en animation.

Le présent chapitre expose donc les éléments à considérer lors de la planification détaillée du déroulement d'une activité-projet. On y trouvera, illustrant ce processus, un exemple de planification d'une activité à court terme et un autre pour les projets à long terme. Enfin, quelques erreurs d'animation fréquemment commises par des éducatrices peu expérimentées sont mentionnées par mesure de prévention.

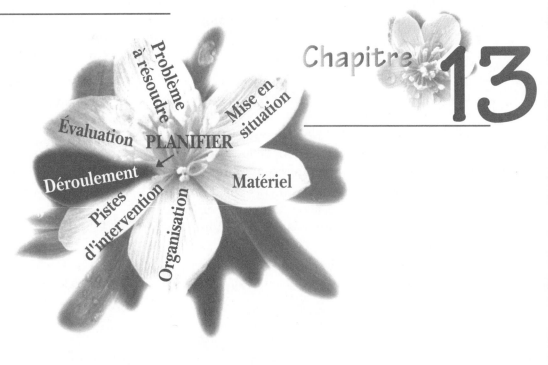

Chapitre 13

Problème à résoudre

Évaluation PLANIFIER

Mise en situation

Déroulement

Pistes d'intervention

Organisation

Matériel

13.1 PLANIFIER LE DÉROULEMENT

Planifier le déroulement, c'est prévoir et harmoniser les moyens à prendre pour assurer le bon fonctionnement d'une activité.

Le chapitre précédent a précisé les différentes étapes de l'activité et exposé les aspects organisationnels relatifs à chacune d'elles. Maintenant, au cours de cette étape-ci, l'éducatrice doit choisir des stratégies, planifier de façon plus détaillée l'enchaînement des différentes actions et préciser le rôle qu'elle devra jouer tout au long de l'activité. Même si l'organisation et le déroulement sont présentés dans deux chapitres différents, on les planifie généralement de façon simultanée.

Pour bien identifier toutes les actions importantes à poser pour assurer la bonne marche d'une activité, il est recommandé d'en visualiser mentalement le déroulement. C'est en imaginant ce qui se passera que l'éducatrice pourra prévoir les actions et les gestes qu'elle devra poser. Par contre, même si certaines réactions des enfants sont prévisibles, il est impossible de les prévoir toutes. Il ne s'agit donc pas de déterminer à l'avance ce que les enfants feront, mais de préciser les tâches et le rôle de l'éducatrice à chaque étape de l'activité.

Pour être utile, la planification du déroulement doit :

– être logique et organisée : les différents gestes à poser doivent être bien ordonnés dans le temps;

– être complète : tous les éléments essentiels à la bonne marche de l'activité doivent être prévus;

– répondre aux besoins d'animation de l'éducatrice : par exemple, les aspects avec lesquels l'animatrice a le plus de difficulté doivent être planifiés de façon plus détaillée;

– déterminer où, quand et comment l'éducatrice exploitera les diverses pistes d'intervention;

– laisser de la place pour les initiatives des enfants et les imprévus : la planification doit être assez souple pour que l'on puisse adapter ou modifier au besoin certains aspects de l'activité;

– prévoir la manière dont les enfants seront soutenus, stimulés et valorisés, c'est-à-dire définir les attitudes souhaitées.

De plus, lorsque la planification d'une activité se fait par écrit, dans le cadre de travaux scolaires par exemple, elle doit permettre au lecteur d'imaginer facilement le déroulement de l'activité et les transitions prévues entre les différentes étapes. En utilisant le « je » pour décrire le déroulement, l'éducatrice se centre davantage sur le rôle qu'elle veut jouer durant l'activité et cela lui permet d'éviter de planifier ce que les enfants feront ou encore d'imaginer qu'ils agiront sans un geste de sa part. Par exemple, il n'est pas pertinent de dire dans la planification que « les enfants sont assis calmement dans le coin de lecture », par contre, il est essentiel de prévoir les moyens à prendre pour que cela se réalise. Il faut donc dire : « À la fin de la collation, je demande aux enfants de se laver les mains et de venir me rejoindre dans le coin de lecture pour regarder ensemble de nouveaux livres ».

13.2 PLANIFICATION DU DÉROULEMENT D'UNE ACTIVITÉ-PROJET À COURT OU À MOYEN TERME

Cette partie présente les principaux éléments dont il faut tenir compte lors de la planification de chacune des étapes d'une activité-projet.

La présentation

Les éléments qui se trouvent dans la présentation sont généralement les mêmes, peu importe le type d'activité. Par exemple, les principales règles de fonctionnement sont presque toujours expliquées au début de l'activité.

En vue de bien planifier l'étape de présentation, voici les principaux éléments que l'éducatrice doit considérer :

– présentation de la mise en situation;

– présentation du ou des problèmes à résoudre;

– vérification de la compréhension du problème à résoudre;

– vérification de l'intérêt des enfants;

– ajustements, si nécessaire;

– négociation ou explication du mode de regroupement, des règles de fonctionnement et des consignes pour l'étape de la réalisation des travaux;

– présentation des étapes de la réalisation, des travaux et de l'échéancier;

– animation des discussions;

– répartition des tâches, s'il y a lieu;

– aménagement du local et organisation du matériel lorsque la collaboration des enfants est requise;

– transition vers l'étape de la réalisation.

La réalisation

Le rôle de l'éducatrice durant l'étape de la réalisation consiste avant tout à soutenir le développement des enfants. Elle doit donc planifier la manière dont elle utilisera les pistes d'intervention choisies précédemment. C'est le moment privilégié pour l'intervention individuelle, et c'est là que la relation entre l'enfant et l'éducatrice prend toute sa valeur.

Par ailleurs, les besoins de soutien diffèrent considérablement selon le type d'activité et l'âge des enfants. Par exemple, pour certaines activités, il peut s'avérer essentiel de réunir les enfants pour préciser des consignes à un moment bien précis, mais ce n'est pas toujours le cas.

Les principaux éléments à considérer lors de la planification de l'étape de la réalisation sont les suivants :

– soutien des enfants dans leur organisation;

– transitions d'une étape de la réalisation à l'autre, s'il y a lieu;

– observation des enfants;

– utilisation des pistes d'intervention;

– relance de l'activité, au besoin;

– animation du rangement;

– présentation d'une activité déversoir ou d'une transition vers l'étape de l'évaluation, s'il y a lieu.

L'évaluation

Au chapitre 11, on a vu que le rôle de l'éducatrice durant cette étape consiste principalement à créer un contexte stimulant, un climat constructif et respectueux ainsi qu'à commenter les efforts des enfants. Maintenant, il importe avant tout de prévoir les moyens appropriés pour bien jouer ce rôle.

Voici les principaux éléments à considérer lors de la planification de l'étape de l'évaluation :

– présentation des modalités d'évaluation ou des moyens mis en œuvre pour les déterminer;

– animation des discussions;

– présentation des moyens mis en œuvre pour recevoir les commentaires des enfants;

– identification de pistes pour poursuivre l'activité, s'il y a lieu;

– présentation d'une transition vers l'activité suivante.

Exemple de planification du déroulement d'une activité-projet à court terme

L'exemple de l'activité-projet « L'épicerie », utilisé au chapitre précédent, est repris ici pour illustrer une façon de planifier le déroulement d'une activité-projet. Cette activité, destinée à un groupe multiâge (préscolaire) consiste à mettre sur pied une épicerie pour y faire des achats (*voir la fiche n° 1 à la page 177*).

Tableau 13.1   Planification du déroulement de l'activité-projet « L'épicerie »

Étapes de l'activité-projet	Aspects organisationnels
Présentation	Modalité de travail : grand groupe
	Aménagement et regroupement : réunir les enfants près des grosses boîtes, au centre du local, pour présenter la mise en situation.
	Règle et consigne à faire observer : lever la main quand on veut avoir la parole et bien écouter ceux qui parlent.
	Gestion du temps : proposer cette activité après la collation du matin, soit vers 10 h 15.

Déroulement
La veille de l'activité, j'arrive au service de garde avec trois grosses boîtes remplies d'autres petites boîtes d'aliments dont certaines contiennent des aliments-jouets en plastique. J'ai aussi laissé sur le coin d'un comptoir les dépliants et les brochures publicitaires de supermarchés, pour piquer la curiosité des enfants.
Les enfants me demandent ce que contiennent ces boîtes et je leur réponds que c'est une surprise pour l'activité du lendemain.
Après la collation, le jour de l'activité, je sors les boîtes et je demande aux enfants de venir s'asseoir près de moi. Je leur demande de deviner ce qu'il y a à l'intérieur.

Réalisation	
Première étape :	Modalité de travail : équipes de trois ou quatre enfants
Découvrons ce qu'il y a dans les boîtes.	Aménagement et regroupement : placer trois boîtes assez loin l'une de l'autre (trois ateliers), pour éviter les bousculades.
	Règle et consigne : jeter des petits bouts de papier d'emballage à la poubelle, pour éviter que les tout-petits ne les mettent dans leur bouche.
	Gestion du temps : passer à l'étape suivante aussitôt que l'intérêt diminue.

Déroulement
J'invite les enfants à se placer autour des boîtes à raison de trois par boîte et à s'installer à un endroit où ils auront assez de place. Je les laisse découvrir et les encourage à nommer les objets qu'ils prennent, particulièrement les tout-petits qui sont à l'âge de l'apprentissage du langage.
Je demande aux plus âgés de m'aider à mettre à la poubelle les petits bouts de papier d'emballage qu'ils trouvent.

Deuxième étape :	Modalité de travail : grand groupe
Classons les aliments et les boîtes.	Aménagement et regroupement : une table sert à recueillir les produits ménagers, une autre, la nourriture solide, et une dernière, les liquides. Chaque table est identifiée par un pictogramme qui représente la catégorie d'aliments.
	Règle et consigne : classer les aliments selon les catégories établies.

Déroulement
Je commence par demander aux enfants quelles sortes d'aliments sont présents. J'utilise leurs réponses pour identifier trois ou quatre catégories différentes d'aliments et je dépose sur chaque table un élément représentatif. Ce n'est pas très grave si certains aliments sont mal classés et je laisse les plus jeunes jouer avec les boîtes vides, s'ils le désirent.
À l'occasion, je classe un aliment au mauvais endroit pour voir leur réaction.
Quand les objets sont classés et la phase de découverte terminée, on range ce qui reste sur le sol et je propose de défroisser le papier d'emballage pour le récupérer.

Tableau 13.1 (*suite*)   Planification du déroulement de l'activité-projet « L'épicerie »

Troisième étape : Aménageons notre comptoir d'épicerie.	Modalité de travail : équipes de trois ou quatre enfants
	Aménagement et regroupement : aménager trois tables un peu à l'écart les unes des autres pour former trois ateliers.
	Règle et consigne : aménager son comptoir comme dans une épicerie.

Déroulement

Je propose au groupe de former de petites équipes pour aménager les différents comptoirs.

Je leur présente les étiquettes autocollantes (certains s'amuseront à les coller sur les boîtes, les plus âgés pourront faire semblant d'y inscrire le prix des marchandises). Je donne des pistes au besoin.

Je leur distribue les brochures et les dépliants publicitaires, l'argent et la caisse enregistreuse. Si nécessaire, je propose qu'un enfant soit le caissier et qu'il aménage son coin.

Il est possible que les tout-petits préfèrent se promener avec les chariots. Je les laisse faire, mais je veille à ce qu'ils ne dérangent pas les autres.

Ceux qui ont terminé peuvent aller s'asseoir près de la caisse regarder les dépliants, et peut-être y sélectionner des aliments qu'ils aimeraient acheter. Il est aussi possible que le jeu se transforme graduellement et que les enfants passent naturellement à l'autre étape.

Évaluation	Modalité de travail : au choix des enfants
	Règle et consigne à faire observer lorsque l'intérêt diminue : transporter le matériel dans un coin pour qu'il puisse être disponible ultérieurement.
	Gestion du temps : poursuivre aussi longtemps que les enfants manifestent de l'intérêt.

Déroulement

Je leur dis : « Je trouve votre épicerie très bien organisée et j'aurais le goût d'y faire mon marché. » J'accueille leurs commentaires et je leur demande ce que l'on pourrait faire maintenant que tout est bien en place. Il est très probable qu'un enfant proposera de faire l'épicerie, si ce n'est pas déjà commencé. J'invite les enfants plus âgés à amener un plus jeune faire l'épicerie (comme s'il s'agissait de leur enfant) et à le faire participer au choix des aliments. Je les laisse jouer avec leur aménagement et je suis attentive à leurs commentaires. Je reformule au besoin.

Les enfants qui désirent changer de jeu peuvent s'installer dans un autre coin. Lorsque l'intérêt diminue, je leur demande de transporter le matériel dans un coin et j'invite les enfants à s'habiller pour aller jouer dehors. Au retour, on réaménage le coin cuisine. Les jours suivants, ils pourront utiliser ce matériel pour différents jeux de rôles.

13.3 PLANIFICATION DU DÉROULEMENT D'UNE ACTIVITÉ-PROJET À LONG TERME

Au chapitre 7, on a vu qu'il est important d'analyser la pertinence du choix du problème à résoudre en fonction des conditions de réussite des activités-projets, de la disponibilité des ressources humaines et matérielles, des particularités des enfants du groupe et de l'intérêt qu'éprouve l'éducatrice à animer l'activité-projet. Dans le cas d'une activité-projet à long terme, il est essentiel d'avoir une vue d'ensemble des différentes tâches avant de les proposer aux enfants.

Démarche préalable

Dans un premier temps, une planification globale des principales tâches liées à la réalisation d'une activité-projet permet d'évaluer :

– la pertinence du défi par rapport à l'investissement demandé;

– le degré de réalisme des choix qui pourront être offerts aux enfants;

– les ressources matérielles et humaines disponibles;

– le temps qui peut y être consacré.

Ce n'est qu'après cette première planification globale que l'éducatrice pourra juger s'il est réaliste et pertinent d'offrir ce projet aux enfants.

Si l'idée du projet émane d'une proposition des enfants, cette première démarche de planification est tout aussi essentielle. Il ne serait pas très sage de s'engager dans la réalisation d'un projet et de s'apercevoir en cours de route que certaines contraintes sont insurmontables. Il est préférable de limiter l'étendue d'un projet proposé par les enfants, en exposant les raisons de cette décision, que de leur faire vivre des déceptions une fois qu'ils auront investi beaucoup de temps et d'énergie dans une réalisation. D'ailleurs, il faut toujours être franc et clair avec eux, sans pour autant les décourager. Il est important de leur parler des difficultés qu'ils peuvent rencontrer; de cette façon, ils pourront mieux imaginer les solutions à trouver.

Planifier le déroulement d'une activité-projet à long terme ne peut se faire en une seule opération, parce qu'il est impossible de tout prévoir dès le départ, et l'éducatrice doit constamment ajuster son action aux idées et aux besoins des enfants.

La présentation

L'étape de la présentation mérite beaucoup d'attention. Elle est particulièrement importante, car elle permet aux enfants de décider de leur engagement dans la réalisation du projet et de faire les premiers choix. Lorsque cela est possible, l'idée du projet devrait être communiquée aux enfants quelque temps avant cette première rencontre; ainsi, des discussions informelles pourront être amorcées et les décisions qui seront prises par la suite seront plus pertinentes. Le contenu de cette étape étant assez vaste, il est possible, et souvent souhaitable, que l'étape de la présentation demande plus d'une rencontre.

Lors de la planification de l'étape de la présentation, l'éducatrice devrait tenir compte des éléments suivants :

– présentation de la mise en situation;

– présentation du problème à résoudre;

– vérification de la compréhension du problème à résoudre;

– identification des étapes de réalisation des travaux et des différentes tâches qui y sont reliées (même si, dans un premier temps, on a réfléchi à cet aspect, il est très éducatif de refaire cette étape avec les enfants);

– vérification de l'intérêt des enfants et de leur engagement;

– ajout de nouvelles idées;

– choix des modalités de fonctionnement;

– formation des comités ou des équipes et répartition des tâches et des responsabilités;

– confection de l'échéancier;

– identification des ressources matérielles et humaines disponibles pour chaque sous-groupe;

– choix des moyens pour assurer la coordination entre les comités.

En fonction des décisions prises avec les enfants, l'éducatrice réajustera sa planification globale. Souvent, différents comités ou sous-groupes sont mis sur pied pour assumer différentes tâches. Par exemple, pour la présentation d'un spectacle, un comité peut être responsable de fabriquer des costumes et un autre, des décors. Chaque comité a alors des besoins différents. À cette

étape, l'activité-projet se subdivise en plusieurs activités-projets qui nécessitent des préparations différentes. Il est alors important de planifier chacune de ces activités, afin de préparer de façon plus détaillée la suite du projet.

Pour réaliser la répartition des tâches et définir les responsabilités de chaque comité, la démarche suivante peut être très utile.

1. Faire la liste des tâches et des sous-tâches.
2. Déterminer l'ordre dans lequel ces tâches devraient se réaliser.
3. Estimer le temps nécessaire à la réalisation de chaque tâche. Si l'échéance finale est déjà fixée, il faut en tenir compte.
4. Déterminer la date d'échéance du projet, si elle n'est pas fixée par des contraintes extérieures.
5. Former des comités et identifier les responsabilités de chacun.
6. Préciser la date du début et celle de la fin des activités de chaque comité.
7. Organiser ces données à l'aide d'un tableau de planification[1].

Tableau 13.2 Tableau de planification

Titre du projet :							
Nom du comité et liste des membres	**Tâches et responsabilités**	**-4**	**-3**	**-2**	**-1**	**Date d'échéance**	**Bilan**
Comité X		Début des activités		Fin des activités			
Comité Y			Début des activités			Fin des activités	
Comité Z		Début des activités				Fin des activités	

1. Inspiré du diagramme de Gantt, outil permettant de représenter les besoins d'un projet en ressources en fonction du temps et au moyen d'une liste de tâches.

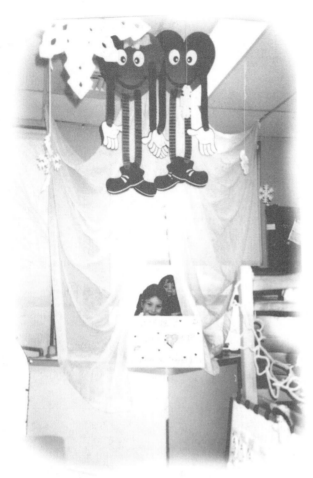

La réalisation

Lorsque les enfants ont décidé de s'engager dans la réalisation d'un projet et que les premières décisions ont été prises, il est généralement utile de réunir tout le groupe pour faire le point. Lors de cette rencontre, on pourra valider les mandats des comités et se réajuster, au besoin. De plus, c'est habituellement à cette occasion que s'amorcent les travaux. Il est donc important que l'éducatrice consacre un peu de temps à chaque comité pour :

– clarifier au besoin le mandat de l'équipe;

– discuter des ressources humaines et matérielles;

– soutenir la planification des étapes de réalisation;

– soutenir l'organisation des enfants dans la réalisation des projets;

– préciser les tâches en fonction de l'échéancier.

Comme il a été dit précédemment, il est impossible de tout prévoir dès le départ. Il faut suivre l'évolution du projet et adapter le contenu de chaque rencontre ainsi que le rôle de l'éducatrice en fonction des besoins des enfants et des différentes décisions prises. Le rôle principal de l'éducatrice est de soutenir le développement des enfants à travers la réalisation des projets en les aidant à trouver des moyens pour atteindre leur but. C'est pourquoi il est très utile que, de temps à autre, au cours des périodes consacrées au travail en équipe, l'éducatrice se tienne un peu à l'écart, pour observer de loin ce qui se passe au sein des équipes.

De plus, il est essentiel que l'éducatrice fasse un bilan de chaque rencontre et réévalue les besoins individuels et collectifs. C'est à partir de cette évaluation qu'elle pourra mieux planifier le prochain rendez-vous et évaluer :

– les interventions à faire auprès d'un enfant ou d'une équipe;

– le besoin d'une rencontre en grand groupe;

– les moyens à utiliser pour les aider à trouver des solutions aux problèmes rencontrés;

– les ressources matérielles nécessaires aux enfants;

– le besoin de relancer l'activité.

L'évaluation

L'évaluation d'une activité-projet à long terme ne peut se faire uniquement à la fin du projet. Tout au long du déroulement, il est important de faire des mises au point régulières et d'apporter les ajustements nécessaires.

Au début du projet, les contextes de présentation et d'évaluation ont souvent été précisés. Mais, lorsque la réalisation est presque terminée, une rencontre en grand groupe est généralement nécessaire pour déterminer de façon plus précise les modalités de présentation et d'évaluation du projet. Toutefois, lors de l'évaluation, le rôle de l'éducatrice est sensiblement le même, qu'il s'agisse d'un projet à long ou à court terme.

Exemple de planification globale d'un projet à long terme

Le directeur d'une école propose à la responsable du Service de garde de préparer un numéro avec les enfants pour le présenter au spectacle de Noël. Après y avoir réfléchi quelque peu et en avoir parlé aux autres éducatrices, ce moyen apparaît pertinent pour faciliter l'intégration du service à la vie de l'école. De plus, toutes croient que l'idée devrait intéresser les enfants. Une éducatrice propose donc d'analyser plus en détail la faisabilité d'un tel projet.

Démarche préalable

En premier lieu, l'éducatrice détermine les principales tâches reliées à la réalisation du projet :

– choisir un numéro à présenter;

– élaborer un scénario et une mise en scène;

– fabriquer des décors et des costumes, s'il y a lieu;

– choisir ou créer une trame sonore, s'il y a lieu;

– répéter le scénario;

– coordonner les différents comités;

– faire une ou des répétitions générales.

De plus, il apparaît réaliste de réaliser ce projet au cours du prochain mois à raison de deux périodes par semaine. Plusieurs costumes et matériaux sont accessibles, et il est possible de coordonner un groupe d'une quinzaine d'enfants. S'il y a un grand nombre d'intéressés, une autre éducatrice peut se rendre disponible pour collaborer à ce projet.

Préparation de la première rencontre

L'éducatrice choisit comme **mode de regroupement** de réunir tous les enfants au gymnase, après la collation.

Elle leur donne les consignes suivantes : « J'ai une proposition à vous faire. Dans un premier temps, je vous demande de m'écouter attentivement; vous pourrez ensuite me poser toutes vos questions et faire des suggestions. »

1. Présentation de la mise en situation

L'éducatrice leur dit : « J'ai rencontré le directeur de l'école et il m'a demandé si nous serions intéressés à participer à la fête de Noël en présentant un numéro de spectacle particulier. Je lui ai répondu que je vous en parlerais. Il m'a remis l'horaire de la journée, que j'ai affiché au babillard. Certains d'entre vous en ont sûrement pris connaissance. Les autres pourront le consulter après notre rencontre. »

2. Vérification de l'intérêt des enfants

Pour faire suite à la proposition, l'éducatrice invite les enfants à lever la main pour poser des questions. Quand le problème à résoudre semble bien clair, elle demande aux intéressés de rester assis et aux autres de rejoindre l'éducatrice qui est dans un local adjacent.

3. Choix du type de numéro qui sera présenté

L'éducatrice propose aux enfants de faire un remue-méninges de toutes les idées qui pourraient être exploitées. Elle écrit toutes leurs idées au tableau mobile. Par la suite, elle leur fait prendre conscience du temps et des ressources disponibles.

L'éducatrice et les enfants élaborent ensuite quelques critères de sélection, et évaluent les différentes idées émises précédemment. Lorsqu'il ne reste plus que des idées réalistes, l'éducatrice invite les enfants à discuter de chaque idée, pour ensuite passer au vote.

4. Identification des tâches à réaliser

Lorsqu'une idée a été choisie, l'éducatrice demande aux enfants présents s'ils sont toujours intéressés à participer au projet. Elle insiste sur le fait que s'ils s'engagent, ils devront collaborer jusqu'à la fin.

L'éducatrice et les enfants identifient ensuite les différentes tâches reliées à la réalisation du projet choisi et les différents comités qui devront être créés.

5. Formation des comités et identification des responsabilités de chacun

Il s'agit de former les comités et de préparer les mandats pour la prochaine rencontre.

On évalue le nombre de personnes et le temps nécessaires à chaque comité. L'éducatrice invite les enfants à se regrouper en fonction de leurs intérêts. Si la répartition n'est pas réaliste, elle les amène à négocier. Ensemble, ils remplissent le tableau de planification expliqué précédemment.

Par la suite, les autres rencontres sont planifiées en fonction des décisions prises et des besoins des enfants.

13.4 ERREURS D'ANIMATION

Souvent une petite erreur d'organisation ou d'animation peut perturber considérablement le déroulement d'une activité. Quelques-unes d'entre elles sont décrites ici afin d'épargner aux éducatrices certains contretemps.

Ainsi, les éducatrices doivent éviter :

– d'amorcer une activité à un moment inopportun ou quand les enfants sont captivés par d'autres jeux;

– de faire attendre les enfants pendant qu'elles s'organisent;

– de mettre du matériel nouveau et attrayant à la vue des enfants et, parallèlement, de leur demander d'écouter attentivement;

– de faire attendre les enfants parce que le matériel est insuffisant;

– de consacrer trop ou pas assez de temps à la mise en situation;

– de demander aux enfants s'ils ont le **goût** de ranger plutôt que de leur donner une consigne précise;

– de donner des consignes vagues ou imprécises avant de se rendre dans un autre lieu;

– de prendre la parole trop longtemps;

– de demander aux enfants s'ils ont bien compris sans vérifier leur compréhension;

– d'inonder le local de matériel plus ou moins pertinent;

– d'organiser le milieu sans penser à minimiser les dégâts;

– de poser des questions aux enfants sans leur laisser le temps de répondre.

13.5 QUESTIONS D'INTÉGRATION

1. Choisissez dans le recueil une activité-projet adaptée à des enfants de moins de cinq ans et planifiez le déroulement.

2. Trois enfants sont venus vous communiquer leur intérêt pour la production d'un mini-journal qui soulignerait le dixième anniversaire du Service de garde en milieu scolaire, qui a lieu dans un mois. Après analyse, vous évaluez que vous avez le temps et suffisamment de ressources pour réaliser ce projet. Planifiez le déroulement de la première rencontre où vous présenterez le projet à l'ensemble du groupe.

Partie 3

DES ACTIVITÉS-PROJETS
À EXPÉRIMENTER

La troisième partie de ce livre fournit aux éducatrices cinquante fiches d'activités-projets à expérimenter ou à adapter à leur situation. Il ne s'agit pas, bien sûr, d'un livre de recettes où les ingrédients seraient décrits avec une précision qui en garantirait le succès. L'objectif de ce recueil d'activités-projets est avant tout de servir de point d'appui et de référence à l'éducatrice qui chemine vers un type d'activités privilégiant l'exploration et la découverte, par le biais de problèmes à résoudre, cette approche se voulant un excellent moyen de favoriser le développement global des enfants. Enfin, aucune activité, aussi bien préparée soit-elle, ne peut remplacer une relation chaleureuse et sécurisante, essentielle à l'instauration d'un climat favorisant l'apprentissage des enfants.

Chapitre 14

Recueil d'activités

Vous trouverez d'abord dans ce chapitre le modèle de fiche qui a été utilisé dans le recueil. Toutes les composantes de l'activité-projet y sont intégrées et une brève explication rappelle les éléments à considérer. Ensuite, une fiche vierge (p. 172-175) est mise à votre disposition pour faciliter la création de nouvelles activités-projets.

Finalement, cinquante fiches d'activités-projets sont proposées. Toutes les idées présentées et tous les moyens suggérés peuvent être modifiés de manière à répondre aux besoins des enfants, selon le contexte propre à chacun des milieux. Il s'agit donc avant tout de suggestions, données dans l'intention de fournir les idées de base qui permettront d'animer des activités-projets et, par la suite, d'en créer de nouvelles.

groupe d'âge ou âge à partir duquel on peut commencer à offrir cette activité-projet aux enfants

Description : aperçu de l'activité-projet à réaliser

 exploration et découverte  expression et création organisation

problème que les enfants sont invités à résoudre ou la tâche qu'on leur demande d'accomplir (verbe d'action, objet de réalisation et contexte de réalisation, s'il y a lieu)

 Liste du matériel suggéré pour accomplir cette activité.

Mise en situation

Propositions d'interventions pour présenter le thème du problème à résoudre et capter l'attention des enfants afin de susciter leur désir de participer à l'activité. Non verbale : aménagement, matériel ou déguisement utilisé. Verbale : ce qui sera exposé aux enfants pour les motiver à réaliser l'activité (question, remarque, confidence, conte, etc.).

Pistes d'intervention

Pour favoriser le développement cognitif

Propositions d'interventions particulièrement adaptées au contexte de l'activité afin de favoriser le développement cognitif des enfants de cet âge.

Exemple : Langage : intervention directe ou indirecte utilisée pour favoriser le développement de cette composante.

Pour favoriser le développement psychomoteur

Propositions d'interventions particulièrement adaptées au contexte de l'activité pour favoriser le développement psychomoteur des enfants de cet âge.

Exemple : Motricité globale : intervention directe ou indirecte utilisée pour favoriser le développement de cette composante.

Pour favoriser le développement social

Propositions d'interventions particulièrement adaptées au contexte de l'activité pour favoriser le développement social des enfants de cet âge.

Exemple : Relations entre pairs : intervention directe ou indirecte utilisée pour favoriser le développement de cette composante.

Pour favoriser le développement affectif

Propositions d'interventions particulièrement adaptées au contexte de l'activité pour favoriser le développement affectif des enfants de cet âge.

Exemple : Confiance : intervention directe ou indirecte utilisée pour favoriser le développement de cette composante.

Pour favoriser le développement moral*

Propositions d'interventions particulièrement adaptées au contexte de l'activité pour favoriser le développement moral des enfants de cet âge.

Exemple : Intégration des règles et des valeurs : intervention directe ou indirecte utilisée pour favoriser le développement de cette composante.

Évaluation

Proposition d'un contexte permettant aux enfants d'apprécier leur démarche et les résultats de leur réalisation

 Organisation : Quelques suggestions ou informations complémentaires pour assurer le bon déroulement de l'activité.

Documentation : Quelques suggestions de documentation pour enrichir cette activité.

Commentaires de l'éducatrice Espace pour noter des commentaires personnels faisant suite à l'expérimentation.

* On ne retrouve des pistes d'intervention pour favoriser le développement moral que pour les activités destinées aux enfants de quatre ans et plus.

14.2 PLANIFICATION PERSONNELLE DU DÉROULEMENT

Le recueil d'activités-projets ne fait pas état de la planification du déroulement, puisqu'il appartient à chaque éducatrice de planifier elle-même le déroulement d'une activité en fonc-tion des caractéristiques des enfants de son groupe et de l'organisation physique de son milieu. Il est cependant important de se souvenir que les stratégies présentées dans la planification du déroulement de l'activité doivent correspondre aux pistes d'intervention décrites auparavant. Le tableau 14.1 présente les éléments à considérer dans la planification du déroulement.

Tableau 14.1 Éléments à considérer dans la planification du déroulement

Étapes de l'activité-projet	Aspects organisationnels
Présentation	Mode de regroupement Règles de fonctionnement et consignes Aménagement ou organisation de l'espace Organisation du temps
Déroulement *(Brève description précisant au fur et à mesure le rôle de l'éducatrice)*	
Contenu : • présentation de la mise en situation et du problème à résoudre; • mode de regroupement, règles de fonctionnement et consignes pour l'étape de la réalisation; • étapes de la réalisation et échéancier, s'il y a lieu;	• répartition des tâches, s'il y a lieu; • aménagement du local et organisation du matériel, si la collaboration des enfants est requise; • transition vers l'étape de la réalisation.
Réalisation *Identification des étapes de la réalisation et pour chacune d'elles :*	Mode de regroupement Règles de fonctionnement et consignes Aménagement ou organisation de l'espace Organisation du temps
Déroulement	
Contenu : • présentation des tâches à effectuer; • relance de l'activité, s'il y a lieu; • mise en œuvre des pistes d'intervention;	• rangement du matériel; • transition d'une étape à l'autre; • présentation de l'activité de transition ou de l'activité déversoir, s'il y a lieu.
Évaluation	Mode de regroupement Règles de fonctionnement et consignes Aménagement ou organisation de l'espace Organisation du temps
Déroulement	
Contenu : • présentation des réalisations, s'il y a lieu; • retour sur l'activité;	• identification des pistes pour poursuivre l'activité; • transition vers l'activité suivante.

FICHE ___

Mise en situation

Pistes d'intervention

Évaluation

Planification personnelle du déroulement

Étapes de l'activité-projet	Aspects organisationnels
Présentation	
Déroulement	

Planification personnelle du déroulement

Étapes de l'activité-projet	Aspects organisationnels
Réalisation*	

Déroulement

* Utiliser une page par étape de réalisation.

Planification personnelle du déroulement

Étapes de l'activité-projet	Aspects organisationnels
Évaluation	

Déroulement

14.3 FICHES D'ACTIVITÉS-PROJETS

multiâge (préscolaire)*

 exploration et découverte

 mettre sur pied une épicerie pour y faire son marché

Dans un premier temps, les enfants découvrent le contenu de trois grosses boîtes de carton remplies de contenants vides de produits alimentaires. Par la suite, ils installent une épicerie qui pourra servir à différents jeux de rôles.

 Trois grosses boîtes vides, contenants vides de produits alimentaires variés, papier d'emballage, aliments-jouets en plastique, sacs de papier, caisse enregistreuse, argent-jouet, étiquettes autocollantes, crayons, chariots, etc.

Mise en situation

La veille de l'activité, j'arrive au Service de garde avec mes trois grosses boîtes remplies de petites boîtes d'aliments dont certaines contiennent des aliments-jouets en plastique.

Les enfants me demandent ce que contiennent ces boîtes et je leur réponds que c'est une surprise pour l'activité du lendemain.

Pistes d'intervention

Pour favoriser le développement cognitif

Langage : demander aux enfants de nommer ce qu'il y a dans les boîtes de produits alimentaires et rectifier en donnant le mot juste, s'il y a lieu.

Habiletés logiques : proposer de regrouper les boîtes qui servent à contenir les aliments du même type.

Pour favoriser le développement psychomoteur

Motricité globale : laisser les enfants transporter les boîtes.

Motricité fine : à la fin de l'activité, proposer de défroisser le papier d'emballage pour le récupérer.

Pour favoriser le développement social

Coopération : encourager les enfants plus âgés

à aider les plus jeunes en donnant une grosse boîte à un aîné et en lui demandant de l'ouvrir en compagnie d'un plus petit.

Relations entre pairs : inviter les enfants plus âgés à amener un plus jeune à faire l'épicerie (comme si c'était leur enfant) et à le faire participer au choix des aliments.

Pour favoriser le développement affectif

Expression des besoins et des sentiments : exprimer les messages non verbaux décodés chez les tout-petits, par exemple : « Oh ! que c'est bon ! »

Relations avec l'adulte : nommer aux enfants les aliments que vous aimez beaucoup.

Évaluation

Inviter les enfants à préparer une liste d'épicerie au moyen d'illustrations de produits alimentaires découpées dans les brochures publicitaires, puis à faire leur marché.

 Il est intéressant de conserver, du moins partiellement, cet aménagement durant plusieurs jours. Les enfants s'adonneront probablement de nouveau à cette activité durant les jeux libres.

 ■ Dépliants et brochures publicitaires. ■ GUICHARD, Aline, et Quentin BLAKE (ill.). *Pourquoi tu ne manges pas Amélie Ramolla ?*, Paris, Bayard, 1993. (Coll. Albums Astrapi) ■ VENTURA, Piero. *L'alimentation des origines à nos jours*, Paris, Gründ, 1994. (Coll. Objets et choses de la vie des hommes)

Notes : _____
_____

* Multiâge (préscolaire) signifie que l'activité peut être présentée à un groupe multiâge (de 1 à 5 ans) ou à des groupes d'enfants d'âge préscolaire.

multiâge (préscolaire)

exploration et découverte

faire une beauté à son bébé pour l'amener se faire photographier

Les enfants sont invités à donner le bain à leur poupée et à l'habiller pour se préparer à aller chez le photographe.

 Bains ou bacs d'eau, poupées en plastique, savons, serviettes, débarbouillettes, gants de toilette, shampoing, mousse pour le bain, sèche-cheveux, peignes, brosses, barrettes, élastiques... vêtements de poupée, appareil photo instantané (Polaroïd) et pellicule.

Mise en situation

Afficher des photographies de mères avec leur bébé. Mettre l'appareil photo à la vue des enfants.

Leur dire que vous avez apporté un appareil pour les prendre en photo avec un bébé, mais qu'il faudrait auparavant le préparer pour qu'il soit très beau et très propre.

Pistes d'intervention

Pour favoriser le développement cognitif

Habiletés logiques : demander aux enfants ce dont ils ont besoin pour faire la toilette de leur bébé.

Créativité et langage : encourager les enfants à raconter toutes sortes d'histoires.

Pour favoriser le développement psychomoteur

Schéma corporel : proposer aux enfants de laver différentes parties du corps de leur bébé, en disant, par exemple : « Ces genoux sont très sales. »

Équilibre : demander aux enfants de transporter des pichets d'eau.

Pour favoriser le développement social

Sens des responsabilités : encourager les enfants à accomplir les tâches jusqu'au bout et les aider au besoin.

Relations avec l'adulte : accorder un moment privilégié à chacun et pratiquer l'écoute active.

Pour favoriser le développement affectif

Estime de soi : donner à chaque enfant la photographie qui le représente pour qu'il la montre à ses parents.

Autonomie : faire participer les enfants à l'installation du matériel.

Évaluation

Prendre une photographie de chaque enfant avec son bébé et la lui donner pour qu'il la montre aux autres.

 Pour éviter les dégâts d'eau, faire cette activité à l'extérieur ou mettre de grandes couvertures sous les bacs d'eau.

■ Album de photos. ■ ECONOMIDÈS, Michèle. *Enfants photographes*, Labor, s. l., 1990. ■ VINCENT, Gabrielle. *Ernest et Célestine chez le photographe*, Belgique, Casterman, 1982. (Coll. Les albums Duculot)

Notes : _____

_____

_____

_____

multiâge (préscolaire)

exploration et découverte

préparer sa valise pour partir en voyage

Dans un sac à dos ou une boîte à poignées qui peut avoir été décorée au préalable, les enfants mettent des objets personnels ou des objets qui se trouvent dans le local pour les apporter en promenade. Le voyage peut être plus ou moins long; par exemple, aller faire la sieste dans un autre local ou prendre la collation au terrain de jeu.

Sacs à dos ou boîtes à poignées, objets personnels de chaque enfant, matériel du local, objets en rapport avec la destination du voyage, billets d'avion ou de train pour jouer, globe terrestre, carte géographique, crème solaire, etc.

Mise en situation

Mettre dans une enveloppe une invitation et autant de billets d'avion qu'il y a d'enfants. Lire l'invitation : « Vous êtes invités à... » et donner un billet d'avion à chaque enfant.

Amorcer une causerie à partir de la question suivante : « Que doit-on faire avant de partir en voyage ? »

Pistes d'intervention

Pour favoriser le développement cognitif

Langage : nommer les différents objets par leur vrai nom et encourager l'emploi du terme juste.

Acquisition de connaissances : demander aux enfants de décrire l'utilité des objets ou parler des différentes destinations de voyage.

Pour favoriser le développement psychomoteur

Organisation spatiale : pour faire leur valise, les enfants doivent choisir des objets d'un format approprié au contenant.

Motricité globale : les laisser transporter leur valise.

Pour favoriser le développement social

Sens des responsabilités : demander aux enfants de ranger le local avant de partir en voyage.

Relations entre pairs : leur proposer d'aider un ami, au besoin, ou leur demander avec qui ils veulent voyager.

Pour favoriser le développement affectif

Autonomie : accepter que les enfants choisissent ce qu'ils désirent apporter, peu importe l'utilité des objets.

Confiance en soi : les encourager, les féliciter et reconnaître leurs efforts.

Évaluation

Au retour du voyage, défaire sa valise tout en discutant des différentes aventures vécues.

Si plusieurs enfants ont moins de deux ans, il n'est pas approprié de développer l'aspect symbolique de cette activité. Il est préférable de dire, par exemple : « Lili nous a invités à faire la sieste dans son local. » Par ailleurs, si les enfants ont trois ans et plus, on peut choisir un autre pays comme destination et explorer ce thème.

■ ANFOUSSE, Ginette. *La grande aventure*, Montréal, La courte échelle, 1978. (Coll. Jiji et Pichou)

Notes : _____

_____

_____

180 **multiâge (préscolaire)**

 exploration et découverte

ramasser des montagnes de feuilles

Les enfants sont invités à jouer dans les feuilles et ensuite à les ramasser.

Gros sacs remplis de feuilles d'arbre, râteaux, pelles, voiturettes, chariots, gants, cocottes de pin, boîtes de carton, etc.

Mise en situation

Avant l'arrivée des enfants, répandre les feuilles dans le local. Laisser les enfants s'interroger sur leur provenance et faire semblant de ne pas savoir comment elles ont abouti à cet endroit.

Mettre à leur disposition le matériel qui leur permettra de jouer dans les feuilles.

Pistes d'intervention

Pour favoriser le développement cognitif

Habiletés logiques : demander aux enfants de trouver des feuilles semblables.

Acquisition de connaissances : nommer les arbres d'où proviennent les feuilles et parler de l'utilité des feuilles mortes.

Pour favoriser le développement psychomoteur

Motricité globale : proposer aux enfants de sauter dans les feuilles, de les transporter, d'en faire des montagnes et de remplir les sacs.

Organisation perceptive : attirer leur attention sur l'odeur des feuilles, les bruits qu'on entend en les chiffonnant et chanter une comptine sur

l'automne. De plus, on peut leur demander de chercher des cocottes que l'on a enfouies dans les feuilles.

Pour favoriser le développement social

Relations entre pairs : les encourager à échanger et à partager les différents outils.

Conscience des autres : apprécier la coopération et l'entraide.

Pour favoriser le développement affectif

Estime de soi : féliciter les enfants et encourager leurs efforts.

Autonomie : les laisser négocier le partage du matériel et les aider au besoin.

Évaluation

Ramasser toutes les feuilles et exprimer à haute voix les messages non verbaux des enfants.

 Lors du ramassage des feuilles d'automne, mettre de côté trois ou quatre sacs bien remplis. Cette activité est particulièrement intéressante à réaliser avant les premières neiges, lorsque le temps maussade empêche les sorties.

■ Photographies de paysages d'automne et livres permettant l'identification des feuilles d'arbres. ■ TIBO, Gilles. *Simon et le vent d'automne*, Canada, Toundra, 1992.

Notes : _____

_____

_____

multiâge (préscolaire)

 exploration et découverte

plier des vêtements pour aider...

En pliant des vêtements à la vue des enfants, l'éducatrice **181** les invite indirectement à l'aider.

 Bas, mitaines, débarbouillettes, linges à vaisselle, vêtements de poupée, une pièce de vêtement appartenant à chaque enfant du groupe, panier à lavage, assouplisseur, fer à repasser et planche-jouet, etc.

Mise en situation

À la fin d'une période de jeux libres, arriver dans le local avec un panier rempli de linge sortant de la sécheuse et commencer à le plier. Certains enfants rejoindront l'éducatrice. Alors, faire semblant de ne pas trouver la deuxième pièce d'une paire.

Pistes d'intervention

Pour favoriser le développement cognitif

Habiletés logiques : inviter les enfants à retrouver la deuxième pièce d'une paire.

Langage et acquisition de connaissances : inviter les enfants à nommer les pièces que l'on cherche et à en préciser la couleur.

Pour favoriser le développement psychomoteur

Motricité fine : donner aux enfants l'occasion de plier et d'empiler les vêtements.

Organisation perceptive : attirer l'attention des enfants sur les différentes grandeurs ou textures et sur l'odeur des vêtements.

Pour favoriser le développement social

Sens des responsabilités : apprécier l'aide que les enfants apportent.

Relations entre pairs : faire remarquer à deux enfants qu'ils ont chacun une pièce d'une paire (s'ils ne s'en aperçoivent pas seuls).

Pour favoriser le développement affectif

Autonomie : encourager le partage des tâches ménagères.

Estime de soi : permettre aux enfants de développer de nouvelles compétences et les inviter à identifier leurs vêtements personnels.

Évaluation

Remercier les enfants de leur aide et leur demander s'ils ont eu du plaisir à plier les vêtements. Aller porter les vêtements pliés à la personne que l'on a aidée.

 Cette petite activité peut se faire en tout temps, mais il est préférable de laisser les enfants libres d'y participer. Elle peut également amener les enfants à vouloir laver les vêtements de poupées.

■ IWAMURA, Kazuo. *La lessive de la famille Souris*, Paris, L'école des loisirs, 1990.

Notes : _____

_____

_____

182

à partir de 1 an

exploration et découverte

déménager toutes les boîtes dans l'autre local

Les enfants sont invités à transporter des boîtes de grosseurs et de poids différents dans un autre local. On peut aussi mettre différents objets dans ces boîtes et demander aux enfants de les vider lorsqu'elles seront arrivées à destination.

Boîtes de grosseurs et de poids différents, illustrations variées collées sur les boîtes, casquettes et gants de travailleurs, différents objets pour mettre dans les boîtes (objets qui peuvent avoir un rapport avec un thème ou une autre activité), etc.

Mise en situation

Afficher des illustrations de déménageurs au travail.

Faire une montagne avec les boîtes et dire aux enfants que vous avez tout cela à transporter dans l'autre local et que vous aimeriez bien avoir leur aide.

Pistes d'intervention

Pour favoriser le développement cognitif

Langage : proposer aux enfants de décrire certaines illustrations.

Habiletés logiques : coller ou dessiner des pictogrammes sur les boîtes, qui permettent d'identifier leur contenu.

Pour favoriser le développement psychomoteur

Motricité globale : proposer aux enfants de transporter des boîtes de grosseurs et de poids variés.

Organisation spatiale : pour déménager les boîtes, les enfants devront franchir des obstacles.

Pour favoriser le développement social

Conscience des autres et Relations entre pairs : pour transporter certaines boîtes, les enfants devront coopérer.

Relations avec l'adulte : exprimer aux enfants la satisfaction que vous éprouvez à recevoir leur aide.

Pour favoriser le développement affectif

Estime de soi : communiquer votre satisfaction aux enfants.

Expression des besoins et des sentiments : verbaliser les messages véhiculés par l'attitude des enfants.

Évaluation

Proposer de prendre une petite collation pour se reposer du travail accompli et remercier les enfants de leur aide.

 Dès l'âge de un an, les enfants éprouveront du plaisir à réaliser cette activité pourtant très simple. Elle leur donne l'occasion d'agir seul ou de coopérer au besoin.

 ■ Illustrations de déménageurs transportant des meubles. ■ TIBO, Gilles. *Simon et la ville de carton*, Canada, Toundra, 1992.

Notes : _____

_____

_____

LES DINOSAURES

 à partir de 2 ans

 expression et création

aménager un terrain de jeu pour les dinosaures

Cette activité est autant un jeu d'assemblage qu'un jeu de rôles. Selon leurs intérêts, les enfants s'amuseront soit à construire des manèges, soit à imaginer des situations de jeu pour les dinosaures.

 Figurines de dinosaures, variété d'objets miniatures (arbres, fleurs...), variété de blocs de construction, pâte à modeler, grands cartons ou tapis gazon pour délimiter le terrain de jeux, styromousse, cailloux.

Mise en situation

Mettre à la vue des enfants un manège, comme une balançoire, y installer un dinosaure et distribuer toutes les autres figurines autour de ce dernier.

Dire aux enfants que les dinosaures aimeraient bien avoir d'autres manèges amusants pour jouer tous ensemble.

Pistes d'intervention

Pour favoriser le développement cognitif

Créativité : encourager les enfants à poursuivre les jeux de rôles et les histoires qu'ils inventent.

Habiletés logiques : demander aux enfants de ranger au bon endroit les différents jeux de construction.

Pour favoriser le développement psychomoteur

Motricité fine : offrir aux enfants de petits blocs de construction.

Organisation spatiale : par le biais de l'aménagement du terrain de jeu.

Pour favoriser le développement social

Intégration des règles : demander aux enfants de prévoir les règles de sécurité à respecter au terrain de jeux.

Empathie : interroger les enfants pour les amener à exprimer les « sentiments » des dinosaures.

Pour favoriser le développement affectif

Estime de soi : souligner les aspects positifs des réalisations de chacun.

Autonomie : cette activité permet à chacun de se donner des défis à sa mesure.

Évaluation

Inviter un autre groupe à venir jouer avec l'aménagement et les dinosaures.

 Deux ou trois espaces différents peuvent être délimités pour accommoder autant d'équipes. On peut aussi utiliser le bac à sable comme terrain de jeu ou réaliser cette activité à l'extérieur.

 ■ DIXON, Dougal. *Le livre géant des dinosaures*, Paris, Gründ, 1990. ■ MURPHY, Jim. *Le dernier dinosaure*, L'école des loisirs, ill., M.A. Weatherby, 1989. ■ GOMBOLE, M. *Les dinosaures*, Paris, Nathan, 1992. (Coll. Je vois, je découvre) ■ LAMBERT, David, et Rachel WRIGHT. *Les dinosaures - histoire - brico - déguisements*, Paris, Fleurus, 1993. (Coll. Idées-Jeux) ■ ORAM, Hawyn. *Arthur et le dinosaure*, ill., Satoshi Kitomura, Seuil, Paris, 1992. ■ ROSADO, Paig. *Les survivants de la préhistoire*, Boyard, s. l., 1989. (Coll. Musée en herbe)

Notes : _____

_____

184 **à partir de 3 ans**

exploration et découverte

soigner les bébés qui sont très malades

À l'aide de matériel stimulant, les enfants sont invités à soigner une poupée.

 Variété de bandages, bouteilles et compte-gouttes, gants chirurgicaux, masques, plateaux et gobelets à médicaments, masque à oxygène, sac pour soluté, stéthoscope, gaze, ouate, seringues sans aiguille, couches, vêtements de poupées, biberons, coussins.

Mise en situation

« J'ai des bébés qui sont très malades. Je me demande si vous pouvez m'aider à les soigner. »

Disposer du matériel de soin dans le local, avant l'arrivée des enfants, afin de piquer leur curiosité.

Pistes d'intervention

Pour favoriser le développement cognitif

Langage et acquisition de connaissances : désigner les objets par leur vrai nom et expliquer leur utilité, au besoin.

Habiletés logiques : à la fin de l'activité, amener les enfants à ranger le matériel dans des bacs identifiés de pictogrammes.

Pour favoriser le développement psychomoteur

Conscience du corps : inviter les enfants à nommer et à situer les différentes parties du corps.

Motricité fine et coordination : le matériel proposé pour cette activité amène les enfants à exercer plusieurs habiletés, comme mettre des gants.

Pour favoriser le développement social

Relations entre pairs : inviter les enfants à s'installer par groupes de deux et à partager l'utilisation de certains objets, étant donné qu'un seul exemplaire de chacun est mis à la disposition du groupe.

Entraide : les référer les uns aux autres pour certaines formes d'aide.

Pour favoriser le développement affectif

Expression des sentiments : lors de la présentation, amener les enfants à s'exprimer sur des expériences qu'ils auraient vécues en rapport avec la maladie.

Confiance en soi : encourager les enfants en leur disant que leur bébé est sûrement content des soins qu'il reçoit.

Pour favoriser le développement moral

Acceptation des différences et sens des responsabilités : faire parler les enfants des personnes malades ou handicapées qu'ils connaissent.

Évaluation

À la fin de l'activité, lire une histoire aux enfants et à leurs bébés et, par la suite, leur demander si leurs bébés sont contents des soins qu'ils ont reçus.

 Prévoir une table pour chaque groupe de deux enfants et installer dans un coin du local le matériel dont on ne dispose que d'un seul exemplaire. Cette activité peut aussi être réalisée par des enfants de deux ans ou d'un groupe multiâge, à condition d'adapter le matériel.

 ■ Affiches du corps humain. ■ ANFOUSSE, Ginette. *La varicelle*, Montréal, La courte échelle, 1978. (Coll. Jiji et Pichou) ■ ARDLEY. Neil, *Le livre géant du corps humain*, Paris, Gründ, 1989. ■ SMALLMAN, Clare. *Qui y a-t-il dans mon corps ?*, ill., E. Riddell, Paris, Deux coqs d'or, s. d.

Notes : _____

à partir de 3 ans

 organisation

 construire une ville pour la famille de Chang

La figurine Chang cherche, pour elle et sa famille, une ville où habiter. Les enfants sont invités à lui construire une ville miniature. **185**

Variété de blocs de construction, figurines représentant une famille asiatique, bandes de papier pour les routes, tapis, variété d'objets miniatures tels des véhicules, panneaux de signalisation, maisons, arbres, figurines, globe terrestre, etc.

Mise en situation

La veille de l'activité, aller faire une promenade dans le quartier et attirer l'attention des enfants sur les objets rencontrés. Le jour de l'activité, raconter aux enfants que Chang est une petite Taiwanaise qui est arrivée récemment et qui cherche une ville où habiter avec ses parents. Demander leur aide pour construire cette ville.

Pistes d'intervention

Pour favoriser le développement cognitif

Acquisition de connaissances : discuter avec les enfants de la signification des différents panneaux de signalisation et des utilités des immeubles rencontrés lors de la promenade.

Langage : utiliser les termes justes.

Pour favoriser le développement psychomoteur

Organisation spatiale : la construction d'une ville amène les enfants à s'organiser dans l'espace.

Discrimination auditive : lors de la promenade, attirer l'attention des enfants sur les bruits de l'environnement.

Pour favoriser le développement social

Intégration des règles : demander aux enfants

d'expliquer à Chang ce à quoi il faut faire attention lorsque l'on se promène seul dans les rues.

Empathie : amener les enfants à verbaliser comment Chang se sent dans la nouvelle ville.

Pour favoriser le développement affectif

Autonomie : laisser les enfants choisir les éléments qu'ils veulent construire.

Expression des sentiments : proposer aux enfants d'imaginer les sentiments et les besoins de Chang.

Pour favoriser le développement moral

Acceptation des différences : faire raconter à Chang les habitudes de vie dans son pays et comparer son mode de vie au nôtre.

Évaluation

Présenter la nouvelle ville à Chang et à sa famille. Poser des questions aux enfants en faisant semblant d'être un personnage de la famille.

Cette activité permet autant les réalisations individuelles que celles d'une équipe. De plus, on peut facilement la transformer pour des enfants d'âge scolaire. On leur propose alors de faire la maquette de la ville idéale. Si les enfants sont très jeunes, fixer au sol quelques routes pour les aider à structurer leur espace.

■ Illustrations de différentes villes et photographies représentant des habitants de l'Asie. ■ COLLECTIF. *L'art de construire*, Paris, Gallimard, 1994. (Coll. Les racines du savoir-arts) ■ MAC DONALD, Fiona, et illustrateurs. *Villes*, Paris, Hachette, 1993. (Coll. « De mémoire de… »)

Notes : _____

à partir de 3 ans

exploration et découverte

préparer un grand pichet de jus pour la collation

À partir d'une variété d'agrumes et en utilisant différentes sortes de presse-jus, les enfants sont invités à préparer des pichets de jus pour la collation.

Oranges, citrons, limettes, pamplemousses roses et blancs, clémentines, etc., un presse-jus électrique et une variété de presse-jus manuels, couteaux dentelés en plastique, un couteau plus coupant pour l'éducatrice, pichets, verres, papier essuie-tout, linges de table.

Mise en situation

« En faisant le ménage de ma cuisine, j'ai trouvé différents presse-jus. J'ai alors pensé acheter des fruits pour que vous m'aidiez à faire du jus. Le vendeur m'a dit que tous ces fruits font de très bons jus. »

Pistes d'intervention

Pour favoriser le développement cognitif

Habiletés logiques : proposer aux enfants de classer ensemble les fruits identiques et leur demander de parler des différences entre les espèces.

Langage : utiliser des termes nouveaux comme « lime » et « agrume ».

Pour favoriser le développement psychomoteur

Organisation perceptive : inviter les enfants à sentir et à distinguer l'odeur des fruits, et attirer leur attention sur la texture de la pelure.

Motricité fine : demander à chaque enfant de se verser un verre de jus.

Pour favoriser le développement social

Intégration des règles : bien expliquer aux enfants les règles d'hygiène reliées à cette activité, en justifier les raisons, les rappeler aussi souvent que c'est nécessaire et les illustrer par des pictogrammes.

Relations entre pairs : encourager les enfants à partager les différents presse-jus pour expérimenter leur mode de fonctionnement.

Pour favoriser le développement affectif

Estime de soi : demander aux enfants d'expliquer à leurs parents comment on peut faire du jus d'agrumes.

Confiance : permettre aux enfants d'expérimenter le presse-jus électrique, sous la surveillance attentive de l'éducatrice.

Évaluation

Déguster le jus lors de la collation et demander aux enfants de parler de leur recette personnelle.

Chaque atelier de trois ou quatre enfants a la responsabilité de préparer un pichet de jus. Mettre à la disposition de chaque équipe un échantillon de chaque sorte d'agrumes.

■ Pictogramme illustrant les règles d'hygiène. ■ HERMEY, Claire, J. VINAS, et ROCA. *La fête est un jeu d'enfant*, 3 à 13 ans, Paris, Fleurus, 1992. (Coll. Idées – Jeux) ■ BROOKS, Ben, et Bill SLAVIN. *Citronnade et mascarade*, Toronto, Scholastic, 1991. ■ ROSIN, Arielle, et coll. *Drôle de cuisine*, Paris, Hachette, 1992. (Coll. Les petits chefs)

Notes : _____

_____

_____

LE RIDEAU DE DOUCHE

 à partir de 3 ans

 expression et création

 fabriquer un rideau de douche

Les enfants sont invités à peindre sur une grande feuille de **187** plastique suspendue au plafond.

Grandes feuilles de plastique, gouache, pinceaux, vieux draps pour protéger le sol, éponges, bâtons, rideaux de douche transparents, tabliers, etc.

Mise en situation

Suspendre les grandes feuilles de plastique au plafond avant l'arrivée des enfants. Quand ils vous interrogeront, les laisser imaginer à quoi cela peut servir.

Par la suite, les amener à choisir des thèmes et à se regrouper en fonction de leur choix.

Pistes d'intervention

Pour favoriser le développement cognitif

Créativité : encourager l'expérimentation.

Langage : demander aux enfants de décrire ce qu'ils font ou ce qu'ils observent.

Pour favoriser le développement psychomoteur

Motricité fine et organisation perceptive : peindre sur une surface transparente et mobile développe de nouvelles habiletés.

Organisation spatiale : au besoin, aider les enfants à négocier l'utilisation de l'espace.

Pour favoriser le développement social

Relations entre pairs : grouper les enfants en petites équipes et les aider à partager l'espace et le matériel.

Sens des responsabilités : expliquer les consignes, les justifier et les répéter au besoin.

Pour favoriser le développement affectif

Estime de soi : laisser les enfants vivre les résultats qu'ils soient positifs ou négatifs, et leur faire confiance.

Autonomie : disposer le matériel à la portée des enfants et leur demander de participer au rangement.

Évaluation

Inviter un autre groupe à venir voir les rideaux de douche.

 Installer une feuille de plastique pour environ quatre enfants. Si l'espace est insuffisant, réaliser cette activité en atelier, en rotation, ou à l'extérieur.

 ■ Illustrations de rideaux de douche. ■ ELLIOT, Marion. *Créations par impression*, Belgique, Casterman, 1995. (Coll. Petites mains) ■ ROBIN, Don, et Jim ROBINS (ill.). *Motifs imprimés*, Paris, Fleurus, Saint-Lambert, Héritage, 1994.

Notes : _____

_____

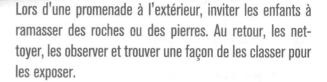

188 à partir de 3 ans

 exploration et découverte

faire une collection de pierres pour le Centre de la petite enfance

Lors d'une promenade à l'extérieur, inviter les enfants à ramasser des roches ou des pierres. Au retour, les nettoyer, les observer et trouver une façon de les classer pour les exposer.

Gants, sacs de papier, loupes, petites brosses, petites boîtes vides comme celles utilisées pour les chocolats, pièces de tissu, aimants, balance, collection de roches et de pierres, etc.

Mise en situation

Présenter aux enfants une pierre un peu spéciale. Les inviter à l'examiner avec une loupe, puis leur demander si cela les intéresse d'aller se promener pour en ramasser d'autres.

Pistes d'intervention

Pour favoriser le développement cognitif

Habiletés logiques : demander aux enfants de regrouper les pierres qui se ressemblent et les faire parler des points qu'elles ont en commun.

Acquisition de connaissances : à l'aide de la documentation, montrer différentes substances que l'on retrouve dans les pierres, par exemple les petits grains brillants que l'on appelle quartz, et les inviter à les regarder avec une loupe. De plus, lors de la promenade, on peut attirer leur attention sur ce qui se cache sous les grosses roches.

Pour favoriser le développement psychomoteur

Motricité globale et ajustement postural : proposer de soulever une pierre avec un copain.

Motricité fine : suggérer aux enfants de peindre certaines roches et de les exposer.

Pour favoriser le développement social

Relations entre pairs : inviter les enfants à trouver un ami qui a une pierre semblable à une des leurs.

Empathie : les encourager à aider un ami à trouver une sorte de pierre qu'il désire avoir.

Pour favoriser le développement affectif

Autonomie : laisser chaque enfant décider de la façon de classer sa collection.

Estime de soi : aller voir chaque enfant pour qu'il vous parle de sa réalisation et mettre en évidence les différentes collections.

Évaluation

En fin de journée, proposer aux enfants d'inviter leurs parents à venir voir les différentes collections.

 Il est préférable de laisser les enfants faire leur propre collection, car, à trois ans, ils ne sont pas toujours prêts à mettre leurs trouvailles en commun.

 ■ LOHF, Sabine. *Les galets*, Paris, Gallimard, 1991. (Coll. Les livres à malice) ■ PINET, Michèle, et A. KORKOS. (ill.) *Découvre les roches et les minéraux*, Mango, s. l., 1996. (Coll. Nature mode d'emploi) ■ *Roches et minéraux*, Paris, Gallimard, 1998. (Coll. Les yeux de la découverte) ■ ROSIN, Arielle, et coll. *12 histoires à lire et à ramasser*, Paris, Hachette, 1994. (Coll. Les mini-chefs)

Notes : _____

_____

à partir de 3 ans

exploration et découverte

construire des bateaux pour les figurines

189 Avec divers matériaux, les enfants sont invités à construire des bateaux pour les figurines qui aimeraient se promener sur l'eau. Par cette activité, ils exploreront les matériaux qui peuvent flotter.

Bacs d'eau, assiettes en styromousse, bouchons de liège, bâtons et cubes de bois, roches, pailles, retailles de plastique, cure-dents, bouts de fil métallique, ciseaux, cordes, retailles de linoléum, feuille d'aluminium, petits plats en plastique et ruban adhésif.

Mise en situation

Avant l'arrivée des enfants, afficher des illustrations de différentes sortes de bateaux et, à leur arrivée, leur faire entendre un enregistrement de bruits de la mer. Par la suite, leur faire entendre la chanson *Il était un petit navire*.

Leur présenter une variété de figurines. Faire semblant que celles-ci vous ont dit en secret qu'elles aimeraient bien aller se promener sur l'eau, mais qu'elles n'ont pas de bateaux.

Pistes d'intervention

Pour favoriser le développement cognitif

Habiletés logiques : demander aux enfants de justifier le choix des matériaux qu'ils utilisent. Accepter toutes les réponses et les laisser découvrir par eux-mêmes les matériaux qui flottent.

Acquisition de connaissances et compréhension du monde : parler des différentes façons de voyager sur l'eau et expliquer, au besoin, l'utilité de chaque sorte de bateau.

Pour favoriser le développement psychomoteur

Motricité fine : amener les enfants à trouver différentes façons de joindre les matériaux.

Sens rythmique : leur montrer la chanson *Il était un petit navire*.

Pour favoriser le développement social

Sens des responsabilités : demander aux enfants de trouver les règles utiles au bon fonctionnement de cette activité.

Relations avec l'adulte : leur raconter une expérience personnelle de navigation.

Pour favoriser le développement affectif

Autonomie : aider les enfants à fixer ensemble certaines pièces, au besoin, pour éviter qu'ils ne se découragent.

Confiance en soi : les laisser vivre les résultats de leurs tentatives, qu'ils soient positifs ou négatifs.

Évaluation

Faire l'essai des bateaux avec « l'aide » des figurines et inviter un autre groupe à venir jouer.

Cette activité peut se réaliser en atelier, en rotation, si un seul grand bac d'eau est disponible. Dans un autre atelier, les enfants pourraient consulter la documentation et, dans un dernier, ils pourraient construire des bateaux en blocs Lego. De plus, l'été, on peut installer une piscine à l'extérieur et utiliser aussi des matériaux provenant de l'environnement naturel.

■ Illustrations de différentes sortes de bateaux. ■ Enregistrement de la chanson *Il était un petit navire*. ■ Dictionnaire thématique visuel. ■ ANDERSON, H.C. *L'inébranlable soldat de plomb*, (ill.) P.J. Lynch, Kaléidoscope, 1991. ■ BASSOLATI, E., C. BORDONI et S. CALZATI. *Jouer avec le papier*, Piccolia, s. l., 1995.

Notes : _____

à partir de 3 ans

Les enfants sont invités à se déguiser et à décorer le local pour participer à un bal médiéval.

 expression et création

préparer un bal médiéval

Costumes : grandes pièces de tissu, ceintures, rubans, cordons, maquillage, vieux chandails, foulards, bijoux, sacs, miroir. Décorations : nappes en papier, crayons, retailles de papier, colle, ruban adhésif, ciseaux, vaisselle, drapeaux, chandeliers, fausses pièces d'or, fausses pierres précieuses, etc.

Mise en situation

Afficher des illustrations de personnages de l'époque médiévale.

Lors de la collation, faire jouer de la musique du Moyen Âge. Les enfants la remarqueront sûrement et poseront des questions. Après la collation, les inviter à écouter l'histoire de Robin des Bois. Donner de l'information sur le Moyen Âge et leur proposer de faire semblant de vivre à cette époque et d'organiser un bal.

Pistes d'intervention

Pour favoriser le développement cognitif

Créativité : encourager les enfants à utiliser divers tissus pour se fabriquer des costumes.

Acquisition des connaissances : donner de l'information et fournir de la documentation sur le Moyen Âge.

Pour favoriser le développement psychomoteur

Motricité fine : se costumer, se maquiller et bricoler.

Coordination et sens rythmique : danser au rythme de la musique.

Pour favoriser le développement social

Sens des responsabilités : partager les tâches liées à l'organisation du bal.

Respect des autres : encourager la coopération et le compromis.

Pour favoriser le développement affectif

Autonomie : décider avec les enfants des tâches à réaliser pour la préparation du bal.

Expression des besoins et des sentiments : par le biais des jeux de rôles.

Pour favoriser le développement moral

Acceptation des différences : discuter avec les enfants du mode de vie à une autre époque.

Évaluation

Défiler et danser avec les costumes, et prendre le repas du midi dans l'ambiance médiévale créée auparavant.

 Certaines étapes de cette activité se réalisent individuellement, tandis que la décoration et la préparation de la table font appel à la collaboration et au partage des tâches.

 ■ Livre de Robin des Bois, illustrations de personnages et cassettes de musique médiévale. ■ *Le Moyen Âge*, Paris, Gründ, 1993. (Coll. Entrez dans…) ■ MAC DONALD, F., et Mark PEPPÉ (ill.). *Moyen Âge*, Paris, Hachette, 1995. (Coll. « De mémoire de… ») ■ MILLET, Claude, et Denis. *Le château fort*, Gallimard, Mes premières découvertes, 1990. ■ CAELLI, Giovanni. *La vie au Moyen Âge, seigneurs, moines et paysans*, Larousse, 1989.

Notes : _____

à partir de 3 ans

expression et création

préparer le repas pour la visite d'un extraterrestre

Avec de la pâte à modeler qu'ils ont fabriquée, les enfants **191** sont invités à préparer des plats variés et à imaginer toutes sortes d'aliments pour un extraterrestre.

Marionnette transformée en extraterrestre, farine, huile, eau, sel, colorant alimentaire, bols à mélanger, cuillères, tasses à mesurer, pictogramme de la recette de pâte à modeler, assiettes, couteaux en plastique, accessoires variés pour travailler la pâte à modeler.

Mise en situation

Demander à quelqu'un de venir vous porter une lettre à l'heure prévue pour l'activité. Simuler la surprise et lire la lettre aux enfants.

« J'arrive de la planète Mars et je serai de passage chez vous à l'heure du dîner. J'ai bien hâte de vous rencontrer et j'aimerais bien partager un repas avec vous. Au plaisir de se connaître, Marso. »

Amorcer une causerie à partir de la question suivante : « Qu'est-ce que les extraterrestres peuvent bien manger ? »

Pistes d'intervention

Pour favoriser le développement cognitif

Habiletés logiques : illustrer la recette de pâte à modeler au moyen d'un pictogramme et tracer ou coller des repères visuels sur les tasses à mesurer.

Créativité : les encourager avec humour à inventer toutes sortes de plats bizarres.

Pour favoriser le développement psychomoteur

Motricité fine : les encourager à bien mélanger la pâte.

Organisation spatiale : demander aux enfants de mettre la table et de disposer joliment les différents plats. Leur faire observer, sur les affiches, la position des planètes les unes par rapport aux autres.

Pour favoriser le développement social

Rôles sociaux : demander aux enfants s'ils croient que Marso est une fille ou un garçon et les amener à justifier leur choix.

Relations entre pairs : former de petites équipes de deux ou trois pour fabriquer la pâte, et apprécier la collaboration.

Pour favoriser le développement affectif

Autonomie : fournir un pictogramme de la recette de pâte pour permettre aux enfants de travailler à leur rythme.

Expression des besoins : proposer aux enfants d'imaginer ce dont l'extraterrestre peut avoir besoin pour se nourrir.

Pour favoriser le développement moral

Acceptation des différences : proposer aux enfants d'imaginer leur propre réaction s'ils étaient reçus à dîner sur la planète Mars.

Évaluation

À l'heure du dîner, faire réapparaître la marionnette et demander aux enfants de lui décrire les plats au menu.

Faire fabriquer la pâte à modeler par de petites équipes, mais laisser les enfants libres de cuisiner leurs plats seuls ou en équipe.

■ Affiches du système solaire ■ MATRICON, Jean, et D. RIBERZANI (ill.). *Cuisine et molécules*, Paris, Hachette, 1990. (Coll. Échos) ■ ROSIN, A., et D. CZAP (photos). *Drôle de cuisine*, Paris, Hachette, 1992. (Coll. Les petits chefs)

Notes : _____

à partir de 3 ans

 expression et création

 préparer des pots de gouache de différentes couleurs pour peindre des assiettes

Les enfants sont invités à préparer des pots de gouache de différentes couleurs, au moyen de couleurs primaires, et à utiliser cette gouache pour décorer des assiettes de carton.

Gouache blanche, rouge, bleue et jaune, pots vides, étiquettes autocollantes de différentes couleurs, bâtons, pinceaux de formats variés, petites éponges, assiettes de carton, assiettes décorées.

Mise en situation

Afficher différentes illustrations d'assiettes ou de vaisselle à motifs de couleur.

Expliquer aux enfants que certains artistes fabriquent eux-mêmes toutes leurs couleurs et que vous avez pensé que cette expérience leur plairait.

Faire circuler une assiette peinte ou une illustration et attirer l'attention des enfants sur les couleurs utilisées.

Pistes d'intervention

Pour favoriser le développement cognitif

Acquisition de connaissances : inviter les enfants à expérimenter et à mélanger les différentes couleurs et leur demander leurs recettes.

Créativité : par le biais de la décoration des assiettes.

Pour favoriser le développement psychomoteur

Motricité fine : offrir des pinceaux de différentes grosseurs, dont certains très fins.

Organisation spatiale : proposer aux enfants de peindre sur des formes rondes de différentes grandeurs.

Pour favoriser le développement social

Relations entre pairs : former de petits ateliers et encourager les enfants à créer de nouvelles couleurs pour surprendre leurs amis.

Conscience des autres : les encourager à partager entre eux l'utilisation des pots de gouache.

Pour favoriser le développement affectif

Confiance : les encourager à expérimenter leurs idées.

Autonomie : offrir à chaque atelier le matériel nécessaire à la réalisation et faire participer les enfants à l'organisation et au rangement.

Pour favoriser le développement moral

Conception du bien et du mal : sensibiliser les enfants à l'importance de ne pas gaspiller la peinture et de l'utiliser en petites quantités.

Évaluation

Exposer les œuvres des enfants dans le vestiaire et y placer une feuille sur laquelle les visiteurs seront invités à écrire leurs commentaires.

 Les mélanges de couleurs peuvent se faire en petites équipes. La décoration des assiettes est individuelle, mais les enfants demeurent en atelier pour utiliser les couleurs qu'ils ont fabriquées.

 ■ Livres et illustrations de pièces de vaisselle à motifs. ■ DENA, Anaël, et Christel DESMOINAUX (ill.). *Les couleurs*, s. l., Nathan, 1994. (Coll. Les grands livres de la petite souris) ■ PACOVSKA, Kveta. *Couleurs, couleurs*, France, Seuil Jeunesse, 1993. ■ VALAT, P.M., et S. PÉROLS. *La couleur*, Paris, Gallimard, 1989. (Coll. Mes premières découvertes)

Notes :

à partir de 3 ans

expression et création

créer un membre de la famille Patate

Les enfants sont invités à créer des personnages de la **193** famille Patate en transformant des pommes de terre.

Pommes de terre en robe des champs à demi cuites, radis, luzerne, choux-fleurs et divers fruits ou légumes. Cure-dents, couteaux dentelés en plastique, ciseaux, bâtonnets de fromage, bretzels, bâtons de cannelle, etc.

Mise en situation

Présenter aux enfants un petit personnage créé à partir d'une pomme de terre et leur raconter l'histoire suivante : « M. Léopold Patate cherche sa famille. Je l'ai aperçu ce matin à la porte du Centre de la petite enfance et il m'a demandé de l'aider ».

Montrer une photographie des membres de votre famille et amener les enfants à parler de la leur.

Pistes d'intervention

Pour favoriser le développement cognitif

Créativité : encourager l'expression d'idées différentes et originales.

Langage : écouter les enfants attentivement et reformuler leurs propos, au besoin.

Pour favoriser le développement psychomoteur

Motricité fine : proposer aux enfants de fixer différents objets sur le corps de la pomme de terre.

Conscience du corps : inviter les enfants à situer les différentes parties du corps des personnages.

Pour favoriser le développement social

Relations sociales : lors de la causerie, aider les enfants à faire les liens entre les différents membres de leur famille. De plus, lors de la présentation, demander aux enfants de préciser le lien de parenté de leur personnage avec M. Léopold Patate.

Relations avec l'adulte : parler soi-même de sa famille et des bons moments où l'on se retrouve tous ensemble.

Pour favoriser le développement affectif

Autonomie : aider les enfants qui éprouvent des difficultés avant qu'ils se découragent.

Confiance en soi : souligner les réussites de chaque enfant, même si elles sont partielles.

Évaluation

Présenter à M. Léopold Patate les membres de sa famille en nommant les liens de parenté qui existent entre eux.

Former des ateliers de trois ou quatre enfants et disposer le matériel nécessaire au centre de la table. Lorsque cette activité est réalisée avec des enfants de quatre ans et plus, on peut leur proposer de créer une famille différente par atelier.

■ Illustrations de différents fruits et légumes. ■ BOURGEOIS, P. *La magie de la pomme de terre*, Héritage, 1992. (Coll. Savoir-faire) ■ *Des animaux amusants*, d'après *Better Homes and Gardens*, Héritage, 1990. (Coll. Activités et surprises)

Notes : _____

_____

à partir de 3 ans

expression et création

mettre sur pied une friperie

Lors de cette activité, les enfants sont invités à explorer des vêtements et à mettre sur pied une friperie. Par la suite, ils peuvent se vêtir, se maquiller et aller faire une promenade ou un défilé dans un lieu choisi par eux.

Vêtements et déguisements variés, bijoux, chapeaux, foulards, cintres, sacs à main, portemanteaux, étiquettes qui serviront à faire semblant d'inscrire des prix, maquillage, etc.

Mise en situation

Poser, près du coin des costumes, une affiche attrayante où il est inscrit « Friperie ». Les enfants demanderont sûrement ce qui y est écrit.

Montrer aux enfants que vous avez reçu des gros sacs de vêtements usagés pour le coin des costumes et leur dire que lors d'une sortie en ville, vous avez vu un magasin de vêtements usagés appelé « friperie ». Vous avez alors pensé que le coin des costumes pourrait s'appeler la « Friperie ».

Pistes d'intervention

Pour favoriser le développement cognitif

Habiletés logiques : proposer d'ordonner et de classer les vêtements selon différents critères.

Langage et acquisition de connaissances : proposer aux enfants d'imiter une cliente ou intervenir en leur disant, par exemple, « Je cherche une robe de soirée rouge » ou « Combien coûte ce joli chapeau ? »

Pour favoriser le développement psychomoteur

Motricité fine : encourager les enfants à utiliser des cintres pour suspendre les vêtements, à boutonner seuls leurs vêtements ou à faire des boucles.

Schéma corporel : les inviter à essayer les vêtements et à se maquiller.

Pour favoriser le développement social

Conscience des autres : encourager les enfants à se partager les vêtements disponibles et à s'entendre sur un lieu de sortie.

Relations entre pairs : inviter les enfants à jouer différents rôles et à s'identifier comme clients ou vendeurs.

Pour favoriser le développement affectif

Autonomie : laisser les enfants organiser la friperie selon leurs goûts et convenir avec eux du lieu de la sortie.

Estime de soi : lors de la sortie, ils recevront divers commentaires. De plus, on peut s'adresser à eux en les appelant « monsieur » ou « madame ».

Évaluation

Défiler ou aller se promener à un endroit choisi par les enfants.

 Avant de commencer l'activité, décider avec les enfants des différentes étapes de l'activité et choisir un espace approprié à la mise en place de la friperie.

■ Revues de mode ■ DESFORGES, Régine, et Janet BOLTON (ill.). *Les chiffons de Lucie*, Paris, Calligram, 1993. ■ GILMAN, Phoebe. *Un merveilleux petit rien*, Scholastic, Toronto, 1992. ■ RANCHETTI, Sébastiano et coll. *L'aventure du costume*, Casterman, 1992. (Aussi en CD-ROM.)

Notes : _____

LES MICROBES

 à partir de 3 ans

 expression et création

FICHE 19

fabriquer des microbes

Cette activité donne l'occasion aux enfants d'imaginer des microbes, mais permet aussi de communiquer de l'information concernant les règles d'hygiène.

Laine, corde, brillants, nettoie-pipe, fil métallique, boutons, cure-dents colorés, variété de feuilles de papier, crayons variés, ciseaux, gouache, pinces, ciseaux, pâte à modeler, assiettes de carton, trombones, boules de styromousse, boîtes de carton, berlingots vides, loupes, microscope, etc.

Mise en situation

Après avoir regardé le vidéo et chanté la chanson *Bye, Bye, les microbes*, demander aux enfants à quoi peut ressembler un microbe. Donner à chacun la possibilité de s'exprimer. Par la suite, leur proposer d'en fabriquer chacun un.

Pistes d'intervention

Pour favoriser le développement cognitif

Créativité : cette activité amène les enfants à imaginer quelque chose qu'ils ne peuvent pas voir.

Acquisition de connaissances : les informer des modes de transmission des microbes. De plus, on peut dessiner des microbes sur les mains des enfants, avant le lavage des mains, pour mettre en évidence l'importance de les laver avec soin.

Pour favoriser le développement psychomoteur

Motricité fine : inviter les enfants à utiliser des matériaux d'arts plastiques.

Sens rythmique : leur apprendre et leur faire chanter la chanson *Bye, bye, les microbes*.

Pour favoriser le développement social

Relations entre pairs : inviter les enfants à se placer quatre par table, à se partager le matériel et à faire parler leurs microbes entre eux.

Conscience des autres : les informer des modes de transmission des microbes et des précautions à prendre pour éviter la contagion.

Pour favoriser le développement affectif

Expression des sentiments : discuter des diverses peurs reliées aux microbes et à la maladie, et encourager les enfants à exprimer ce qu'ils ressentent quand ils ne peuvent venir au Service de garde parce qu'ils sont malades.

Autonomie : avant de répondre aux questions des enfants, leur demander de donner leur opinion.

Évaluation

Exposer les microbes à la vue de tous et inviter les enfants à leur choisir des noms.

 Pour favoriser les échanges et faciliter l'encadrement, il est préférable de regrouper les enfants en petits groupes de trois ou quatre selon le médium qu'ils choisissent. Cette activité est intéressante à réaliser avec des enfants d'âge scolaire également.

■ EVANS, Cheryl et coll. *Je sais faire des monstres et d'autres créatures*, Toronto, Scholastic, 1998. ■ GOUVERNEMENT DU QUÉBEC. Vidéocassette *Bye Bye les microbes*, Les publications du Québec, Québec. ■ *Un bon exemple de confiance en soi, Louis Pasteur raconté aux enfants*, Grolier, 1980.

Notes : _____

196

 à partir de 3 ans

 exploration et découverte

construire le parcours de Bredouille

Les enfants sont invités à construire un parcours avec le matériel du local et à parcourir ensuite ce trajet en s'imaginant qu'ils sont Bredouille le chat.

Marionnette, matelas, cerceaux, cordes, chaises, bancs, cage à grimper et tout le matériel disponible qui peut servir à la construction d'un parcours.

Mise en situation

Présenter aux enfants une marionnette ou une illustration d'un chat et leur raconter l'histoire suivante : « Hier soir, sur mon balcon, j'ai rencontré Bredouille le chat. Il était tout essoufflé. Je lui ai demandé : " Qu'est-ce qui se passe ? " Il m'a répondu : " J'arrive d'une promenade très difficile : j'ai dû traverser un pont très étroit, j'avais peur de tomber. J'ai grimpé sur un arbre, je ne savais plus comment en descendre. En arrivant au sol, j'ai fait de drôles de culbutes... " » Inviter les enfants à imaginer la suite de la promenade.

Pistes d'intervention

Pour favoriser le développement cognitif

Créativité : encourager les enfants à imaginer des situations farfelues et les laisser expérimenter leurs idées.

Langage : proposer aux enfants de raconter les aventures de Bredouille et les écouter attentivement.

Pour favoriser le développement psychomoteur

Motricité globale : inviter les enfants à franchir les obstacles du trajet qu'ils ont construit.

Ajustement postural : proposer aux enfants de transporter de gros objets avec l'aide d'un ami.

Pour favoriser le développement social

Conscience des autres : aider les enfants à s'entendre entre eux pour choisir les différents obstacles du parcours.

Empathie : proposer aux enfants de se mettre dans la peau de Bredouille le chat.

Pour favoriser le développement affectif

Expression des besoins et des sentiments : amorcer une brève causerie à partir de la question suivante : « Que faites-vous quand vous avez peur ? »

Estime de soi : éviter la compétition ou la comparaison et encourager les efforts de chacun.

Pour favoriser le développement moral

Acceptation des différences : proposer aux enfants d'imaginer leurs réactions s'ils étaient à la place de Bredouille.

Évaluation

Parcourir le trajet en imitant Bredouille le chat.

 Il est possible de séparer le trajet en parties et de confier la construction d'une section à une petite équipe de trois ou quatre enfants. Dans ce cas, il est préférable de planifier en grand groupe l'ensemble du trajet et de définir les tâches propres à chaque équipe.

 ■ Illustrations de chats. ■ JULIAN-OTTIE, Vanessa. *Pilou explore le monde*, Rennes, Éd. Ouest-France, 1989. ■ KRIEGMAN, Mitchell, et Deborah BARRETT (ill.). *Les aventures de toutou chat*, Éd. du Seuil, 1992. ■ *L'espion aux pattes de velours* (film), production des Studios Disney, 1997.

Notes : _____

à partir de 4 ans

 exploration et découverte

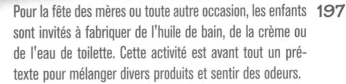 Pour la fête des mères ou toute autre occasion, les enfants **197** sont invités à fabriquer de l'huile de bain, de la crème ou de l'eau de toilette. Cette activité est avant tout un prétexte pour mélanger divers produits et sentir des odeurs.

 fabriquer des produits de beauté pour les offrir en cadeau

Variété de parfums, variété d'essences alimentaires, colorant alimentaire dilué dans l'eau, entonnoirs, compte-gouttes, vanille, pot-pourri, cannelle, clou de girofle, pelures d'agrumes, lavande, variété de bouteilles et de petits pots, entonnoir, crayons-feutres, étiquettes autocollantes, rubans, papier d'emballage, plats, cuillères et bâtons. Bases : huile de bébé, crème neutre hypoallergène, eau (pour l'eau de toilette).

Mise en situation

Avant l'arrivée des enfants, déposer sur une table divers dépliants publicitaires de produits de beauté.

Amener les enfants à parler des cadeaux qu'eux ou leurs parents aiment recevoir. Leur raconter que vous aimez recevoir des produits de beauté en cadeau parce que quand vous les employez, vous pensez à la personne qui vous les a offerts. Leur proposer d'en fabriquer et exposer les différentes possibilités.

Pistes d'intervention

Pour favoriser le développement cognitif

Créativité : inviter les enfants à décorer leur contenant.

Langage et mémoire : proposer de nommer les éléments qui composent leur mélange.

Pour favoriser le développement psychomoteur

Discrimination perceptive : proposer d'associer et de comparer différentes odeurs.

Motricité fine : proposer aux enfants de remplir leur contenant en utilisant les entonnoirs ou les compte-gouttes.

Pour favoriser le développement social

Conscience des autres : échanger sur la satisfaction d'offrir des cadeaux à quelqu'un que l'on aime.

Relations entre pairs : regrouper les enfants par ateliers et les amener à partager une partie du matériel.

Pour favoriser le développement affectif

Expression des sentiments : amener les enfants à parler du plaisir de recevoir de petits cadeaux que les gens ont faits spécialement pour eux.

Estime de soi : leur communiquer que vous seriez très surprise et contente de recevoir un tel cadeau.

Évaluation

Proposer aux enfants de sentir les différents produits de beauté et les aider à confectionner de jolis emballages. Lorsqu'ils offriront leur cadeau, la réaction de leurs parents servira aussi d'évaluation.

 Regrouper les enfants en trois ateliers selon le produit de beauté qu'ils veulent fabriquer (huile, crème ou eau de toilette) et placer les ingrédients nécessaires au centre.

 ■ Dépliants publicitaires de produits de beauté. ■ SANTAGOSTINO, S., E. COLLIN et E. MAIOTTI (ill). *Le petit manuel de Candy*, Paris, Hachette jeunesse, 1982.

Notes : _____

198 à partir de 4 ans

 exploration et découverte

 inventer une potion magique pour guérir le Général Pingouin de son hoquet

Cette activité permet aux enfants de faire des mélanges de produits. La présence de vinaigre et de bicarbonate de soude produit un bouillonnement qui surprendra les enfants et qui ajoutera un peu de magie à cette activité.

Eau, vinaigre, bicarbonate de soude, huile, cannelle, feuilles de laurier, colorant alimentaire dilué, épices variées, grands plats, cuillères pour brasser, entonnoirs, compte-gouttes, poires pour arroser les rôtis, tasses et cuillères à mesurer.

Mise en situation

Déposer à la vue des enfants divers flacons contenant les ingrédients énumérés dans le matériel suggéré.

Leur présenter la marionnette général Pingouin qui a un hoquet persistant. Il tient dans ses mains un message qu'il ne peut pas lire et demande à l'éducatrice de lui dire ce qui y est inscrit.

Message : « Mélanger les ingrédients contenus dans les flacons. Lorsque votre mélange bouillonnera, vous obtiendrez la potion magique qui vous guérira de votre hoquet. »

Pistes d'intervention

Pour favoriser le développement cognitif

Habiletés logiques et mémoire : lors de l'évaluation, demander aux enfants de nommer les ingrédients qu'ils ont mis dans leur potion.

Langage : utiliser les termes « plus », « moins », « beaucoup » et « un peu » pour les amener à préciser leur pensée.

Pour favoriser le développement psychomoteur

Organisation perceptive : demander aux enfants s'ils reconnaissent des odeurs et leur proposer de goûter à certains ingrédients.

Motricité fine : leur proposer de verser et de transvider leur potion.

Pour favoriser le développement social

Relations entre pairs : encourager les enfants à partager leurs trouvailles.

Empathie : demander aux enfants d'imaginer comment le général Pingouin réagira après avoir pris la potion magique.

Pour favoriser le développement affectif

Confiance : encourager les enfants à expérimenter divers mélanges.

Autonomie : les faire participer à la mise en place du matériel et au rangement.

Pour favoriser le développement moral

Intégration de règles et de valeurs : faire une mise en garde sur l'utilisation de potions magiques et discuter des conséquences du fait d'avaler des ingrédients sans l'accord de leurs parents. Informer les enfants qu'il s'agit d'un jeu et que, dans la réalité, il ne faut pas absorber de potions magiques.

Évaluation

Inviter les enfants à décrire la recette miracle au général Pingouin et à nommer les ingrédients qu'elle contient.

 Inviter les enfants à se regrouper trois ou quatre par atelier. À l'occasion de l'Halloween, la potion magique peut être destinée à la sorcière.

 ■ MATRICON, Jean, et D. RIBERZANI (ill.). *Cuisine et molécules*, Paris, Hachette, 1990. (Coll. Échos) ■ WATERS, Gaby et G. ROUND (ill.). *Science surprise*, Toronto, Scholastic, 1985. (Coll. Science-premiers pas)

Notes : _____

à partir de 4 ans

exploration et découverte

aménager un terrain de camping

199

Les enfants sont invités à aménager un terrain de camping dans des bacs à sable à l'aide d'objets qu'ils auront ramassés dans la nature.

Sacs à déchets, gants, sac pour recueillir les objets trouvés dans la nature, sécateur pour l'éducatrice, un bac à sable par groupe de trois enfants (il s'agit de contenants habituellement utilisés pour le rangement), petites pelles, bâtonnets, tissus, personnages et véhicules miniatures, etc.

Mise en situation

Raconter aux enfants une aventure de camping et les amener à faire de même. Par la suite, leur proposer d'aller faire une promenade dans un boisé avoisinant pour ramasser des objets dans la nature, qui serviront à l'aménagement d'un terrain de camping.

Pistes d'intervention

Pour favoriser le développement cognitif

Acquisition de connaissances : amener les enfants à observer, à décrire, à nommer et à comparer les objets ramassés.

Langage : proposer aux enfants de raconter leurs vacances au groupe.

Pour favoriser le développement psychomoteur

Organisation spatiale : par le biais de l'aménagement du terrain de jeu, en équipe.

Motricité globale et coordination : amener les enfants à se déplacer sur une surface accidentée (terrain extérieur) tout en transportant un sac d'objets et en en ramassant d'autres.

Pour favoriser le développement social

Relations entre pairs : former de petites équipes.

Conscience des autres : encourager l'entraide et la coopération.

Pour favoriser le développement affectif

Expression des besoins et des sentiments : aider les enfants à négocier et à utiliser l'écoute active, au besoin.

Estime de soi : les encourager à expérimenter et les féliciter.

Pour favoriser le développement moral

Conception du bien et du mal : sensibiliser les enfants à l'importance de respecter la nature.

Évaluation

Exposer les différents terrains de camping dans un endroit où les parents ou les autres visiteurs pourront les voir.

En utilisant des contenants à rangement, on peut conserver ces aménagements pendant plusieurs jours. Cette activité peut être réalisée lors d'ateliers, en rotation, ou même à l'extérieur si la température le permet.

■ Affiches et dépliants des parcs nationaux. ■ BOURGEOIS, Paulette, et Brenda CLARK (ill.). *Camping chez Benjamin*, Toronto, Scholastic, 1996. ■ GAUTHIER, Bertrand, et D. SYLVESTRE (ill.). *Zunik dans la pleine lune*, Montréal, La courte échelle, 1989. ■ KAYSER, Renée, et P. BALOULAY (ill.). *Cabanes et abris*, Toulouse, Milan, 1995. (Coll. Carnets de nature) ■ KAYSER, Renée, et Pierre BALOULAY (ill.). *Feux et cuisine*, Toulouse, Milan, 1995. (Coll. Carnets de nature)

Notes : _____

200

 à partir de 4 ans

Sous le prétexte de réparer des appareils défectueux, les enfants sont invités à découvrir leur composition.

 exploration et découverte

réparer des petits appareils ménagers

Appareils défectueux (vidéocassettes et cassettes audio, ouvre-boîtes, etc.), outils variés (tournevis, pinces, etc.), loupes, casquettes, gants, etc.

Mise en situation

Coiffer une casquette de réparateur.

Déposer les différents appareils sur les tables et expliquer aux enfants que le réparateur a dit qu'il n'était plus possible de les réparer, mais qu'eux pourraient s'amuser à faire semblant de le faire.

Pistes d'intervention

Pour favoriser le développement cognitif

Acquisition de connaissances et relation de cause à effet : mettre à la disposition des enfants différents appareils afin qu'ils les explorent. À leur demande, expliquer le fonctionnement de certains appareils.

Langage : utiliser les termes justes pour désigner les objets.

Pour favoriser le développement psychomoteur

Motricité fine : mettre à leur disposition différents outils.

Motricité globale : leur proposer de transporter un appareil avec un ami.

Pour favoriser le développement social

Sens des responsabilités : les faire participer à l'aménagement d'un coin de bric-à-brac.

Partage des découvertes et coopération : regrouper trois ou quatre enfants par atelier.

Pour favoriser le développement affectif

Estime de soi : attirer l'attention des enfants sur leur réussite, même lorsqu'elle est partielle, et leur fournir de l'aide au besoin.

Autonomie : les faire participer à l'aménagement et au rangement.

Pour favoriser le développement moral

Intégration de règles : définir avec eux les différentes règles de sécurité à observer durant cette activité.

Évaluation

Organiser une causerie pour que les enfants aient l'occasion de communiquer leurs découvertes et mettre sur pied un coin de bric-à-brac pour qu'ils puissent aller y jouer les jours suivants.

 Quelques jours à l'avance, demander aux parents d'apporter des appareils défectueux ou aller chez un réparateur pour s'en procurer. Le choix des appareils est très important : il faut faire bien attention pour qu'ils ne comportent aucun risque d'intoxication ou de blessure. De plus, il est important d'expliquer que cette activité peut se réaliser seulement avec des appareils défectueux, sous la surveillance d'un adulte.

 ■ Manuels d'information pour certains appareils et dictionnaire visuel. ■ ARDLEY, Neil, et coll. *Comment ça marche*, Éd. du Seuil, 1995. ■ MACAULAY, David, et coll. *Comment ça marche*, Paris, Larousse, 1989. (Aussi en CD-ROM.) ■ OXLADE, C., et P. TURVEY (ill.) *Regarde à l'intérieur des machines*, Paris, Hachette, 1994. (Coll. Rayon X)

Notes : _____

à partir de 4 ans

exploration et découverte

cuisiner des tartes aux fruits pour le dessert

Assiettes à tarte, pâte à tarte, rouleaux à pâte, emporte-pièces, farine, spatules, couteaux en plastique, tasses à mesurer, bols, fouets, pouding instantané, variété de fruits, chapeaux de cuisinier, tabliers, etc.

Mise en situation

Afficher le pictogramme et laisser les enfants découvrir quelle activité leur sera proposée aujourd'hui.

Par la suite, leur raconter une expérience personnelle où vous avez eu du plaisir à cuisiner avec un de vos parents.

Pistes d'intervention

Pour favoriser le développement cognitif

Habiletés logiques : expliquer aux enfants les étapes à suivre à l'aide d'un pictogramme, leur permettre de s'y référer tout au long de la réalisation et tracer ou coller des repères visuels sur les tasses à mesurer.

Acquisition de connaissances : les encourager à décrire les caractéristiques de la pâte, du pouding et des fruits.

Pour favoriser le développement psychomoteur

Organisation spatiale : laisser les enfants découvrir quelle dimension ils doivent donner à leur pâte pour remplir l'assiette à tarte.

Motricité fine : les inciter à manipuler la pâte, à utiliser le rouleau à pâte et les différents ustensiles.

Pour favoriser le développement social

Relations entre pairs : proposer aux enfants de travailler par équipes de deux.

Relations avec l'adulte : partager avec eux vos expériences passées.

Pour favoriser le développement affectif

Autonomie : illustrer les étapes à suivre par un pictogramme.

Estime de soi : inviter les enfants à offrir à leurs parents une portion de leur tarte.

Pour favoriser le développement moral

Intégration des règles : expliquer et faire respecter les règles d'hygiène.

Évaluation

Déguster les tartes au repas et garder des portions pour les offrir aux parents.

Cette activité se réalise bien en équipes de deux enfants. Il est important d'aménager l'espace pour leur permettre de travailler sans trop de contraintes.

■ Pictogramme illustrant les étapes de la réalisation. ■ BEAUCHAMP-RICHARDS, H., et Jacques GOLDSTYN (ill.). *Les petits marmitons*, Sillery, Québec-science, 1988. (Coll. Les petits débrouillards) ■ ROSIN A. et coll. *12 histoires à lire et à croquer*, Paris, Hachette et Famili, 1994. (Coll. Les mini-chefs)

Notes : _____

_____

202 à partir de 4 ans

 organisation

 décorer de vieux souliers et organiser un magasin ou une exposition

Vieux souliers, gouache, pinceaux, ciseaux, colle, pompons, brillants, brosses, cirage à chaussures, rubans et décorations de toutes sortes.

Les enfants sont invités à réparer de vieux souliers apportés par les parents pour mettre sur pied un magasin ou une exposition.

Mise en situation

Chausser deux souliers différents et attendre les réactions des enfants.

Découvrir ce qu'il y a dans le sac et demander aux enfants ce que l'on pourrait bien faire avec tous ces vieux souliers. Plusieurs idées émergeront, mais il est très probable qu'ils souhaiteront décorer les souliers.

Pistes d'intervention

Pour favoriser le développement cognitif
Habiletés logiques : proposer aux enfants d'appareiller et de classer les souliers.

Créativité : offrir du matériel nouveau pour décorer les souliers.

Pour favoriser le développement psychomoteur
Motricité fine : mettre à leur disposition de petits objets et des souliers à lacer.

Latéralité et sens de l'équilibre : les encourager à essayer les souliers (pied gauche et pied droit) et à se déplacer.

Pour favoriser le développement social
Relations entre pairs : encourager l'entraide et l'apprentissage par les pairs.

Conscience des autres : organiser quelques ateliers avec du matériel différent afin que les enfants se partagent son utilisation.

Pour favoriser le développement affectif
Confiance en soi : les encourager à expérimenter et à risquer.

Autonomie : proposer aux enfants de participer à la mise en place du matériel et au rangement.

Pour favoriser le développement moral
Conception du bien et du mal : mettre de côté les souliers qui ne peuvent plus être utilisés et donner à un organisme de charité ceux qui sont encore en bon état. Les sensibiliser à l'importance d'éviter le gaspillage.

Évaluation

Installer le magasin et inviter un autre groupe à venir acheter des souliers.

 Différents ateliers thématiques peuvent être mis en place; par exemple, l'atelier de nettoyage, l'atelier de cirage, etc. Demander aux parents, au moins une semaine à l'avance, d'apporter de vieux souliers.

 ■ Dépliants d'œuvres d'art réalisées à partir d'objets usuels ou illustrations de souliers originaux. ■ AUBIN, Michel. *Va nu-pieds*, Pierre Tisseyre, s. l., 1991. (Coll. Cœur de pomme) ■ BOURGEOIS, P., et Brenda CLARK (ill.). *Les petites bottes de la grande Sarah*, Toronto, Scholastic, 1987. ■ WATSON, Joy, et W. HODDER (ill.). *Les pantoufles de grand-papa*, Toronto, Scholastic, 1989.

Notes : _____

_____

MON AMI BOUBOULE

à partir de 4 ans

expression et création

fabriquer un ami pour ma marionnette Bouboule

Avec du matériel de récupération, les enfants sont invités à se fabriquer une marionnette pour ensuite la présenter aux autres. **203**

Divers types de marionnettes déjà fabriquées, échantillons de tissus divers, boules de styromousse, gants, mitaines, aiguilles à laine, fil, laine, boutons, ouate, goujons, retailles de papier, gommettes, colle, ciseaux, sacs de papier, crayons-feutres, deux grosses boîtes de carton (pour le castelet), un drap et une corde...

Mise en situation

Pendant la collation du matin, tout en discutant avec les enfants, faire surgir de sous la table la marionnette Bouboule. Après les présentations et un peu de bavardage, Bouboule confie aux enfants qu'elle est un peu triste, car en ce moment elle n'a pas d'amies marionnettes...

Pistes d'intervention

Pour favoriser le développement cognitif

Habiletés logiques : amener les enfants à s'exprimer sur les diverses étapes à suivre pour la fabrication d'une marionnette.

Créativité : encourager toute idée originale et inviter les enfants à inventer un nom farfelu pour leur personnage.

Pour favoriser le développement psychomoteur

Motricité fine : inviter les enfants à effectuer des opérations délicates comme découper des formes dans divers matériaux, coudre et manipuler la marionnette.

Conscience du corps : aider les enfants à situer les parties du corps lors de la fabrication de la marionnette.

Coordination : faire parler et bouger la marionnette.

Pour favoriser le développement social

Relations entre pairs : amener les enfants à présenter leur production au groupe et à commenter les réalisations des autres.

Empathie : parler du plaisir que « Bouboule » éprouvera quand elle connaîtra leur marionnette.

Pour favoriser le développement affectif

Expression des sentiments : lors de la présentation de l'activité, demander aux enfants s'ils ont déjà vécu une situation semblable à celle de Bouboule.

Estime de soi : lors de l'évaluation, faire prendre conscience aux enfants de la satisfaction que l'on éprouve à aider les autres (Bouboule ou une vraie personne).

Pour favoriser le développement moral

Acceptation des différences : lors de l'évaluation, mettre en évidence les particularités de chaque marionnette et faire dire à la marionnette Bouboule qu'elle aime bien avoir différents genres d'amis.

Évaluation

Chaque enfant présente son personnage à tout le groupe, de même qu'à Bouboule, et ceux qui le désirent peuvent jouer avec les marionnettes dans les castelets.

Il s'agit d'une activité individuelle, mais il est préférable de rassembler les enfants par ateliers de trois ou quatre et de mettre l'essentiel du matériel au centre de chaque table.

■ DUBUC, Suzanne, et Henriette MAJOR. *Marionnettes sans fils, marionnettes faciles*, Saint-Lambert, Éditions Héritage, 1991. ■ GALMAN, Phoebe. *Les beaux cochons de Lili tire-bouchon*, Toronto, Scholastic, 1990. ■ ORTON, Lyn. *Mes marionnettes*, Éditions Sélection du Readers Digest, 1993. (Coll. 1, 2, 3, je crée...)

Notes : _____

à partir de 4 ans

 expression et création

 construire une maison hantée

Cette activité est particulièrement adaptée à la période de l'Halloween. Il s'agit de proposer aux enfants de construire la maison d'une gentille sorcière avec les meubles du local et des matériaux variés. On peut aussi utiliser de grosses boîtes d'appareils électroménagers.

 Meubles, grosses boîtes d'appareils électroménagers, toiles d'araignée artificielles, araignées en plastique, cordes et rubans variés, retailles de papier de différents types (principalement aux couleurs de l'Halloween), colle, retailles de papier peint, crayons, autocollants, etc.

Mise en situation

Suspendre dans le local des décorations d'Halloween.

Raconter aux enfants une histoire de sorcière et leur proposer de lui fabriquer une maison.

Animer une causerie à partir de la phrase suivante : « Une fois, j'ai eu très peur parce que... »

Pistes d'intervention

Pour favoriser le développement cognitif

Créativité : proposer aux enfants d'imaginer différentes suites à l'histoire et encourager l'expression de toutes les idées.

Langage : écouter attentivement chacun des enfants lors de la causerie et reformuler leurs propos, au besoin.

Pour favoriser le développement psychomoteur

Motricité globale : proposer de transporter les grosses boîtes et les meubles.

Organisation temporelle : demander aux enfants de raconter l'histoire de nouveau, à l'aide des illustrations du livre de contes.

Pour favoriser le développement social

Relations entre pairs : inviter les enfants à travailler en équipe à une réalisation commune.

Conscience des autres et empathie : les encourager à écouter attentivement les histoires de chacun.

Pour favoriser le développement affectif

Expression des sentiments : durant la causerie, inviter chacun à parler de ses peurs.

Confiance en soi : les encourager à énoncer clairement leurs idées.

Pour favoriser le développement moral

Acceptation des différences : encourager le respect des idées de chacun.

Évaluation

Inviter un autre groupe d'enfants à visiter les maisons hantées.

 Pour chaque grosse boîte, c'est-à-dire pour chaque maison hantée, former une équipe d'environ quatre enfants.

AHLBERG, A., et Janet AHLBERT (ill.). *Bizardos*, Paris, Gallimard, 1990. BRYANT, Donna, et C. HENLEY (ill.). *Jeux, frissons et bricolages*, Toronto, Scholastic, 1992.

Notes : _____

à partir de 4 ans

expression et création

construire les maisons des trois petits cochons

À la suite de la lecture de l'histoire des *Trois petits* **205** *cochons*, les enfants sont invités à construire une maison en brique, une en bois et une autre, en paille.

Trois grosses boîtes d'appareils électroménagers, foin, paille, papier peint imitant la brique, copeaux de bois, planchettes très minces, gros pinceaux, colle, retailles de papier, poignées de mobilier, crayons-feutres, ciseaux, couteau « exacto » pour l'éducatrice.

Mise en situation

Installer dans trois aires du local les grosses boîtes dont les rabats ont préalablement été disposés de manière à former un toit. Lorsque les enfants demanderont à quoi elles servent, répondre que c'est pour l'activité de la journée.

Au moment prévu, inviter les enfants à venir s'asseoir et leur raconter l'histoire des *Trois petits cochons*. Par la suite, leur demander s'ils devinent à quoi servent les boîtes. Diviser le groupe en trois équipes selon le type de maison que les enfants veulent construire.

Pistes d'intervention

Pour favoriser le développement cognitif

Créativité : offrir du matériel inhabituel.

Langage : encourager les jeux de rôles et questionner les enfants pour les amener à faire référence à l'histoire.

Pour favoriser le développement psychomoteur

Motricité globale : offrir aux enfants la possibilité de travailler avec des matériaux de grand format.

Organisation spatiale : demander aux enfants de dessiner le contour des fenêtres et des portes afin de les découper pour eux.

Pour favoriser le développement social

Conscience des autres : former des équipes pour la construction des maisons.

Relations entre pairs : aider les enfants à négocier pour trouver des solutions aux problèmes qu'ils rencontrent.

Pour favoriser le développement affectif

Autonomie : demander aux enfants de participer à la mise en place du matériel.

Expression des besoins et des sentiments : par l'intermédiaire des jeux de rôles, les enfants parleront probablement de leurs peurs.

Pour favoriser le développement moral

Conception du bien et du mal : sensibiliser les enfants aux conséquences de la violence.

Évaluation

Jouer dans les maisons des trois petits cochons et, en fin de journée, les présenter aux parents.

Cette activité peut aussi se réaliser individuellement, avec des boîtes de plus petit format.

■ BOYD, Lizi. *La maison de Suzon*, Paris, Seuil, 1993. ■ DUCHESNE, Christiane, et Marie-Louise GAY (ill.). *Les 3 petits cochons*, Canada, Héritage, s. l., 1994. ■ BLEGVAD, Erik. *La véritable histoire des trois petits cochons*, trad. Elisée ESCANDE, (ill.), Paris, Gallimard, 1983. (Coll. Folio Benjamin)

Notes : _____

206   à partir de 4 ans

 expression et création

créer des œuvres à la manière de Picasso

Après avoir discuté de quelques œuvres, les enfants sont invités à peindre des tableaux à la manière de Picasso.

Gouache, feuilles, pinceaux variés, éponges, plumes, etc.

Mise en situation

Afficher des reproductions d'œuvres de Picasso et aménager un atelier de peinture. Lorsqu'un enfant démontre de l'intérêt, lui proposer de décrire une œuvre.

Avant la période des ateliers, réunir les enfants et amorcer une discussion à partir des questions suivantes : « Que voyez-vous sur ce tableau ? Qu'est-ce qui se ressemble d'un tableau à l'autre ? Quelles couleurs sont surtout utilisées ? », etc.

Pistes d'intervention

Pour favoriser le développement cognitif

Acquisition de connaissances : mettre les enfants en contact avec l'œuvre de Picasso et leur fournir de l'information sur ce peintre.

Sens de l'observation : leur demander de décrire ce qu'ils voient.

Pour favoriser le développement psychomoteur

Motricité fine et représentation graphique : par la réalisation de tableaux.

Conscience du corps : inviter les enfants à décrire les personnages des tableaux de Picasso.

Pour favoriser le développement social

Conscience des autres : encourager les enfants à écouter attentivement ce que disent les autres.

Relations entre pairs : faire respecter les tours de parole.

Pour favoriser le développement affectif

Expression des sentiments : demander aux enfants d'imaginer ce que certains personnages des tableaux peuvent ressentir.

Confiance : s'intéresser à ce qu'ils font et éviter les comparaisons.

Pour favoriser le développement moral

Acceptation des différences : les mettre en contact avec une façon différente de peindre et de représenter des personnages.

Évaluation

Exposer les œuvres des enfants dans le vestiaire ou à la vue des visiteurs.

 Si tous les enfants qui le désirent ne peuvent participer en même temps, organiser des ateliers, en rotation, dont un atelier de peinture. Un atelier de sculpture peut aussi intéresser les enfants.

■ Reproductions d'œuvres de Picasso. ■ PEPPIN, Anthea, et H. WILLIAMS (ill.). *L'art de voir*, Belgique, Casterman, s. l., 1992. ■ RODARI, Florian. *Un dimanche avec Picasso*, Suisse, Skira, s. l., 1992. (Coll. Un dimanche avec…)

Notes : _____

_____

L'ANIMAL FANTASTIQUE

à partir de 4 ans

expression et création

créer une histoire dont un animal fantastique est le personnage principal

Rétroprojecteur, acétates (prévoir au moins un acétate par enfant et le diviser en quatre), crayons pour acétate, petites formes autocollantes, affiches d'animaux bizarres, écran (s'il ne se trouve aucun mur pâle et uni), etc.

Les enfants inventent un animal fantastique et dessinent **207** ses aventures sur des acétates. Par la suite, ils présentent leur histoire aux autres enfants du groupe.

Mise en situation

Présenter aux enfants l'illustration d'un animal bizarre, par exemple une tête de lion avec un corps de souris, des pattes de coq, etc., et les amener à imaginer plusieurs autres agencements.

Pistes d'intervention

Pour favoriser le développement cognitif

Créativité : amener les enfants à imaginer plusieurs animaux bizarres et leurs aventures.

Langage : les encourager à présenter leur histoire devant le groupe.

Pour favoriser le développement psychomoteur

Organisation temporelle : la présentation de l'histoire amène les enfants à organiser leurs dessins selon un certain ordre.

Conscience du corps : amener les enfants à agencer de manière étrange différentes parties du corps pour constituer un animal fantastique.

Pour favoriser le développement social

Sens des responsabilités : encourager les enfants à aller au bout de leur réalisation.

Relations entre pairs : proposer aux enfants de commenter les réalisations des autres.

Pour favoriser le développement affectif

Autonomie : laisser aux enfants la possibilité de vérifier au rétroprojecteur les résultats de leurs dessins tout au long de la réalisation.

Estime de soi : l'émerveillement de voir ses dessins sur le mur rend l'enfant fier de lui.

Pour favoriser le développement moral

Conception du bien et du mal : interroger les enfants sur la valeur des choix que fait le personnage dans leur histoire.

Évaluation

Présenter son histoire aux autres enfants du groupe, à l'aide du rétroprojecteur.

Les enfants sont généralement très émerveillés de voir leurs dessins projetés sur le mur.

■ EVANS, Cheryl, *et al. Je sais faire des monstres et d'autres créatures*, Toronto, Scholastic, 1988. (Coll. Je sais faire) ■ HOBAN, Russel, et Quentin BLAKE (ill.). *Les monstres*, Rennes, Éd. Ouest-France, 1990. ■ ROSS, Tony. *Attends que je t'attrape !*, Paris, Gallimard, 1988. (Coll. Folio Benjamin) ■ SENDAK, Maurice. *Max et les maximonstres*, L'école des loisirs, s. l., 1988.

Notes : _____

_____

208 multiâge (scolaire)*

 organisation

 inventer un jeu pour le faire vivre aux autres enfants

En équipes de deux, les enfants sont invités à inventer un jeu avec du matériel qu'ils reçoivent dans un sac et, ensuite, à faire jouer les autres.

Sacs ou boîtes contenant du matériel varié. Boîtes ou sacs, ballons, balles, cordes, cônes, cerceaux, sacs de sable et de grains, gros blocs, foulards, clochettes, crayons, papier, balles de ping-pong, billes, etc.

Mise en situation

Pour créer l'effet de surprise, préparer à l'avance les sacs ou les boîtes. Proposer aux enfants de se grouper en équipes de deux et de choisir une boîte avant de sortir dehors. Les avertir qu'ils ne peuvent regarder à l'intérieur avant que vous n'ayez donné vos consignes. Une fois à l'extérieur, leur proposer d'inventer un jeu et les laisser découvrir le matériel de leur boîte.

Pistes d'intervention

Pour favoriser le développement cognitif

Créativité : offrir à chaque équipe du matériel différent.

Langage et habiletés logiques : leur demander d'expliquer aux autres les règles de leur jeu.

Pour favoriser le développement psychomoteur

Motricité globale et ajustement postural : demander aux enfants de transporter la boîte avec leurs équipiers.

Diverses autres habiletés motrices seront exercées en fonction des jeux inventés par les enfants.

Pour favoriser le développement social

Sens des responsabilités : rendre chaque équipe responsable de la mise en place de son jeu.

Relations entre pairs : proposer aux enfants de choisir avec qui ils veulent créer leur jeu.

Pour favoriser le développement affectif

Autonomie : les laisser décider du jeu qu'ils veulent présenter aux autres.

Confiance : souligner les aspects positifs de chaque réalisation.

Pour favoriser le développement moral

Intégration des règles et des valeurs : établir avec les enfants des règles de jeu acceptables.

Évaluation

Chaque équipe fait jouer les autres enfants du groupe à son jeu et, par la suite, les enfants sont invités à commenter l'activité.

 Cette activité peut se faire aussi bien à l'intérieur qu'à l'extérieur.

 ■ BARATTA-LORTON, Mary. *Faites vos jeux*, Montréal, Renouveau pédagogique inc., 1980. ■ COLLECTIF, *Et si tu étais...*, « Better Homes and Gardens », Saint-Lambert, Héritage, 1990. ■ GRUNFELD, Frédéric V. *et al. Jeux du monde*, Genève, Unicef, Éditions Lied et Zurich, 1979. ■ HERMEY, Claire, Josette VINAS, et ROCA. *La fête est un jeu d'enfant, 3 à 13 ans*, Paris, Fleurus, 1992.

Notes : _____

_____

* Multiâge scolaire signifie que l'activité peut être présentée à n'importe quel groupe d'âge scolaire.

L'IMPERMÉABILITÉ

 multiâge (scolaire)

 exploration et découverte

 **trouver quel serait le meilleur matériau pour se confectionner un manteau imperméable**

Les enfants sont invités à explorer les caractéristiques de **209** différents matériaux et de différentes étoffes, et d'identifier lesquels conviendraient à la fabrication de manteaux imperméables.

 Une grande variété de matériaux et d'étoffes perméables ou imperméables (du plastique au lainage), loupes, microscope, bacs et gobelets d'eau, compte-gouttes, etc.

Mise en situation

Dire aux enfants : « Lorsqu'il pleut, on doit porter un manteau imperméable ou un parapluie pour se protéger de la pluie. Imaginez qu'un manufacturier vous demande de faire des tests pour sélectionner les matériaux ou les étoffes les plus adéquats à la fabrication de manteaux imperméables. Quelles seraient vos suggestions ? »

Pistes d'intervention

Pour favoriser le développement cognitif

Acquisition de connaissances : amorcer une causerie à partir des questions suivantes : « Que veut dire " imperméable " ? " Perméable " ? Quels sont vos vêtements les plus imperméables ? De quelle matière sont-ils faits ? » Ne pas leur donner de réponses, mais inviter les enfants à vérifier leurs hypothèses lors de l'expérimentation.

Habiletés logiques : par le biais de l'expérimentation.

Pour favoriser le développement psychomoteur

Organisation perceptive : demander aux enfants de décrire les caractéristiques des matériaux.

Motricité fine : mettre à leur disposition différents instruments, comme des compte-gouttes.

Pour favoriser le développement social

Relations entre pairs : permettre aux enfants qui le désirent de travailler en équipe et de choisir leurs partenaires.

Conscience des autres : les inviter à présenter leurs résultats aux autres.

Pour favoriser le développement affectif

Estime de soi : permettre à chaque enfant qui le désire d'expliquer aux autres les motifs qui justifient son choix.

Autonomie : les laisser décider des étapes de leur expérimentation.

Pour favoriser le développement moral

Intégration des règles : demander aux enfants s'ils croient que la publicité est toujours une source crédible d'information.

Évaluation

Chaque enfant explique aux autres les critères qui ont orienté son choix ou conçoit une publicité pour faire la promotion du matériau choisi. De plus, les choix des enfants peuvent être mis à l'épreuve lors d'une journée pluvieuse.

 Cette activité peut être amorcée ou complétée par la visite d'une manufacture de vêtements ou d'une boutique d'articles de plein air.

 ■ HERSHBERGER, Priscilla. *Je me déguise en trois coups de ciseaux*, Paris, Éd. Fleurus Idées, 1996. (Coll. Atelier)

Notes : _____

210 **multiâge (scolaire)**

exploration et découverte

réaliser des expériences scientifiques et en faire la démonstration lors de l'expo-sciences

Les enfants sont invités à expérimenter différentes expériences scientifiques et à en choisir une pour la présenter dans le cadre de l'expo-sciences.

Le choix du matériel se fait en fonction de la documentation fournie et des choix d'expérimentation.

Mise en situation

Afficher des illustrations à caractère scientifique. Parler aux enfants d'une expo-sciences que vous avez visitée et leur proposer d'en organiser une au Service de garde.

Pistes d'intervention

Pour favoriser le développement cognitif

Acquisition de connaissances : soutenir les enfants lors des expérimentations, leur fournir de la documentation pertinente et donner des explications supplémentaires au besoin.

Habiletés logiques : interroger les enfants pour qu'ils expliquent leurs découvertes et les aider au besoin à comprendre les relations de cause à effet.

Pour favoriser le développement psychomoteur

Motricité fine : par le biais de la manipulation des différents outils et la création d'affiches pour décorer leur kiosque.

Organisation temporelle : demander aux enfants de présenter un échéancier.

Pour favoriser le développement social

Conscience des autres : aider les enfants à prendre conscience des besoins des participants.

Relations entre pairs : encourager le partage des expérimentations et des découvertes.

Pour favoriser le développement affectif

Confiance : encourager les enfants à réaliser plus d'une expérience et leur offrir de l'aide au besoin.

Autonomie : laisser les enfants préparer leur démonstration et leur apporter uniquement l'aide qu'ils demandent.

Pour favoriser le développement moral

Intégration des règles et des valeurs : proposer aux enfants de participer à l'élaboration des consignes ou des critères liés à l'organisation de l'expo-sciences.

Évaluation

Simuler une émission radiophonique qui fait la présentation et le bilan de l'expo-sciences ou encore, inviter les parents à la visiter.

Une équipe avec l'aide d'une éducatrice peut se charger d'organiser l'expo-sciences et les autres enfants sont invités à devenir des exposants. Ils peuvent travailler seuls ou en équipe.

 ■ GOLD, Carol, et V. KRSTANOVICH. *Science express*, Le centre des sciences de l'Ontario, Héritage, 1992. ■ LAROQUE, Bernard, et Jacques GOLDSTYN (ill.). *J'aime les expériences*, Sillery, Héritage, 1989. (Coll. Des petits débrouillards) ■ WATERS, Gaby, et Graham ROUND (ill.). *Science surprise*, Toronto, Scholastic, 1985. ■ YOUNG, Dominique. *Explorations et découvertes*, Les scientifiques nomades, Montréal, 1989.

Notes : _____

 multiâge (scolaire)

 exploration et découverte

 concevoir son portrait à l'âge adulte pour le présenter aux autres

En utilisant un médium de leur choix, les enfants sont **211** invités à imaginer et à communiquer ce qu'ils désirent être à l'âge adulte.

Matériaux d'arts plastiques, papiers, crayons, ordinateurs, miroirs, photos de leurs parents ou grands-parents, terre glaise, maquillage, etc.

Mise en situation

Raconter aux enfants ce que vous désiriez être quand vous étiez petite et souligner les rêves que vous avez réalisés. Par la suite, leur proposer de participer à une imagerie mentale qui les transportera à l'âge adulte.

Finalement, les inviter à réaliser leur autoportrait. Avant de commencer, il peut être intéressant de faire un remue-méninges pour identifier différentes façons de présenter les autoportraits aux autres.

Pistes d'intervention

Pour favoriser le développement cognitif

Créativité : animer une imagerie mentale pour aider les enfants à imaginer ce qu'ils peuvent devenir.

Langage : proposer aux enfants de présenter leur autoportrait oralement ou par écrit.

Pour favoriser le développement psychomoteur

Motricité fine : par le biais de l'utilisation des matériaux d'arts plastiques.

Conscience du corps : inviter les enfants à imaginer différents aspects d'eux-mêmes à l'âge adulte (leur démarche, leurs cheveux, etc.).

Pour favoriser le développement social

Relations avec l'adulte : communiquer aux en-fants vos rêves d'enfants et être attentive à ce qu'ils vous disent.

Sens des responsabilités : amener les enfants à imaginer le rôle qu'ils aimeraient jouer dans la société.

Pour favoriser le développement affectif

Confiance et estime de soi : permettre à chaque enfant de parler de lui aux autres.

Autonomie : les laisser choisir le médium qu'ils veulent utiliser, les modalités de présentation et les commentaires qu'ils veulent recevoir.

Pour favoriser le développement moral

Acceptation des différences : aider les enfants à comprendre les divers points de vue.

Évaluation

Laisser chaque enfant choisir la façon dont il souhaite présenter son autoportrait et recevoir des commentaires.

 Cette activité peut se réaliser sur une assez longue période, un mois par exemple, afin de permettre à chacun de travailler à son rythme. Par contre, certaines présentations peuvent commencer au fur et à mesure que les enfants sont prêts.

 ■ Autoportraits de personnages connus. ■ DELAFOSSE, Claude, et Tony ROSS (ill.). *Les portraits*, Paris, Gallimard, 1993. (Coll. Mes premières découvertes de l'Art)

Notes : _____

multiâge (scolaire)

Les enfants sont invités à explorer différents moyens pour filtrer de l'eau impure contenue dans des pots.

 **exploration et découverte**

 **construire une usine pour filtrer l'eau**

 Pichets d'eau de provenance variée, neige, loupes, microscopes, filtres et cônes à café, sable, ouate, cailloux, sucre, sel, colorant alimentaire, tubes en plastique, contenants, charbon de bois activé, filtres à eau vendus dans le commerce, etc.

Mise en situation

Présenter un court document vidéo qui expose les conditions de vie dans certains pays où l'eau potable est rare et amorcer une causerie sur le sujet.

Pistes d'intervention

Pour favoriser le développement cognitif

Acquisition de connaissances : fournir de la documentation et de l'information. Expliquer le fonctionnement des instruments.

Habiletés logiques : proposer aux enfants de décrire le processus qu'ils ont utilisé pour filtrer l'eau.

Pour favoriser le développement psychomoteur

Organisation perceptive : proposer aux enfants de tenter d'identifier certaines composantes (sable, roche, déchet) trouvées dans l'eau.

Motricité fine : par le biais de l'utilisation de certains instruments.

Pour favoriser le développement social

Conscience des autres : informer les enfants des conditions de vie dans certains pays où l'eau potable est rare.

Relations entre pairs : les aider à négocier des compromis, au besoin, et les inciter à s'intéresser aux découvertes des autres.

Pour favoriser le développement affectif

Autonomie : laisser les enfants expérimenter diverses solutions.

Estime de soi : éviter toute forme de compétition ou de comparaison et faire ressortir les éléments positifs de chaque réalisation.

Pour favoriser le développement moral

Intégration de valeurs : sensibiliser les enfants à la rareté de l'eau potable dans certains pays du monde et à l'importance d'éviter le gaspillage.

Évaluation

Présenter au groupe le fonctionnement de son usine. Cette présentation peut aussi se faire lors d'une occasion spéciale, comme une expo-sciences.

 Cette activité peut se réaliser seul ou en équipe et se dérouler sur une période plus ou moins longue.

 ■ Brochures d'organismes voués à la préservation de l'eau. ■ COLE, Joanna, et Bruce DEGEN (ill.). *L'autobus magique et la classe à l'eau*, Toronto, Scholastic, 1988. ■ SEED, Deborah, et Bob BEESON (ill.). *La magie de l'eau*, Québec, Héritage, 1993.

Notes : _____

_____

LES MASQUES

multiâge (scolaire)

expression et création

organiser une exposition de masques pour...

Il s'agit de proposer aux enfants de créer différents masques et d'organiser une exposition dans le cadre d'un événement quelconque.

Masques neutres, variété de masques, bandes d'étoffe enduite de plâtre, vaseline, gouache, pinceaux, crayons-feutres, couteau « exacto », plumes, brillants, etc.

Mise en situation

Afficher des illustrations provenant d'une exposition de masques.

Se parer d'un masque neutre pour proposer l'activité aux enfants et amorcer une discussion sur les messages que l'on peut décoder de l'expression non verbale des personnes.

Pistes d'intervention

Pour favoriser le développement cognitif

Habiletés logiques : planifier avec les enfants les différentes tâches relatives à un tel événement.

Acquisition de connaissances : proposer un atelier sur des techniques de fabrication de masques.

Pour favoriser le développement psychomoteur

Motricité fine : par le biais de la manipulation de bandes d'étoffe enduite de plâtre ou de la décoration des masques.

Schéma corporel : la fabrication de masques incite les enfants à prendre conscience des parties du visage.

Pour favoriser le développement social

Conscience des autres : certaines techniques de fabrication de masques de plâtre exigent que deux enfants coopèrent.

Sens des responsabilités : négocier avec les enfants le partage des tâches et les encourager à les assumer.

Pour favoriser le développement affectif

Expression des sentiments : proposer aux enfants de décrire la personnalité du personnage que représente leur masque.

Estime de soi : mettre en évidence leur réalisation lors de l'exposition et inviter plusieurs personnes à la visiter.

Pour favoriser le développement moral

Acceptation des différences : mettre les enfants en contact avec des masques réalisés dans diverses régions du monde.

Évaluation

Exposer les masques lors d'un événement spécial.

La création de masques peut se réaliser avec des bandes d'étoffe enduite de plâtre appliquées directement sur le visage, mais certains enfants peuvent trouver cette technique très inconfortable. Pour cette raison, il est préférable de proposer plusieurs techniques. L'organisation de l'exposition demande la mise sur pied de comités et la collaboration de tous les participants. Cette activité peut aussi être prolongée par un spectacle de mime.

■ DUBUC, Suzanne, et Philippe GERMAIN (ill.). *Drôles de masques*, Saint-Lambert, Héritage, 1992. ■ FRANK, Vivien, et Deeborah JAPPÉ. *Masques*, Paris, Fleurus Idées, 1992. ■ LAMÉRAND, Violaine, et J.-P. LAMÉRAND (ill.). *À vos masques !*, Paris, Fleurus, 1995. (Coll. Le mercredi des petits)

Notes : _____

214 **multiâge (scolaire)**

 organisation

 mettre sur pied un bureau de poste pour la distribution à l'école des messages de la Saint-Valentin

Habituellement les enfants aiment échanger des messages d'amour et d'amitié lors de la Saint-Valentin. L'activité leur offre la possibilité de mettre sur pied un service de distribution du courrier.

 Objets utilisés dans les bureaux de poste : tampons encreurs, timbres, enveloppes, bottins, sceau, balance, autocollants, etc.

Mise en situation

Lorsque les enfants commencent à parler de la Saint-Valentin, soumettre l'idée de rendre le Service de garde responsable de la distribution du courrier de la Saint-Valentin de l'école. Leur dire que vous seriez prête à accompagner un comité qui aimerait mener ce projet à terme. De plus, il serait sans doute intéressant de visiter le bureau de poste du quartier avant de commencer la mise en place.

Pistes d'intervention

Pour favoriser le développement cognitif

Acquisition de connaissances : proposer aux enfants de préparer des questions à poser lors de la visite d'un bureau de poste.

Habiletés logiques : les inciter à expérimenter diverses façons de trier et de distribuer le courrier.

Pour favoriser le développement psychomoteur

Organisation temporelle : pour être efficaces, les enfants devront gérer leur temps adéquatement.

Organisation spatiale : par le biais de la gestion et de la distribution du courrier.

Pour favoriser le développement social

Sens des responsabilités : sensibiliser les enfants à l'importance de chaque message envoyé.

Conscience des autres et des Relations entre pairs : aider les enfants à négocier et à trouver des solutions aux problèmes qu'ils rencontrent.

Pour favoriser le développement affectif

Autonomie : laisser les enfants expérimenter diverses alternatives et décider des étapes de l'activité.

Expression des sentiments : par le biais des messages qu'ils enverront aux autres.

Pour favoriser le développement moral

Intégration des règles et des valeurs : leur proposer d'établir des règles de fonctionnement claires et de les expliquer aux utilisateurs du service.

Évaluation

Organiser une causerie pour que les enfants puissent commenter l'efficacité du réseau de distribution du courrier de la Saint-Valentin.

 Cette activité peut se réaliser avec une seule équipe de quatre ou cinq enfants.

 ■ Dépliants de la Société canadienne des postes. ■ LANGEN A., et C. DROOP (ill.). *Lettres de mon lapin*, New York, Paris, Londres, 1994. ■ LUPPENS, Michel, et Roxane PARADIS (ill.). *La Saint-Valentin des animaux*, Saint-Hubert, Raton Laveur, 1995.

Notes : _____

multiâge (scolaire)

 organisation

 organiser une journée d'olympiades

Les enfants sont invités à organiser des olympiades et à former des équipes qui assumeront la coordination et l'animation des différentes activités.

215

 Matériel généralement disponible au gymnase.

Mise en situation

Parler de la possibilité d'organiser des olympiades à un petit groupe d'enfants habituellement attirés par ce genre d'activité et leur proposer de sonder l'intérêt des autres.

Pistes d'intervention

Pour favoriser le développement cognitif

Créativité : inviter les enfants à se mettre à la recherche d'activités nouvelles ou à modifier celles qu'ils connaissent.

Langage : demander aux enfants de vous communiquer les règles relatives aux activités qu'ils proposent et leur demander, au besoin, des précisions avant qu'ils les expliquent aux autres.

Pour favoriser le développement psychomoteur

En fonction du choix des activités présentées lors des olympiades, différents aspects du développement psychomoteur seront favorisés.

Pour favoriser le développement social

Sens des responsabilités : encourager chaque équipe à organiser son kiosque ou à assumer les tâches qu'elle a choisies.

Relations entre pairs : aider les enfants à préciser les règles des activités au programme des olympiades, afin de favoriser une participation harmonieuse de tous.

Pour favoriser le développement affectif

Confiance : aider les enfants qui éprouvent de la difficulté à prendre leur place et leur offrir d'assumer des tâches à leur mesure.

Estime de soi : valoriser les jeux coopératifs.

Pour favoriser le développement moral

Acceptation des différences : faire observer les réussites même lorsqu'elles ne sont que partielles et souligner la contribution de chacun à l'organisation de cette journée.

Évaluation

Proposer au comité de gestion de trouver une façon d'évaluer la journée.

Avant d'entreprendre le travail d'équipe, recueillir toutes les idées des enfants, s'assurer que les principales décisions sont prises sur l'organisation de la journée et que les tâches de chacun sont précisées. La tenue d'olympiades convient bien aux journées pédagogiques. Elles peuvent se dérouler à l'extérieur, mais il est aussi possible d'utiliser le gymnase.

■ AJCHENBAUM, J., et Ginette HOFFMAN (ill.), *Au temps des premiers jeux olympiques*, Éditions Casterman, Paris, 1989. (Coll. Des enfants dans l'histoire) ■ POULIN, Stéphane. *Les jeux zoolympiques*, Canada, Éd. Michel Quintin, photographe animalier, 1989. (Coll. Pellicule)

Notes :

216

multiâge (scolaire)

expression et création

créer une histoire dans laquelle l'enfant est le héros ou le personnage principal

En utilisant un médium de leur choix, les enfants sont invités à inventer une histoire dont ils sont les héros et à la présenter aux autres.

Mettre à la disposition des enfants tout le matériel disponible afin qu'ils le choisissent en fonction du médium utilisé (écriture, dessin, sculpture, etc.).

Mise en situation

Raconter aux enfants un rêve ou une histoire dont vous êtes le personnage principal et leur dire que vous aimez parfois imaginer qu'il vous arrive des aventures extraordinaires.

Animer un remue-méninges pour trouver des idées d'aventures à vivre ou différents médiums à utiliser pour présenter l'histoire.

Pistes d'intervention

Pour favoriser le développement cognitif

Langage : encourager chaque enfant à présenter son histoire.

Créativité : cette activité amène les enfants à imaginer différentes situations.

Pour favoriser le développement psychomoteur

Organisation temporelle : par l'élaboration d'un scénario.

Habiletés psychomotrices : selon le médium utilisé, différentes habiletés seront développées.

Pour favoriser le développement social

Sens des responsabilités : limiter le temps consacré à chaque présentation et le faire respecter.

Conscience des autres : accorder à chaque enfant un moment où il peut parler aux autres de ses rêves.

Pour favoriser le développement affectif

Expression des besoins et des sentiments : par le biais de cette activité, les enfants pourront exprimer leurs rêves.

Confiance en soi : aider chaque enfant à prendre sa place et proposer à chacun de communiquer ses rêves.

Pour favoriser le développement moral

Acceptation des différences : par le biais des différentes présentations, on met les enfants en contact avec différents rêves et points de vue.

Évaluation

Présenter son histoire aux autres et leur demander des commentaires.

Pour s'assurer que chacun aura l'attention des autres, étaler les présentations sur quelques jours.

■ Différents livres, bandes dessinées et documents vidéo. ■ FAVARO, Patrice, et Richard FLOOD (ill.). *En scène*, Belgique, Casterman, 1994.

Notes : _____

_____

_____

 multiâge (scolaire)

 expression et création

 créer des affiches pour une occasion spéciale

Crayons de toutes sortes, feuilles de papier, gouache, encre, éponges, pinceaux, ciseaux, ordinateurs, règles, lettres autocollantes, etc.

Mise en situation

Cette activité ne demande pas de mise en situation particulière puisqu'elle est présentée dans le cadre d'une autre activité-projet. Toutefois, il est intéressant de préparer un dossier contenant de la documentation en rapport avec la création d'affiches et de le mettre à la disposition des intéressés.

Pistes d'intervention

Pour favoriser le développement cognitif

Acquisition de connaissances : offrir un atelier expliquant quelques techniques d'imprimerie.

Langage : soutenir les enfants pour qu'ils élaborent des messages clairs dans un français correct.

Pour favoriser le développement psychomoteur

Motricité fine : par le biais de la réalisation des affiches et de l'utilisation de différentes techniques.

Organisation spatiale : lors de la mise en page de l'affiche.

Pour favoriser le développement social

Conscience des autres : pour attirer l'attention des autres, les enfants devront imaginer comment ceux-ci perçoivent différentes situations.

Relations entre pairs : pour la réalisation des affiches, les enfants devront entrer en relation avec le comité de coordination du projet, négocier et trouver des compromis.

Pour favoriser le développement affectif

Autonomie : sensibiliser les enfants à l'importance de la responsabilité qu'ils ont choisi d'assumer.

Estime de soi : reconnaître publiquement le travail des enfants.

Pour favoriser le développement moral

Conception du bien et du mal : discuter avec les enfants des valeurs liées à la consommation et à la publicité.

Évaluation

Demander à l'équipe de coordination d'inclure la publicité dans l'évaluation de leur projet ou, à la fin de l'année scolaire, exposer toutes les affiches qui ont été produites.

 Cette activité peut être réalisée par une petite équipe ou un seul enfant et être proposée dans le cadre de plusieurs activités-projets.

■ Dictionnaires. ■ COLLECTIF. *Petite tache au pays des affichistes*, Éd. du Regard, 1991. (Coll. Petite tache) ■ ECONOMIDÈS, Michèle. *Enfants photographes*, Belgique, Éditions Labor, 1990.

Notes : _____

_____

_____

multiâge (scolaire)

 expression et création

aménager une maison de poupées

Les enfants sont invités à décorer et à meubler une maison de poupées achetée ou construite par un parent.

Maison de poupées, bois mince facile à travailler, carton épais, petites boîtes, peinture, pinceaux, papier peint, clous, vis, outils, colle, bâtonnets à café, tissus variés, fil, aiguilles, mousse synthétique, figurines, styromousse, papier d'aluminium, pâte à modeler, etc.

Mise en situation

Présenter la maison de poupées aux enfants et leur dire que l'achat de mobilier est coûteux. Leur proposer de la décorer et de l'aménager. Définir ensuite avec eux une répartition des tâches qui tiendra compte des habiletés de chacun.

Pistes d'intervention

Pour favoriser le développement cognitif

Créativité : par le biais de la décoration et de l'aménagement de la maison.

Habiletés logiques : encourager les enfants plus âgés à faire des plans de leur aménagement.

Pour favoriser le développement psychomoteur

Motricité fine : par le biais de la manipulation de matériaux et de la construction d'objets miniatures.

Organisation spatiale : par le biais de l'aménagement des pièces et de la réalisation de plans.

Pour favoriser le développement social

Conscience des autres et Relations entre pairs : ce projet requiert une certaine concertation entre les équipes qui y travaillent.

Sens des responsabilités : utiliser un tableau ou un schéma pour noter le partage des tâches.

Pour favoriser le développement affectif

Confiance : reconnaître les efforts de chacun et suggérer de réduire une tâche complexe en plusieurs petites tâches, au besoin.

Autonomie et persévérance : donner l'aide nécessaire avant qu'un enfant se décourage.

Pour favoriser le développement moral

Intégration des règles : établir avec les enfants les règles et les consignes se rapportant à l'utilisation des outils.

Évaluation

À la fin de ce projet, les enfants pourront jouer avec la maison. Certaines erreurs seront constatées et ils apporteront des modifications au besoin.

 Les enfants plus âgés seront davantage intéressés à la construction du mobilier et les plus jeunes préféreront inventer différents jeux de rôles. Pour réaliser cette activité dans l'harmonie, il est important de s'assurer que chacun assume des tâches à sa mesure. De plus, l'aménagement de l'espace doit être pensé de façon à assurer la sécurité des enfants au moment de l'utilisation de certains outils.

 ■ Plans de meubles et illustrations de maisons de poupées. ■ VANDERMEER, R. *La maison des petits cochons* (un livre animé), Paris, Nathan, 1988. ■ VENTURA, Piero, *et al. La maison*, Paris, Gründ, 1993.

Notes : _____

multiâge (scolaire)

expression et création

concevoir un message publicitaire pour le présenter au festival de la publicité

219 Les enfants sont invités à organiser un festival de publicité et à concevoir des messages publicitaires en utilisant un médium de leur choix (affiche, vidéo, etc.).

Matériaux de récupération très variés, crayons, papier, cartons, colle, lettres autocollantes, revues, ciseaux, appareil vidéo, costumes et tout le matériel disponible.

Mise en situation

Afficher dans le local différentes publicités, présenter un document vidéo et discuter des caractéristiques de chaque document publicitaire. Par la suite, proposer le projet d'organiser un festival de publicité lors de la prochaine journée pédagogique.

Pistes d'intervention

Pour favoriser le développement cognitif

Acquisition de nouvelles connaissances : offrir aux enfants qui le désirent un atelier montrant des techniques de créativité.

Créativité : proposer d'animer une session de remue-méninges pour trouver des services ou des produits originaux qui pourraient faire l'objet d'un message publicitaire.

Langage : encourager l'utilisation d'un français correct.

Pour favoriser le développement psychomoteur

Organisation temporelle : demander à chaque équipe de vous présenter un échéancier.

Selon le médium utilisé, les enfants développeront d'autres habiletés psychomotrices.

Pour favoriser le développement social

Conscience des autres : la réalisation de ce projet amène les enfants à se préoccuper de la réaction des autres pour choisir leurs idées.

Relations entre pairs : encourager le travail en équipe et aider les enfants isolés à prendre leur place.

Pour favoriser le développement affectif

Autonomie : laisser les enfants organiser leur échéancier et les aider au besoin.

Confiance : éviter la comparaison et la compétition, et faire ressortir les aspects positifs de chaque présentation.

Pour favoriser le développement moral

Conception du bien et du mal : amorcer une discussion sur la consommation et la publicité.

Évaluation

Présenter les différentes réalisations au festival de la publicité et proposer à chaque équipe de concevoir une fiche d'évaluation selon leurs besoins.

Cette activité devrait se dérouler au cours d'une période d'au moins deux semaines. Les quelques enfants qui ne désirent pas concevoir de document publicitaire pourraient former un comité pour l'organisation du festival ou d'autres activités en rapport avec ce dernier.

■ Livres qui illustrent diverses inventions, revues, etc. ■ COLENO, Nadine, et Karine MARINACCE. *Petite tache au pays des affichistes*, Paris, Éd. du Regard, 1991. ■ SENDAK, Maurice. *20 posters rassemblés*, Harmony Books, 1986.

Notes : _____

220   **multiâge (scolaire)**

 expression et création

créer une bande dessinée pour la bibliothèque du Service de garde

Les enfants sont invités à réaliser une bande dessinée pour enrichir la collection du coin de lecture.

Papiers, crayons variés, règles, ciseaux, ordinateurs, etc.

Mise en situation

Montrer aux enfants une bande dessinée réalisée par Tristan Demers et leur dire qu'il a commencé à en créer lorsqu'il était très jeune. Poursuivre en leur expliquant que la bibliothèque possède très peu de bandes dessinées : peut-être que certains d'entre eux seraient capables d'en créer, et intéressés à le faire.

Pistes d'intervention

Pour favoriser le développement cognitif

Langage écrit : soutenir les enfants lors de l'écriture des textes et les encourager à utiliser le dictionnaire.

Créativité : encourager les enfants à expérimenter différentes façons de faire et à créer des situations ou des personnages originaux.

Pour favoriser le développement psychomoteur

Motricité fine : la réalisation d'une bande dessinée demande beaucoup de minutie.

Organisation spatiale et temporelle : par le biais de la mise en pages des séquences de l'histoire.

Pour favoriser le développement social

Sens des responsabilités : encourager les enfants et les soutenir pour qu'ils aillent au bout de leur projet.

Reconnaissance par les pairs : annoncer à tout le groupe qu'une nouvelle bande dessinée est maintenant disponible au coin de lecture.

Pour favoriser le développement affectif

Autonomie : laisser les enfants gérer leur projet, mais les soutenir au besoin.

Confiance : les encourager, reconnaître leurs efforts et leur donner l'aide nécessaire à la poursuite du projet.

Pour favoriser le développement moral

Intégration des règles et des valeurs : discuter avec les enfants des valeurs véhiculées dans leur histoire.

Évaluation

Proposer aux enfants d'insérer dans la bande dessinée une fiche d'évaluation conçue par eux.

 Cette activité peut se réaliser aussi bien individuellement qu'en équipe et ne demande aucune installation particulière. De plus, puisqu'il n'est pas nécessaire de fixer une date d'échéance, les enfants peuvent prendre tout le temps dont ils ont besoin.

■ Dictionnaires. ■ DEMERS, Tristan (Gargouille). *Dessiner, exercices faciles*, Terrebonne, Éd. Mille-Îles, 1995. ■ TATCHELL, Judy, Graham ROUND *et al.* (ill.). *Je sais faire des bandes dessinées*, Toronto, Scholastic, 1987.

Notes : _____

_____

multiâge (scolaire)

 exploration et découverte

aider un ami non voyant à prendre sa collation

Chaque enfant est invité à aider un ami non voyant (qui a les yeux bandés pour la circonstance) à aller chercher sa collation, à s'installer et à la manger. Dans un deuxième temps, les rôles seront inversés. Par la suite, une causerie permettra aux enfants d'échanger sur leur expérience.

Foulards, collations, canne blanche, objets à textures variées, etc.

Mise en situation

Apporter une canne blanche et demander aux enfants s'ils savent à quoi elle sert.

« Vous êtes-vous déjà demandé comment on se sent et comment on fait pour se déplacer quand on est aveugle ? Si vous êtes d'accord, on pourrait faire un petit jeu pour essayer de mieux comprendre la vie des non-voyants. »

Pistes d'intervention

Pour favoriser le développement cognitif

Habiletés langagières et logiques : proposer aux enfants de décrire clairement aux non-voyants où ils se trouvent dans l'espace et quels obstacles ils doivent franchir.

Compréhension du monde : à la suite de l'expérience, discuter de ce qu'entraîne le fait d'être non voyant.

Pour favoriser le développement psychomoteur

Organisation perceptive : proposer aux enfants d'identifier des objets sans les voir.

Motricité globale et équilibre : proposer différents déplacements.

Pour favoriser le développement social

Conscience des autres : inviter chaque enfant à prendre soin de l'ami aveugle et à lui communiquer les obstacles à franchir.

Relations entre pairs : offrir aux enfants la possibilité de choisir leur équipier.

Pour favoriser le développement affectif

Confiance aux autres : par votre présence, rassurer les enfants inquiets.

Expression des besoins et des sentiments, et empathie : proposer aux enfants d'exprimer ce qu'ils ressentent dans la peau d'un non-voyant.

Pour favoriser le développement moral

Acceptation des différences : sensibiliser les enfants à l'importance de rendre service aux personnes handicapées.

Évaluation

Animer une causerie permettant aux enfants d'échanger sur leur expérience ou simuler une interview.

 Il est important de créer un climat calme avant de commencer cette activité et de discuter des conséquences de certaines blagues, comme de laisser croire qu'il n'y a pas d'obstacle à certains endroits.

 ■ Livre écrit en braille. ■ ST-PIERRE, Éric, et Gérard GOULET (ill.). *Un voyage incroyable*, Une nouvelle aventure de Tsow Bidou (le chat aveugle), Ste-Madeleine, Fondation Mira, 1988.

Notes :

222

multiâge (scolaire)

expression et création

enregistrer une création musicale à la manière de la musique traditionnelle africaine

Avec différents objets sonores, les enfants sont invités à découvrir les sons et à composer ou à reproduire quelques motifs rythmiques de musique africaine; leurs compositions seront enregistrées.

Magnétophone, casseroles, cuillères en bois et de métal, bouteilles, assiettes en aluminium, boîtes de conserve (éliminer les rebords coupants), plats en plastique, grelots, planche à laver, instruments de musique originaires d'Afrique, etc.

Mise en situation

Déposer à la vue des enfants plusieurs objets sonores. Faire jouer une cassette de musique africaine et battre le rythme avec un instrument.

Pistes d'intervention

Pour favoriser le développement cognitif

Créativité : encourager les enfants à explorer les utilités de quelques objets et à créer différents rythmes.

Compréhension du monde et acquisition de connaissances : les informer de divers us et coutumes et de traditions de l'Afrique.

Pour favoriser le développement psychomoteur

Discrimination auditive : attirer l'attention des enfants sur différents sons.

Motricité globale et sens rythmique : leur montrer quelques pas de danse et leur proposer de danser.

Pour favoriser le développement social

Conscience des autres et Relations entre pairs : leur proposer de danser ensemble.

Relations avec l'adulte : raconter ou décrire ce que vous aimez de ce type de musique.

Pour favoriser le développement affectif

Autonomie : encourager les enfants à expérimenter leurs idées.

Confiance en soi : leur donner l'occasion de développer de nouvelles compétences.

Pour favoriser le développement moral

Acceptation des différences : mettre les enfants en contact avec d'autres habitudes de vie et d'autres mœurs.

Évaluation

Enregistrer quelques compositions et, par la suite, les écouter. On peut aussi présenter l'enregistrement aux parents lors d'une occasion spéciale.

Il est important de laisser du temps aux enfants pour explorer et créer individuellement avant de former de petites équipes pour des créations collectives. Cette activité peut être réalisée en prenant comme point de départ différents pays ou types de musique.

■ Enregistrement de musique africaine et illustrations de danses ou de musiciens africains. DISQUE : *Like the Ocean*, American Royal Drums of the Abatutsi. ■ CARSON TURNER, B. et illustrateurs. *La musique*, Paris, Nathan, 1989. (Coll. Salut les artistes !)

Notes : _____

multiâge (scolaire)

 expression et création

 fabriquer des vêtements de poupées

Les enfants sont invités à fabriquer des vêtements pour **223** des poupées en carton, avec du matériel de bricolage.

Poupées en carton plastifié, différentes sortes de papier, crayons, ciseaux, colle, paillettes, plumes, etc.

Mise en situation

Raconter une expérience personnelle, comme : « Quand j'étais petite, j'ai reçu en cadeau un livre qui contenait des poupées en carton et plusieurs vêtements à découper. J'avais beaucoup de plaisir à jouer avec ce jeu et après un certain temps, j'ai décidé de leur fabriquer de nouveaux vêtements. J'ai pensé que certains d'entre vous auraient du plaisir à découvrir ce jeu. »

Pistes d'intervention

Pour favoriser le développement cognitif

Compréhension du monde : offrir des poupées en carton représentant des personnes de différentes ethnies et offrir de la documentation illustrant des tenues vestimentaires différentes.

Créativité : la création de vêtements amène les enfants à imaginer différentes situations.

Pour favoriser le développement psychomoteur

Conscience du corps et motricité fine : par le biais de la création de vêtements et du découpage.

Organisation perceptive : aider les enfants à créer des vêtements proportionnés à la taille des poupées.

Pour favoriser le développement social

Conscience des autres et échange entre les enfants, qui en viennent habituellement à créer des scénarios pour leur personnage.

Relations entre pairs : encourager le partage et l'entraide.

Pour favoriser le développement affectif

Expression des besoins et des sentiments : encourager les jeux de rôles et participer aux scénarios que les enfants inventent.

Confiance en soi : par le biais des nouvelles compétences développées, comme l'habileté à créer des vêtements.

Pour favoriser le développement moral

Acceptation des différences : proposer des poupées de différentes ethnies.

Évaluation

Présenter les poupées avec leurs vêtements lors d'un défilé de mode ou les exposer.

 Bien que cette activité passionne plusieurs enfants, il est peu probable qu'elle intéresse tout le monde. Elle doit donc être offerte en même temps que d'autres activités.

 ■ Livres illustrant des personnes de différentes ethnies et revues de mode. ■ RANCHETTI, Sebastiano *et al. L'aventure du costume : de la feuille de vigne au prêt-à-porter*, Belgique, Casterman, 1992. ■ SPIER, Peter. *Cinq milliards de visages*, Paris, L'école des loisirs, 1981. ■ STEINKAMPF, Sylvie, et Sylvie UGLIANICA. *Je crée mon univers*, Paris, Dessain et Tolra, 1992.

Notes : _____

224

 à partir de 9 ans

 expression et création

 réaliser un document audiovisuel qui présente aux parents les activités du Service de garde

Les enfants sont invités à réaliser un document audiovisuel qui présente aux parents les activités du Service de garde.

Caméra vidéo, magnétoscope, téléviseur, exemple d'un scénario, bandes vidéo, etc.

Mise en situation

« Pour la réunion de parents prévue le…, nous avons pensé présenter un document audiovisuel qui donnerait un aperçu des activités du Service de garde. Lors de la réunion du comité de parents, l'un d'entre eux a suggéré de demander au groupe des 9 à 12 ans s'il était intéressé à le réaliser. J'ai trouvé que c'était une excellente idée et je suis prête à vous soutenir si le projet vous plaît. »

Animer une discussion pour recueillir les idées des enfants et faire la liste de toutes les tâches que ce projet implique.

Pistes d'intervention

Pour favoriser le développement cognitif

Habiletés logiques : par le biais de l'élaboration du scénario.

Langage : valoriser l'utilisation d'un français de qualité.

Pour favoriser le développement psychomoteur

Organisation temporelle : préciser de quelle durée pourra être le documentaire et aider les enfants à bâtir le scénario en conséquence.

Organisation spatiale : par le biais de l'utilisation d'un médium visuel.

Pour favoriser le développement social

Sens des responsabilités et sentiment d'appartenance : soutenir les enfants pour qu'ils mènent

le projet à terme et être à l'écoute des différents messages transmis.

Conscience des autres : proposer aux enfants de consulter les plus jeunes pour connaître leur perception de la vie au Service de garde.

Pour favoriser le développement affectif

Confiance : encourager les enfants et les soutenir tout au long de ce projet.

Expression des besoins et des sentiments : par le biais de la rédaction des textes et du scénario.

Pour favoriser le développement moral

Intégration des règles et des valeurs : les enfants devront expliquer le fonctionnement du Service de garde aux auditeurs.

Évaluation

Demander aux parents de commenter le document audiovisuel et proposer aux jeunes de prévoir une modalité d'évaluation.

 Cette activité est particulièrement intéressante pour les jeunes de plus de neuf ans, parce qu'ils peuvent la réaliser de façon assez autonome.

 ■ PEPPIN, Anthea, et Helen WILLIAMS. *L'art de voir*, Belgique, Casterman, 1992.

Notes : _____

à partir de 9 ans

organisation

organiser des conférences ou des ateliers pour les présenter lors de la journée pédagogique

Cette activité offre aux enfants la possibilité de préparer des conférences ou des ateliers sur le thème de l'environnement et d'organiser les présentations lors d'une journée pédagogique.

Les enfants planifieront le matériel nécessaire à leur présentation.

Mise en situation

Raconter aux enfants une catastrophe écologique survenue récemment et leur proposer d'organiser la prochaine journée pédagogique sur ce thème, afin de se sensibiliser à l'importance de prendre soin de leur environnement.

Pistes d'intervention

Pour favoriser le développement cognitif

Acquisition de connaissances et compréhension du monde : par le biais des recherches nécessaires à la préparation de conférences ou d'ateliers.

Habiletés logiques : soutenir la planification logistique des ateliers.

Pour favoriser le développement psychomoteur

Organisation temporelle : offrir de l'aide à l'équipe responsable de l'organisation de l'horaire.

Organisation spatiale : demander à l'équipe responsable de l'aménagement physique des lieux de vous présenter un plan.

Pour favoriser le développement social

Conscience des autres : discuter des conséquences de certaines catastrophes écologiques.

Relations entre pairs : aider les enfants à préparer leurs ateliers en fonction des caractéristiques et des besoins des plus jeunes.

Pour favoriser le développement affectif

Autonomie : laisser les enfants définir le contenu des différents ateliers et l'horaire de la journée.

Expression des besoins et estime de soi : proposer aux enfants d'organiser une table ronde pour que ceux qui le désirent puissent donner leur opinion.

Pour favoriser le développement moral

Conception du bien et du mal : sensibiliser les autres enfants aux problématiques écologiques.

Évaluation

Proposer à un groupe d'enfants de concevoir une fiche d'évaluation de la journée.

Cette activité requiert l'intérêt de la majorité des enfants. Si seulement quelques enfants désirent y participer, il est préférable de ne pas organiser la journée pédagogique uniquement sur ce thème.

■ Documentation abondante sur le sujet, bottins de ressources et affiches fournies par les différents organismes.

Notes :

226 à partir de 9 ans

 expression et création

 réaliser une bande vidéo à la manière de Charlie Chaplin

Cette activité propose à un groupe d'enfants intéressés par le projet de se partager les tâches et les responsabilités afin de réaliser un court-métrage en collaboration, en s'inspirant du style des films de Charlie Chaplin.

Costumes d'époque, accessoires variés, caméra vidéo, magnétoscope, bandes vidéo, téléviseur, etc.

Mise en situation

Présenter aux enfants un court-métrage de Charlie Chaplin et leur demander d'identifier les principales caractéristiques de ce type de cinéma.

Identifier avec eux les principales tâches liées à la réalisation d'un document audiovisuel et leur proposer de vivre l'expérience.

Pistes d'intervention

Pour favoriser le développement cognitif

Créativité : encourager les enfants à expérimenter des idées originales lors de l'élaboration du scénario et de la mise en scène.

Langage écrit : demander aux enfants de présenter le plan du scénario par écrit.

Pour favoriser le développement psychomoteur

Organisation temporelle : préciser de quelle durée pourra être le documentaire et aider les enfants à bâtir le scénario en conséquence.

Organisation spatiale : par le biais de l'utilisation d'un médium visuel.

Pour favoriser le développement social

Relations entre pairs : soutenir les comités et valoriser le travail de collaboration.

Sens des responsabilités : aider les enfants à négocier et à régler les problèmes qu'ils rencontrent puisque ce type de projet requiert une interdépendance entre les comités.

Pour favoriser le développement affectif

Expression des sentiments : cette activité amène les enfants à s'exprimer par le langage non verbal.

Autonomie : les aider, au besoin, à décider des étapes de l'activité et des différentes tâches qui y sont liées.

Pour favoriser le développement moral

Intégration de valeurs personnelles : discuter avec les enfants des valeurs véhiculées par certaines scènes.

Évaluation

Présenter le document aux autres enfants du Service de garde et demander leurs commentaires.

 Pour réaliser ce projet, on peut l'inscrire d'avance à l'horaire de chaque semaine, à des périodes fixes.

 ■ Film de Charlie Chaplin et documentaires sur les débuts du cinéma. ■ DEJUST, F. *Je filme en vidéo*, Fleurus, 1994. (Coll. Fleurus Idées)

Notes : _____

BIBLIOGRAPHIE

ALTHOUSE, Rosemary. *Investigating Science with Young Children*, New York, Teachers College Press, 1988.

AMÉGAN, Samuel. *Pour une pédagogie active et créative*, Québec, Presses de l'Université du Québec, 1996.

ASSOCIATION DES SERVICES DE GARDE EN MILIEU SCOLAIRE DU QUÉBEC. *Aménagement et équipement du service de garde en milieu scolaire*, Longueuil, 1991.

BAULU-MACWILLIE, Mireille. *Apprendre... c'est un beau jeu*, Montréal, Éd. de la Chenelière, 1990.

BETSALEL-PRESSER, Raquel, et Denise GARON. *La garderie une expérience de vie pour l'enfant*, Volets 1, 2 et 3, Québec, Office des services de garde à l'enfance, Gouvernement du Québec, 1984. (Coll. Petite enfance)

BRICAULT, Denise. *L'enfant au cœur de nos actions, guide d'interventions éducatives*, Plessisville, Agence de garde en milieu familial La girouette, 1995.

CANADA. CONSOMMATION ET CORPORATIONS CANADA. *Loi sur les produits dangereux. Règlements sur les produits dangereux (jouets)*, s. d.

CAOUETTE, Charles E. *Si on parlait d'éducation : pour un nouveau projet de société*, Montréal, VLB, 1992.

CAOUETTE, Charles E. *et al. L'éducateur en garderie comme médiateur d'apprentissage auprès de jeunes enfants*, Guide d'autoformation assistée, Montréal, Université de Montréal, 1993.

CHARETTE-POIRIER, Francine, et Monique LE PAILLEUR-GERMAIN. *Je joue et j'apprends : une pédagogie interactionnelle pour les quatre et cinq ans*, Vanier, Centre franco-ontarien de ressources pédagogiques, 1995.

CLOUTIER, Richard, et André RENAUD. *Psychologie de l'enfant*, Boucherville, Gaëtan Morin, 1990.

DAVIDSON, Jane Ilene. *Children and Computers Together in the Early Childhood Classroom*. Albany (NY), Delmar, 1989.

DE LANDSHEERE, Viviane. *L'éducation et la formation*, Paris, Presses Universitaires de France, 1992.

DELISLE, Suzanne. *L'option éducative de développement global à l'intérieur des programmes d'activités des garderies*, Mémoire de maîtrise, Montréal, Université du Québec à Montréal, 1990.

DELISLE, Suzanne, et Aline HACHEY. *Projet éducatif pour les enfants de 0 à 12 ans dans les services de garde*, Saint-Jérôme, Cégep de Saint-Jérôme, 1992.

DESJARDINS, Ghislaine. *Faire garder ses enfants au Québec... une histoire toujours en marche*, Québec, Les publications du Québec, 1991.

DUCLOS, Germain. Conférence non publiée, prononcée au cégep de Saint-Jérôme, 1996.

DUNSTER, Lee. *Un guide pour la responsable de garde en milieu familial*, Ottawa, Child Care Providers Association, 1994.

DU SAUSSOIS, Nicole. *Activités en ateliers à l'école maternelle*, Paris, Armand Collin-Bourrelier, 1980.

FERRIS MILLER, Darla. *L'éducation des petits : une démarche positive*, Sudbury, L'Institut des technologies télématiques, 1993.

GARON, Denise. *La classification des jeux et jouets. Le système ESAR*, La Pocatière, Documentor, 1985.

GAUTHIER, Clermont, et Maurice TARDIF. *La pédagogie, Théories et pratiques de l'Antiquité à nos jours*, Boucherville, Gaëtan Morin, 1996.

GORDON, Thomas. *Comment apprendre l'autodiscipline aux enfants*, Montréal, Le Jour, 1990.

GUÉNETTE, Rachel. *Des enfants gardés... en sécurité*, Montréal, Les publications du Québec, 1988.

HENDRICK, Joanne. *L'enfant : une approche pour son développement global* (traduction et adaptation), Sainte-Foy, Presses de l'Université du Québec, 1993.

KATZ L.G., D. EVANGELOU et J.A. HARTMAN. *The Case for Mixed-age Grouping in Early Education*, Washington, National Association for the Education of Young Children, 1991.

LAUZON, Francine. *L'éducation psychomotrice*, Québec, Presses de l'Université du Québec, 1990.

LESCOP, François. « Jean-Jacques Rousseau ou de l'éducation », *Petit à petit*, Gouvernement du Québec, Office des services de garde à l'enfance, vol. 12, n° 4, nov.-déc. 1993, p. 13-14.

MASLOW, Abraham H. *Vers une psychologie de l'être*, Paris, Fayard, 1972.

MEIRIEU, Philippe. *Apprendre... oui, mais comment*, Paris, ESF, 1990.

MEIRIEU, Philippe. « Éduquer un métier impossible ? ou " Éthique et pédagogie " », *Actes du Congrès Collèges Célébration 92*, Montréal, Association québécoise de pédagogie collégiale, 1992.

PAQUETTE, Claude. *Vers une pratique de la pédagogie ouverte*, Laval, Éd. NHP, 1976.

PARÉ, André. *Créativité et pédagogie ouverte*, vol. I, II, III, Laval, Éd. NHP, 1977.

PIAGET, Jean. *La construction du réel chez l'enfant*, Paris, Delachaux et Niestlé, 1977.

PIAGET, Jean. *Psychologie et pédagogie, La réponse du grand psychologue aux problèmes de l'enseignement*, Paris, Bibliothèque Médiations, 1969.

PROCHNER, Larry. « Les jeunes enfants et les micro-ordinateurs : un second regard », *Interaction*, Fédération canadienne des services de garde à l'enfance, hiver 1995.

QUÉBEC. CONSEIL SUPÉRIEUR DE L'ÉDUCATION. *L'Éducation préscolaire : un temps pour apprendre*, Québec, Avis à la ministre de l'Éducation, 1996.

QUÉBEC. CONSEIL SUPÉRIEUR DE L'ÉDUCATION. *Pour un développement intégré des services éducatifs à la petite enfance : de la vision à l'action*, Québec, Avis au ministre de l'Éducation, 1987.

QUÉBEC. CONSEIL SUPÉRIEUR DE L'ÉDUCATION. *Pour une approche éducative des besoins des jeunes enfants*, Québec, Avis au ministre de l'Éducation, 1989.

QUÉBEC. MINISTÈRE DE LA FAMILLE ET DE L'ENFANCE. *Jouer, c'est magique. Programme favorisant le développement global des enfants*, Tomes 1 et 2, Québec, Les Publications du Québec, 1998.

QUÉBEC. MINISTÈRE DE LA FAMILLE ET DE L'ENFANCE. *Programme éducatif des centres de la petite enfance*, Québec, 1997.

QUÉBEC. MINISTÈRE DE LA SANTÉ ET DES SERVICES SOCIAUX. *Un Québec fou de ses enfants*, Québec, Rapport du groupe de travail pour les jeunes, 1991.

QUÉBEC. MINISTÈRE DE L'ÉDUCATION. *Guide pédagogique préscolaire : Guide général d'interprétation de l'instrumentation pédagogique pour le programme d'éducation préscolaire*, Québec, Direction des programmes, Service du primaire, 1982.

QUÉBEC. MINISTÈRE DE L'ÉDUCATION. *Les États généraux sur l'éducation 1995-1996, Exposé de la situation*, Québec, 1996.

QUÉBEC. MINISTÈRE DE L'ÉDUCATION. *Programme d'éducation préscolaire*, Québec, Direction des programmes, Service du primaire, 1981.

QUÉBEC. MINISTÈRE DE L'ÉDUCATION. *Programme d'éducation préscolaire*, Québec, 1997.

QUÉBEC. OFFICE DES SERVICES DE GARDE À L'ENFANCE. *Créer un cadre de vie en garderie : guide d'élaboration d'un programme d'activités*, Québec, Les publications du Québec, 1989.

REGROUPEMENT DES GARDERIES DU MONTRÉAL-MÉTROPOLITAIN INC., *Manipuler avec soin*, Montréal, 1988.

RIGAL, Robert. *Motricité humaine*, Québec, Presses de l'Université du Québec, 1985.

ROBERT, Jocelyne. *Ma sexualité de zéro à six ans*, Montréal, Éd. de l'homme, 1985.

ROUSSEAU, Jean-Jacques, *Émile ou De l'éducation* [1762], Paris, Flammarion, 1966.

TARDIF, Hélène. *Petits prétextes pour mettre le nez dehors*, Montréal, Hurtubise HMH, 1986.

THÉRIAULT, Jacqueline. *L'exploitation du matériel dans l'aire des jeux symboliques*, Chicoutimi, Université du Québec à Chicoutimi, 1987.

WEININGER, Otto. *Play and Education*, Springfield (Il.), C. Thomas Publisher, 1979.

WEITZMAN, Elaine. *Apprendre à parler avec plaisir*, Toronto, Le programme Hanen, 1992.

INDEX